Leo Bodenstein: Und plötzlich muß
Warum ein Kieler Amerik~~aner wurde~~

Leo Bodenstein:

Und plötzlich mußte ich englisch reden ...

Warum ein Kieler Amerikaner wurde

1991
Sonderdruck für die
Landeszentrale für Politische Bildung Schleswig-Holstein

DS
135
.G5
B63
1991

Herausgeber: Leo Bodenstein, Florida/USA

Satz und Druck: Schmidt & Klaunig, Kiel

Umschlagphoto: Leo Bodenstein in seinem New Yorker Büro 1978

ISBN 3-88312-019-7

Printed in Germany

Gedruckt auf chlorfrei hergestelltem Papier

Inhalt

Verena Lötsch und **Rüdiger Wenzel**

**Zum Gedenken an meine Verwandten,
die während der Diktatur der Nationalsozialisten
ermordet wurden:**

Rachel Ehrmann, geb. Feldmann

Regina Grünbaum, geb. Ehrmann

Adolf Grünbaum

Paula Nagelberg

Max Krapp

Helene Krapp, geb. Bodenstein

Gisela Krapp

Erna Krapp

Paula Krapp

Bernhard Krapp

Grußwort

Dem Buch von Leo Bodenstein wünsche ich in unserem Lande weite
Verbreitung. Viele junge Menschen und auch ihre Eltern wissen heute
kaum etwas über die Zeit des Nationalsozialismus und die damit verbundene Verfolgung der Juden. Sie können sich auch nicht mehr vorstellen,
daß die jüdische Gemeinschaft einmal ein wichtiger und angesehener
Teil deutscher Kultur und Wirtschaft war. Daher dient der Bericht eines
Zeitzeugen einem wichtigen Zweck. Es gibt unter uns jene, die an die
Vergangenheit nicht mehr erinnert werden, und andere, die sie nicht
wahrhaben wollen. Das spricht nicht für sie. Aufgeschlossenheit und
Erinnerungsvermögen sind das Fundament einer jeden Kultur. Das Hohe
und das Niedrige sind Teil der Geschichte. Das letztere zu verleugnen,
bedeutet Schaden nehmen an unserer Seele. Ich bin dankbar, daß dieses
Buch erscheinen konnte.

Prof. Dr. Nathan Peter Levinson
Landesrabbiner

Grußwort

Jüdisches Leben und jüdische Gemeinschaften gibt es heute in Schleswig-Holstein nicht mehr. Die am besten erhaltenen Zeugen einst lebendiger jüdischer Gemeinden sind Friedhöfe und Gräber. Während der nationalsozialistischen Gewaltherrschaft wurden unsere jüdischen Mitbürgerinnen und Mitbürger gedemütigt, verfolgt und ermordet.

Für viele Jugendliche, für einen Großteil der heute lebenden Generation ist es kaum nachvollziehbar, was wir Deutschen damals unseren jüdischen Mitbürgerinnen und Mitbürgern angetan haben, wie der Weg von der kleinen Demütigung in die Hölle der Vernichtungslager verlief. Nur ganz wenige jüdische Schleswig-Holsteiner konnten rechtzeitig der Verfolgung entfliehen. Sie leben heute außerhalb unseres Landes, auch wenn sie sich mit ihrem Herkunftsland ausgesöhnt haben und sich ihm in kritischem Abstand verbunden fühlen.

Zu diesen Menschen zählt Leo Bodenstein, der seine Kindheit und Jugend in Kiel verbrachte, nach seiner Flucht aus Schleswig-Holstein einen Neuanfang in den USA fand. Schon frühzeitig kehrte er von Berufs wegen nach Deutschland zurück und knüpfte zahlreiche Kontakte. Seiner Geburts- und Heimatstadt, der Landeshauptstadt Kiel, weiß er sich so eng verbunden, daß er bis heute jedes Jahr einige Wochen dort verbringt. Mit Aufmerksamkeit hat er über die Jahre des räumlichen Fernseins von Schleswig-Holstein und Kiel die Ereignisse hier und den Umgang, den wir mit der jüdischen Vergangenheit pflegen, verfolgt. Seine Aufzeichnungen sind ein Dokument zur jüdischen Geschichte Schleswig-Holsteins.

Leo Bodenstein berichtet von seiner Kindheit und Jugend in Kiel, von den Gemeinsamkeiten mit seinen Freunden; er berichtet über die kleinen, immer größer werdenden Schikanen, die er als Schulkind erlebte, er erinnert sich an das, was seinen Eltern und seiner Familie widerfahren ist, er berichtet von Flucht und Neuanfang, seinem beruflichen Leben und der Wiederannäherung an sein Heimatland. Wir erkennen aus seinen Schilderungen, wie die Lebenswelt eines jungen Menschen zerbrach.

Es ist Leo Bodenstein dafür zu danken, daß er sich mit seinen Erinnerungen gegen ein Verdrängen und endgültiges Vergessen der jüdischen

Geschichte unseres Landes stellt, zugleich aber auch eine Brücke der Versöhnung aufrichtet. Seine Erinnerungen sollten uns Mahnung sein, daß jeder Mensch Verantwortung trägt – nicht nur für sein Leben und seine Familie, sondern auch für die Würde und Unverletzlichkeit seiner Mitmenschen.

Björn Engholm

Ministerpräsident des
Landes Schleswig-Holstein

Gerd Stolz

Eine unabweisliche Aufgabe
Gedanken zur Einführung

Mit seinem Kommen nach Deutschland, nach Schleswig-Holstein Jahr um Jahr legt Leo Bodenstein ein Herzensbekenntnis seiner Treue und überlegenen Menschlichkeit ab. Er, der sich bewußt zum jüdischen Glauben bekennt, hat eine reiche Lebenserfahrung mit der Fähigkeit der Erinnerung, nämlich Vergangenheit zu registrieren und zu ihrer Wahrnehmung beizutragen.

Mit seinen Aufzeichnungen wird ein Stück der jüdischen Überlieferung Schleswig-Holsteins für dieses Land und seine Bewohner der Vergangenheit und Vergeßlichkeit, des Vergessen-Wollens und der Verdrängung entrückt. In seiner lebendigen, liebenswürdigen und gewinnenden Art legt er in ganz persönlichen Eindrücken fern wissenschaftlich-anonymer Distanz Zeugnis ab von seinem und seiner Familie (Er-)Leben.

In der Verantwortung als Mensch, Vergangenheit und Zukunft durch die gelebte Gegenwart zu verbinden, steht Leo Bodenstein in der Tradition jüdischen Glaubens. Der Mensch, der nicht wie das Tier instinktgebunden ist, besitzt die moralische Freiheit, nach seinen Möglichkeiten für das Gute in der Welt zu wirken.

Es mag sein, daß viele Menschen, denen er in diesem Land nach dem Lesen seiner Erinnerungen begegnen wird, sich in ihrem Schuld- und Schamgefühl verstärkt wachgerufen fühlen. Haben wir nicht schon genug gehört, daß es Zeit sei zu vergessen, die „alten Geschichten" nicht immer wieder aufs neue aufzuwärmen, Menschen damit zu belästigen, die damit nichts zu tun haben, da sie damals noch nicht geboren waren? – Es ist der Fluchtversuch vor der eigenen Vergangenheit und vor der eigenen Geschichte, die Flucht vor der Tatsache, Eltern und Großeltern zu haben, die die Zeit mitgetragen und mitgeprägt haben. Es muß für Menschen mit offenen Augen und offenen Sinnen, mit offenem Herzen deutlich gewesen sein, was in diesem Land geschah. Wer dem Gewissen dienen will, kann das Gedächtnis nicht ausklammern.

Doch Leo Bodenstein will mit seinen Erinnerungen mitwirken, daß das Entsetzliche, das Unvorstellbare des staatlichen Massenmordes nicht wiederkehrt. Der Aspekt des Grauens, der allen Juden gegolten hat, kann keine Flucht vor der Vergangenheit, nicht das häufig wahrnehmbare

Schweigen auf deutscher Seite rechtfertigen. Geschichte wirkt weiter – häufig auch gegen den Willen und Unwillen der „Betroffenen" – und wird weiter als Argument wie auch als Instrument in der Politik wie im täglichen Leben benutzt und eingesetzt.

Leo Bodenstein gibt keine Geschichtsbilder mit abstrakter Ferne, er erzählt scharfsinnig, was und wie er es erlebt, welche Eindrücke er aufgenommen hat, wie die Dinge auf ihn gewirkt und ihn gebildet haben. Er schildert die Kindheit, Jugend und Schulzeit in Kiel, wohin er heute noch alljährlich für mehrere Wochen fährt, die Lebensumstände und die Welt seiner Familie, das Leben der Kieler jüdischen Gemeinschaft; er berichtet vom Alltagsleben wie von Festen und Feierlichkeiten, von frohen und heiteren Erlebnissen, gemeinsamen Veranstaltungen und auch den ersten Schmähungen während seiner Schulzeit aufgrund seines Glaubens.

Die jüdischen Deutschen waren keine „Fremden", es waren Menschen, die sich in nichts anderem von ihren Mitmenschen als durch ihren Glauben unterschieden. Sie haben in diesem Land gelebt, haben es geliebt und für es gearbeitet, sie fühlten sich ihrer Heimatstadt Kiel verbunden, waren Kieler, bis sie es nicht mehr sein durften, bis sie ausgegrenzt und verfolgt wurden.

Durch eine glückliche Rettung – wenn auch „abschnittsweise" – gelangt die Familie Bodenstein in eine andere, eine fremde Welt, die „Neue Welt", fernab der einst geregelten und gesicherten Verhältnisse – doch man lebt und hat überlebt, und was das bedeutet, wird erst im Laufe der Zeit verständlich. In ganz unterschiedlicher Form finden die einzelnen Familienmitglieder allmählich wieder Halt und Auskommen, denn das Schicksal lehrte, sich selbst zu behaupten.

Mit dem äußeren Abstand zu Deutschland wuchs auch der innere über die langen Schatten, die in erschreckendem, unglaublichem Maße wahrzunehmen waren. Leo Bodenstein erlebt in seiner Familie, bei seinen Angehörigen, wie eine Welt hinter ihnen zerbricht und sich zugleich vor ihnen eine andere, eine neue auftut, in der es zunächst nicht leicht ist, sich zurechtzufinden. Die USA boten zwar eine Zuflucht, zunächst aber noch keine gesicherte Zukunft. Wir verfolgen, wie verschieden die einzelnen Angehörigen der Familie diese „zwei Wurzeln" jeweils für sich in ihrem Lebensweg aufnehmen.

Wir können wohl kaum ermessen, wie groß jener Bruch gewesen ist und wie er von den Menschen empfunden wurde. Einst war man Nachbar, Freund, Klassenkamerad und Spielgefährte, man lachte und freute sich miteinander, man machte gemeinsame Streiche, hatte gemeinsames

Erleben – dann war man Gehetzter, Verfolgter, Verfemter, Freiwild – verspottet, verhöhnt. Die Seele des Kindes, des Jugendlichen wurde verletzt, und heute noch sind Schatten geblieben.

In der „neuen Heimat" lernte auch Leo Bodenstein sich zu behaupten und durchzusetzen, erkannte er, was seelische und körperliche Freiheit bedeutet. Er machte seinen beruflichen Weg, der ihn in Spitzenfunktionen der amerikanischen Bank- und Finanzwirtschaft in viele Länder und schließlich auch frühzeitig nach Deutschland zurückführte. Selbstbewußt nahm er hier ihm angetragene Aufgaben wahr, stellte sich ehrenamtlicher Tätigkeit zur Verfügung, wurde Mithandelnder und Mitgestalter auch deutschen kulturellen Lebens. Mit vielen Persönlichkeiten des öffentlichen Lebens steht er heute noch in freundschaftlicher Verbindung.

Fast 20 Jahre hat Leo Bodenstein nach dem Zweiten Weltkrieg wieder in Deutschland gelebt, in eigener Anschauung Wandel und Leben, die deutsche Einstellung zu Vergangenheit und Geschichte verfolgt. Schon sehr bald besuchte er dabei auch wieder seine Geburtsstadt, die ihm allerdings nicht mehr Heimat sein konnte – vielleicht auch nicht mehr wollte?

Er erlebte in Schleswig-Holstein, in Kiel ein Land, eine Stadt ohne jüdische Gemeinschaft, er sah die Erinnerung an die jüdische Vergangenheit weggeräumt, ausgelöscht, nachträglich verdrängt. Land und Stadt waren zwar in wirtschaftlicher Blüte, in neuen Formen wiedererstanden, doch es war nicht das, was in der Erinnerung der „Emigranten" lebte.

Leo Bodenstein hat trotz der widrigen Umstände, die sein Leben teilweise bestimmt und geprägt hatten, an seinem Deutsch-Sein festgehalten, doch es schmerzt ihn um des Gedenkens der rechtlos und schutzlos vernichteten jüdischen Menschen, daß ihre Vergangenheit vielfach unberücksichtigt blieb. Er sieht den großen Informationsmangel insbesondere bei der jüngeren Generation über das jüdische Schicksal in Deutschland, in Schleswig-Holstein. So will er nicht nur den Dialog führen, er sucht in Freimütigkeit und Offenheit die Begegnung, erhebt seine mahnende Stimme als Aufklärer und Ruhestörer, muß häufig große Befangenheit bei neuen Bekanntschaften erleben, wenn er sein Judentum bekennt. Es geht ihm dabei nicht um Wiedergutmachung mit dem demütigenden Gefühl der Dankbarkeit, aber er will sagen und zeigen, wo die jüdischen Menschen in ihrem Schicksal geblieben sind, auch wenn kein Grab sie deckt. Er will vermitteln, daß die jüdische Geschichte Schleswig-Holsteins sich nicht nur auf 12 Jahre beschränkt, daß diese 12 Jahre aber auch nicht ausgeklammert werden dürfen.

Er legt seinen Finger in die offene Wunde, wenn er fragt, wie wir mit unserer jüdischen Vergangenheit umgehen, was Stadt und Land tun und getan oder unterlassen haben. Er stellt sich dabei offener wie versteckter Arroganz entgegen, der er manchmal heute noch hier begegnet, wenn er mahnend fragt. Nicht alle Türen und Amtsstuben öffnen sich ihm und manche nur schamhaft-widerwillig.

Doch Leo Bodenstein sucht zugleich nach Wegen der Begegnung in der Hoffnung, daß man sich gegenseitig als Mensch anschaut. Eine wesentliche Voraussetzung für ihn sind die Kenntnis der Geschichte und das Bekenntnis zur Vergangenheit, und mit seinen Erinnerungen will er dazu beitragen, daß ein solches Bild des Geschehens in seiner ganzen Breite nicht verlorengeht. Er legt vor uns ein jüdisches Schicksal von der Kindheit bis ins Alter mit allen Höhen und Tiefen offen, ohne Reue, ohne Scheu und Scham, ohne Anklage – jedoch mit der offenen Frage: warum?

Die Aufzeichnungen Leo Bodensteins sind ein einzigartiges Dokument schleswig-holsteinischer und jüdisch-deutscher Geschichte, so lebendig, frisch und teilweise frech geschrieben. Aber es gehört zu den schmerzlichen Leseerfahrungen, die diese Erinnerungen vermitteln, daß die jüdische Existenz hier in dem „Land zwischen den Meeren" bis auf wenige steinerne Reste ausgelöscht ist.

Wir sollten wachsam bleiben, unserer und unserer jüdischen ehemaligen Mitbürger leidvollen Geschichte mehr als nur oberflächliche Aufmerksamkeit zukommen lassen, denn für Versäumnis und Versagen gibt es keine Entschuldigung. Die Notwendigkeit sich zu erinnern bleibt, und auch das geschichtliche Bewußtsein unserer Vergangenheit, die Erfahrungen des Martyriums, für das es in der deutschen und jüdischen Geschichte nichts Vergleichbares gibt, werden bleiben.

1. Kiel – die Stadt meiner Geburt und meiner Jugend

Es war am 3. Januar 1920 in Kiel, Metzstraße. Meine Großmutter Rachel Ehrmann und ihr jüngster Sohn Benno waren an diesem Sabbat spätnachmittags bei meinen Eltern zu Besuch. Plötzlich verspürte meine hochschwangere Mutter starke Wehen. Benno mußte zur Hebamme laufen, und gegen 20.00 wurde ich dann geboren.

Onkel Benno, das jüngste von 8 Kindern, war damals 12 Jahre alt und mußte, wie er mir vor vielen Jahren erzählte, immer alle Wege für die Familie besorgen und hatte daher viel umherzulaufen. Ich kann mir sehr gut vorstellen, daß mein Onkel vielleicht deshalb ein guter Sportler wurde, der sich insbesondere beim Stafettenlauf von der Levensauer Brücke zum Kieler Markt (heute: Alter Markt) mehrere Preise holte. Es scheint mir, das vieles Umherlaufen nicht schadet. Mein Onkel Benno wohnt heute in New York.

Genau eine Woche nach der Geburt findet üblicherweise die Beschneidung statt. In meinem Falle mußte es an einem Sonntag sein. Der Sabbat beginnt am Freitagabend bei Sonnenuntergang und endet am Samstagabend bei Sonnenuntergang. Am 3. Januar 1920 war in Kiel der Sonnenuntergang bereits gegen 17.00 Uhr, somit wurde ich am ersten Tag der jüdischen Woche geboren, an einem Sonntag. Da es zu diesem Zeitpunkt aber keine Person in Kiel gab, die die rituelle Handlung vornehmen durfte, mußte Dr. Zunz aus Hamburg, Zahnarzt von Beruf, kommen, um die Beschneidung „ehrenhalber" auszuführen. Dr. Zunz war ein frommer Jude. Bei einem Besuch in Haifa, Israel, 1935 traf ich zufällig Dr. Zunz wieder, der später hier zu Hause war.

Eine Beschneidung ist ein freudiges Ereignis. Es findet immer eine Familienfeier statt, zu der auch Freunde geladen werden. Es werden einige Segenswünsche vom Vater und dem Mohel gesagt. Die Zeremonie – ich habe später viele in Kiel und New York erlebt – ist jedesmal sehr schön und andächtig. Das festlich gekleidete Kind wird von einem Ehepaar, meist sind es Verwandte, die als Pate fungieren, hereingetragen. Die Paten geben es dem Zandek, dessen Aufgabe es ist, das Baby während der Zeremonie auf seinem Schoß zu halten.

Der Zandek ist meistens der Großvater. In meinem Falle war es mein Großvater Wolf Ehrmann. Die Paten waren Herr Hersh Nagelberg und seine Frau Regina, eine Schwester meiner Mutter.

Ein Jahr nach meiner Geburt wurde Herr Gerson Chaim als Kantor und Lehrer von der Israelitischen Gemeinde Kiel eingestellt. Er besorgte auch das Amt eines Mohel bis zu seiner Pensionierung im Jahre 1930.

Ich war erst einige Monate alt, als meine Mutter erkrankte, ins Hospital mußte und später zu einem längeren Kuraufenthalt in Bad Soden im Taunus weilte. Im Hospital lernte meine Mutter eine Gräfin Rantzau kennen. Die beiden Damen wurden Freundinnen und blieben in Kontakt. In den Jahren des Nationalsozialismus erhielt unsere Familie einmal indirekt etwas Hilfe durch die Familie Rantzau.

Eine andere Zeremonie, die sehr würdevoll ist und meistens im Alter von 3 Jahren stattfindet, ist die sogenannte Wimpel-Zeremonie. Diese hat keine religiösen Gründe und wurde damals auch nicht in allen jüdischen Gemeinden durchgeführt, sondern ist mehr eine Familienüberlieferung. Es ging um folgendes: Wenn ein Junge „sauber" ist, nimmt ihn sein Vater das erste Mal am Sabbat mit in die Synagoge und stiftet für eine der Torarollen einen Wimpel. Der Wimpel ist ein ca. 15 – 20 cm breites und ca. 2 m langes Tuch, reichlich bedruckt oder bestickt mit biblischen Emblemen. Dieser Wimpel wird um die Torarolle gewikkelt und erst dann wird über die Rolle der schwere Samtmantel gezogen. Nach dem Gottesdienst reicht die Familie des Jungen einen kleinen Imbiß, Kiddush genannt.

Meine Eltern, insbesondere meine Mutter, waren Theater- bzw. Opernliebhaber und besaßen ein Abonnement. Natürlich gingen wir Kinder gern ins Theater, solange es noch möglich war. Eine der Lieblingsgeschichten meiner Mutter war folgende. Einmal gingen meine anderthalb Jahre ältere Schwester Regina, genannt Reginchen, und ich mit ihr zur Kindervorstellung ins Theater. Ich war damals gerade 2 Jahre alt. Die Vorstellungen fanden immer nur in den Adventswochen statt. Als ich bemerkte, daß es im Theater dunkel wurde und obendrein der Logendiener die Tür schloß, ergriff ich die Hand meiner Mutter und fragte ängstlich: „Hat uns der Weihnachtsmann eingeschlossen?" Meine Mutter erzählte noch im hohen Alter ihren Enkeln und Urenkeln in Amerika gern diese Geschichte.

Zum Thema Weihnachten ist noch einiges Interessante hinzuzufügen. Assimilierte Juden, die der israelischen Gemeinde angehörten und ihre Kinder auch zum jüdischen Religionsunterricht schickten, hatten oftmals einen Weihnachtsbaum zu Hause. Einerseits moderne, andererseits aber fromme und bewußte Juden hatten keinen. Unser Hausmädchen hatte einen Baum in ihrem Zimmer in unserer Wohnung, und wir Kinder haben auch von ihr Süßigkeiten und kleine Geschenke bekommen. Bei uns zu Hause wurde das Chanukka-Fest mit Kerzen, Geschenken, Spielen, Kartoffelpfannkuchen eine Woche lang gefeiert. Diese Woche fiel meistens in die Weihnachtszeit. Die Chanukka-Feiertage waren im Gegensatz zu anderen Festtagen und Sabbat, Feiertage, an denen es erlaubt war zu arbeiten, seine Geschäfte zu führen usw. Die jüdischen Schulen hingegen blieben 8 Tage lang geschlossen – was ein besonders freudiges Ereignis für die Kinder war. Jeder jüdische Haushalt besaß einen achtarmigen Chanukka-Leuchter. Am ersten Feiertag wurde eine Kerze angezündet, jeden weiteren Tag noch eine Kerze, bis dann am achten Tag 8 Kerzen brannten. Die jüdische Überlieferung weist darauf hin, daß Judas Makkabäus bei der Rückeroberung des Tempels einen Ölvorrat vorfand, der nur für einen Tag reichen konnte, aber ein Wunder geschah und das Öl brannte 8 Tage lang. Deshalb wird Chanukka als Lichterfest 8 Tage lang begangen.

Ein beliebtes Spiel war für uns Kinder in der Chanukka-Woche das „Dreidl-Spiel". Ein „Dreidl" war eine Art Kreisel, den man mit den Fingern zum Drehen brachte. Dieser Kreisel hatte vier Flächen und je nachdem, wie der Kreisel landete, konnte man gewinnen oder verlieren. Wir spielten um Nüsse, Bonbons und andere Kleinigkeiten.

Natürlich haben wir in der Schule Advent und Weihnachten gefeiert, denn darüber wurde auch außerhalb des Religionsunterrichts, von dem jüdische Schüler befreit waren, gesprochen. Ich erinnere mich an einige Weihnachtsaufführungen, bei denen auch jüdische Kinder mitspielten. Wir haben Aufsätze über Weihnachten geschrieben und wurden von unseren nichtjüdischen Freunden zu Weihnachten eingeladen. Das galt für uns Kinder wie für die Erwachsenen.

Noch heute habe ich viele Erinnerungen an meine Vorschulzeit. Meine Mutter, meine Schwetser und ich fuhren nach Bad Harzburg in Urlaub. Papa besuchte uns an den Wochenenden und fuhr mit uns zurück. Es gab sogar eine koschere Pension in Bad Harzburg. Ich glaube, seit dieser Zeit reise ich gern.

Mein Vater konnte gut mit Pferd und Wagen umgehen. Nicht weit von unserem Geschäft in der Ringstraße 98 entfernt, gab es ein Fuhrunternehmen Brandt, von dem mein Vater sich sonntags oft Pferd und Wagen lieh. Wir fuhren dann zum Picknick über Land und besuchten einige Bauernhöfe, deren Besitzer meine Eltern kannten.

Meine Schwester Gisela wurde im April 1925 geboren; sie war ein schönes Kind, meiner Mutter sehr ähnlich. Sie war blond und hatte helle Augen. Sie erhielt ihren Namen nach der Großmutter meines Vaters, die ihn und seine Schwester aufzog, da sie ihre Eltern sehr früh verloren hatten. Meine Schwester Reginchen und ich sind nach den Eltern meines Vaters benannt.

Eine andere Lieblingsgeschichte meiner Mutter war folgende: Als meine Mutter im Wochenbett lag und die weißgekleidete Hebamme sie noch

Leo und Reginchen

einige Tage betreute, fragte ich, ob jene Dame des Klapperstorchs Mutter wäre. Wir glaubten seinerzeit eisern an den Klapperstorch. Als dann meine Schwester Zita im November 1930 geboren wurde, hatte ich allerdings schon erste Zweifel.

Kurz nach Giselas Geburt im Sommer 1925 zogen wir in die Gellertstraße, die damals am Stadtrand lag. Wir hatten dort einen schönen Garten mit Blumen und ein paar Stachelbeersträuchern. Mein Vater ließ im Garten eine Sandkiste und eine herrliche Schaukel bauen, die noch bis Ende der fünfziger Jahre benutzt wurde. Für uns Kinder war die Welt in Ordnung, wir spielten, fuhren im Winter Schlitten, mit dem Dampfer im Sommer und hatten unsere Freunde.

Ostern 1926 fing die Schule für mich an. Es war ein langer Weg von der Gellertstraße bis zur Sternstraße, wo ich vier Jahre lang die Grundschule besuchte. Zur selben Zeit begann auch der Religionsunterricht in der Synagoge in der Goethestraße. Es war ein noch weiterer Weg.

Anfang der 20er Jahre war Dr. Breslauer in der Kieler Gemeinde als Rabbiner für ca. 2 bis 3 Jahre tätig. Dr. Breslauer war zu orthodox in seiner Religionsauffassung und -ausführung für eine Gemeinde, die nicht allzu viele fromme und orthodoxe Mitglieder hatte. Er verließ Kiel nach ca. zwei Jahren erfolgreichen Wirkens, aus der Sicht der frommeren Juden. Mein Onkel Benno, meine Cousins, die Brüder Hermann und Daniel Bauer und andere Herren erzählten mit später, daß Dr. Breslauer ihnen ein großes jüdisches Wissen vermittelt hätte.

Ich traf Rabbiner Dr. Breslauer das erste Mal 1942 in New York, als meine Cousinen Lotti und Friedel Ehrmann nacheinander innerhalb weniger Wochen heirateten. Ein Bruder meiner Mutter, mein Onkel Max Ehrmann, bat Dr. Breslauer, die Trauung vorzunehmen.

Ein weiteres Ereignis gab es dann im Jahre 1980. Dr. Breslauer war Patient meines Neffen Dr. Stanley Greenbaum, Sohn meiner Schwester Reginchen. Obwohl Dr. Breslauer fließend Englisch sprach, fiel er immer wieder in die deutsche Sprache zurück. Nachdem Dr. Greenbaum Herrn Dr. Breslauer versichert hatte, daß er ziemlich gut Deutsch spräche, da seine Großeltern aus Kiel stammten, erinnerte sich Dr. Breslauer an meinen Großvater, den Urgroßvater des Dr. Greenbaum, Herrn Wolf Ehrmann. Dr. Breslauer war Feldrabbiner im Ersten Weltkrieg gewesen. In den Wochen vor seinem Tode sprach er viel über jene Zeit, vom Kaiser, Gehorsam, Heldentod und den Erfahrungen eines Feldrabbiners.

Ab 1924 dann hatte die Kieler Gemeinde einen neuen Rabbiner, Dr. Arthur Posner, welcher bis Mitte 1933 dort blieb. Zweifelsohne war Dr. Posner auch sehr orthodox, aber es gelang ihm dennoch, mit allen Mitgliedern der Gemeinde zusammenzuarbeiten und sie zu betreuen. In den ersten Jahren meines Religionsunterrichts wurde ich von dem Lehrer, Herrn Gerson Chaim, unterrichtet, da Dr. Posner den etwa 10-jährigen Schülern Unterricht erteilte. Zunächst lernten wir die hebräischen Schriftzeichen, so daß wir bald Hebräisch lesen konnten. Obwohl wir Hebräisch auch in die deutsche Sprache übersetzten, wurde uns weder als Kinder noch später als ältere Schüler Hebräisch als Sprache gelehrt. Wir konnten Gebete sagen und zum Teil auch verstehen. Der Pentateuch und später auch die Propheten, Könige, Richter usw. wurden von uns übersetzt, zum Teil auch die Kommentare gelesen und diskutiert. Mädchen und Knaben wurden getrennt unterrichtet.

Die meisten von uns Kindern lernten schon viele Segenssprüche auf Hebräisch im Elternhaus. In diesem Zusammenhang möchte ich von dem letzten Kindermädchen berichten, das in unserer Familie bis 1935 angestellt war: Fräulein Lene Salau, heute Frau Landgraf. Frau Landgraf haben wir 1988 aufgrund von Umständen, die ich später beschreiben werde, wiedergesehen. 1988 war sie 78 Jahre alt und konnte trotz der vergangenen 53 Jahre noch das Gebet sprechen, das wir als Kinder vor dem Schlafengehen sagten.

Nur einige Meter von unserer Wohnung entfernt lag die Vicelinkirche in der Zastrowstraße. Pastor war Herr Schröder. Unsere Nachbarskinder, mit denen wir spielten, nahmen uns sonntagnachmittags mit in die Kirche, wo des öfteren Märchen erzählt und auch Kasperletheater gespielt wurde. Pastor Schröder hieß meine Schwester und mich sehr willkommen. An den Namen des Pastors erinnere ich mich vielleicht deshalb so gut, weil Diebe eines nachts aus seinem Stall Hühner gestohlen und ein Schild mit folgender Aufschrift hinterlassen hatten: „Der liebe Gott wacht überall, nur nicht in Pastor Schröders Hühnerstall".

Für uns Kinder war auch das Leben in der Gellertstraße noch in Ordnung: Wir lernten, spielten, feierten Geburtstage, machten Schulaufgaben. In der Grundschule hatte ich einen Klassenlehrer namens Vormeyer. Er lebte noch lange nach dem Kriege, seine Frau ist erst vor einigen Jahren verstorben. Die Erziehung in der Schule war strikt national-deutsch. Trotz der Weimarer Republik sangen wir Kriegslieder im Gesangsunterricht, z.B. wie wir die Franzosen, den Erzfeind, schlugen. Uns wurde auch gelehrt, Deutschland hätte den Krieg nicht verloren, die Feinde im eigenen Vaterland hätten den tapferen Soldaten einen Dolch in den Rücken gestoßen. Der Frieden von Versailles, die gestohlenen Kolonien, der polnische Korridor, Elsaß-Lothringen und – besonders wichtig – der Raub Nordschleswigs wurde uns in dem Sinne erklärt, daß den Deutschen Unrecht geschehen war.

Nach dem Zweiten Weltkrieg diskutierte ich mit Herrn Vormeyer und Klassenkameraden noch über dieses Thema. Im Sommer 1989 meldete sich bei mir ein ehemaliger Klassenkamerad, und wir erinnerten uns an die Schulzeit. Genau wie meine Klassenkameraden empörte ich mich über die damalige schlechte Behandlung der Deutschen durch die Feinde. Wir wurden zu Treue, Gehorsamkeit, Pflichterfüllung und Redlichkeit erzogen. Eigenschaften, die ich sehr schätze. Dazu die Liebe und Geborgenheit im Elternhaus, auch sie haben wohl beigetragen, daß ich heute bin, der ich bin. Herr Vormeyer hatte uns außerdem die plattdeutsche Literatur und Lieder nahegebracht. Ich erinnere mich an Klaus Groth und viele plattdeutsche Lieder. Manche meiner Neffen und Nichten, sogar Großneffen und -nichten in den USA können viele deutsche Volkslieder auch auf Plattdeutsch singen.

In der Grundschule hatte ich wegen meines jüdischen Glaubens kaum Probleme. Vier oder fünf andere jüdische Jungen waren noch in der Schule. Ein Mitschüler sagte einmal fast neidisch: „Du brauchst eben sonnabends nicht in die Schule zu gehen und zum Religionsunterricht".

Leo, Gisela und Reginchen

Jacob Grubner, einer der jüdischen Jungen aus meiner Schule, ungefähr ein oder zwei Jahre älter als ich, war ein sehr guter Fußballspieler; alle hatten Respekt vor ihm. Er trug immer nur Fußballschuhe. Jahre später hörte ich, daß Jakob Grubner Oberst in der israelischen Armee geworden war und sein Land in Skandinavien als Diplomat vertreten hatte. Als ich in den sechziger und siebziger Jahren in München wohnte, erzählte mir Petra Schürmann, eine bekannte Fernsehansagerin, daß sie Jakob Grubner bei der Eröffnung einer israelischen Citrus-Gesellschaft in Frankfurt kennengelernt hatte. Er teilte ihr mit, daß er als gebürtiger Kieler natürlich fließend Deutsch spräche. So erfuhr ich, daß Herr Grubner in Frankfurt wohnte. Wir trafen uns einige Male, unterhielten uns über frühere Kieler und deren Schicksale.

Er stimmte mit mir überein, daß erst ab 1929 in der Schule ein paar Rowdies anfingen, jüdische Mitschüler zu hänseln und zu schlagen. Wir erinnerten uns allerdings sehr genau daran, daß wir jüdischen Kinder niemals beschimpft oder geschlagen worden sind, sobald wir zu zweit oder zu dritt waren. Wir sind immer einzeln beschimpft bzw. geschlagen worden, und auch dann immer nur von mehreren.

1929 besuchte meine Schulklasse mit unserem Klassenlehrer, Herrn Vormeyer, in Hamburg den Tierpark Hagenbeck, wo man damals eine „Völkerschau" zeigte. Inder, Neger, Chinesen usw. waren vertreten. Ein Schüler fragte, warum man denn nicht auch Juden ausstellte. Herr Vormeyer gab dem Jungen eine Ohrfeige.

23

In demselben Jahr zeigte uns Herr Vormeyer das Kriegerdenkmal von 1870/71 im ehemaligen Schloßgarten in Kiel. Er erzählte uns, daß die Soldaten stolz von ihren Frauen und Kindern Abschied nähmen und fragte uns, ob wir noch weitere Fragen hätten. Sicherlich in keiner Weise bösartig meinte ich, daß die Frauen und Kinder doch einen ziemlich traurigen Eindruck erweckten – auch da setzte es eine Ohrfeige. Wenn ich mir das Denkmal heute anschaue, weiß ich, daß ich damals recht hatte. Ich hatte vieleicht schon als Junge ein gutes Auge für Kunst und denke, es später auch bewiesen zu haben, als ich mit neun weiteren Münchnern im Jahre 1967 ein Museum of Modern Art in München gründete.

Mein Lehrer in der Religionsschule, Herr Chaim, war in unseren Augen bereits ein alter Herr (er wurde 1930 pensioniert), aber herzensgut und hilfsbereit. Allerdings haßte er Fußball-, Trapper- und Indianerspiele im Hohenzollernpark (heute Schrevenpark). Wenn er uns dabei sah, war seine erste Frage stets: „Fließt schon Blut?" Herr Chaim unterrichtete uns mit Güte und Liebe, er war sehr beliebt. Er vermittelte uns neue Aspekte über den Sabbat, die hohen Feiertage, das Beten usw. Natürlich kannten wir bereits die Festtage von unserem Elternhaus her, besonders das Pessachfest, nur jetzt stellten wir zu Hause die vier traditionellen Fragen zum Pessachfest, was immer das Privileg des jüngsten Familienmitgliedes ist. Herr Chaim hatte uns zur Freude unserer Eltern gut darauf vorbereitet. Pessach war für uns Kinder das schönste Fest. Die zwei Sederabende im trauten Familienkreis waren für uns das Schönste, es war eben etwas anderes als der Sabbat und die sonstigen Feiertage. Die vier Fragen, die der Jüngste stellt, fangen ja auch mit gutem Grund wie folgt an: „Warum ist diese Nacht anders als alle anderen Nächte?" Alle Feiernden, auch wir Kinder, mußten mindestens vier Gläser Wein trinken, doch für uns Kinder wurde vorsorglich Rosinenwein hingestellt, der alkoholfrei ist. Der Vater las aus der Haggada und beschrieb so den Auszug der Kinder Israels aus Ägypten. Während und nach der Mahlzeit wurde gesungen und wurden Geschichten erzählt. Unter anderen die von den 10 Zieglein, die immer weniger wurden. Zur Suppe gab es immer Mazze-Knödel, also Knödel aus Mazzemehl. Am nächsten Tage in der Synagoge verglichen wir Jungen unsere Feiern: ob wir auch vom richtigen Wein getrunken hatten, wann wir ins Bett gehen mußten und natürlich, wer dem Propheten Elijahu die Tür geöffnet hatte. Ein wichtiger Teil eines Sederabends war, daß man einen vollen, großen Becher Wein auf den Festtisch für den Propheten Elijahu stellte, der symbolisch eingeladen wurde. Nachdem dann auch die Haustür geöffnet wurde, um ihn hereinzulassen, starrten wir Kinder wie gebannt auf den vollen Becher Wein, der in der Mitte des Tisches stand, ob er wohl geleert würde. Der Prophet Elijahu ist nach Überlieferungen eine Art Schirmherr und symbolischer Gast in den jüdischen Haushalten, wo auch immer der Sederabend zelebriert wird. Am Ende des Sederabends wird das „Afikomen" verzehrt. Dies ist eine Mazze, die der Hausherr am Anfang des Seders beiseitegelegt hat. Wir Kinder lenkten den Vater während des Seders ab und eines von den Kindern versteckte den „Afikomen". Dem Vater wird das „Afikomen" nur ausgehändigt, nachdem er den Kindern ein Geschenk versprochen hat.

Die Vorbereitungen zum Pessachfest bedeuteten für die Hausfrauen viel Arbeit: Gründlicher Hausputz! Selbstverständlich gab es in koscher geführten Häusern separates Geschirr und Besteck für die 8 Pessachtage, das nur an diesen Tagen benutzt wurde. Hiervon abgesehen gab es auch separates Geschirr für Fleisch- und Milchspeisen. Man konnte allerdings, um dem „Koschergesetz" Genüge zu tun, Geschirr, welches das ganze Jahr hindurch benutzt worden war, auch zu Pessach gebrauchen, wenn dieses Geschirr und die Töpfe in ein Meer oder einen Fluß rituell eingetaucht worden waren. So geschah es eines Tages in Kiel, daß ein junger, aber als etwas tolpatschig bekannter Mann, der dazu noch sehr starke Brillengläser trug, im Auftrage seiner Mutter an der Seegarten-brücke Geschirr eintauchte und dabei kopfüber ins Wasser fiel. Die Kieler Zeitung berichtete dann am nächsten Tag, ein junger Mann wäre beim Geschirrwaschen in den Hafen gefallen.

Ein weiteres bei den Kindern sehr beliebtes Fest war das Laubhüttenfest, welches zur Erinnerung an die Wüstenwanderung der Kinder Israel gefeiert wird. Dieses Fest, „Sukkoth" auf hebräisch genannt, fällt ca. eine Woche nach Jom Kippur. Es ist eines von drei Wallfahrtfesten, zu welchem im alten Israel (zur Zeit des Tempels) die Israeliten nach Jerusalem zogen.

Als Erinnerung an das Leben in der Wüste wird eine leichte Hütte mit offenem Dach gebaut, das nur mit Laubzweigen bedeckt wird. Diese Hütte wird mit Nüssen, Äpfeln und Girlanden geschmückt und verziert. Mein Onkel Hersh Nagelberg baute auf sein Grundstück eine Laubhütte für die Feiertage, in der er, seine Söhne und mein Großvater während der gesamten Woche ihre Mahlzeiten einnahmen. Mein Vater und ich waren ab und zu Gast in der Laubhütte. Auf den letzten Tag dieses Wochenfestes fällt das Torafreudenfest (Simchas Tora). Die Tora wird wöchentlich in den Synagogen in Abschnitten vorgelesen, so daß inner-halb eines Jahres die gesamte Tora vorgelesen wurde. An diesem Festtag freut man sich und feiert das Ende dieser Jahresperiode, und am nächst-folgenden Sabbat wird wiederum der erste Abschnitt der Tora vorgelesen. Am Torafreudenfest erhielten wir Kinder Bonbons, Nüsse usw. und marschierten neben den Erwachsenen, die die Torarollen trugen, im Kreise in dem Synagogensaal herum. Wir Kinder trugen Fahnen, wie zum Beispiel blau-weiße zionistische Fahnen oder die Reichsflagge, doch auch die Kaiserfarben schwarz-weiß-rot.

Die Torarollen wurden aus dem Schrank, in dem sie aufbewahrt wurden, herausgenommen. So an die 12 – 15 Torarollen gab es in der Kieler Synagoge. Jede einzelne Tora wurde einem erwachsenen Herrn gegeben, so daß 12 – 15 Herren sowie der Vorbeter im Kreise mit der Tora freudig herumgingen bzw. tanzten (mehr etwas wiegend gehen). Dabei ging es ziemlich freudig und lustig zu. Alle Herren trugen um die Schultern einen Gebetmantel oder Gebetschal. Der Gebetmantel war knielang, der Gebetschal bedeckte nur die Schultern und einen Teil des Rückens. Beide Gebettücher hatten Fransen, Zizzes genannt, an jeder der vier Ecken des Tuches. Diese Fransen sieht man auch heute bei sehr orthodoxen Juden, die diese Gebettücher zu ihrer Straßenkleidung tragen (wie sie auch „Tewje, der Milchmann", in dem bekannten Musical „Anatevka" vorführte und trug). Wir Kinder hatten unseren Spaß, indem wir die Fransen des Herrn A mit den Fransen des Herrn B zusammenbanden, wiederum die von Herrn B mit C usw. Nach einigen Minuten übergaben die Herren dann die Torarolle der nächsten Schicht, und als sie dann auf ihre Plätze zurückkehren wollten, flogen natürlich die Gebettücher in alle Richtungen.

In meiner Grundschulzeit gab es ein sehr trauriges, für mich schwer verständliches Ereignis, das noch sehr stark in meiner Erinnerung lebendig ist. Mein Onkel Hersh Nagelberg starb im Jahre 1927, als ich sieben Jahre alt war. Er liegt neben seiner Mutter auf dem jüdischen Friedhof in Kiel begraben. Ich ging nicht zur Beerdigung, da meine Eltern meinten, ich wäre noch zu jung, aber ich kann die Trauer meiner Eltern und Verwandten nicht vergessen. Meine Cousins Gerson (geb. 1911), Leo (geb. 1912) und Alfred (geb. 1914), die Söhne Hersh Nagelbergs, sagten täglich das Kaddish für ihren Vater.

Ein freudiges Ereignis gab es 1928, als mein Onkel Georg in Kiel Regina Ehrmann, die Schwester des erwähnten „Geschirrwäschers", heiratete. Onkel Gedalje (so sein späterer Name in Israel) war ein Bruder meiner Mutter. Er starb vor einigen Jahren in Israel, wo Tante Regina heute noch lebt. Die Hochzeit fand in einem Restaurant am Martensdamm statt. Herr Kappen, der Synagogendiener, brachte die Chuppah, eine Art Baldachin und stellte sie dort auf. Ich durfte eine brennende Kerze halten und stand meinen Schwestern in puncto Festkleidung nicht nach: beide Schwestern in plissierter Seide, meine Bluse des obligatorischen Kieler Matrosenanzugs war blütenweiß. Vor der Hochzeit gingen wir zu einem Fotografen namens Billström in der Holstenstraße. Das Bild ist heute noch im Familienbesitz.

Ein Jahr später begleitete ich meinen Vater zu einer Hochzeit nach Hamburg. Der Bräutigam war der Sohn eines Cousins meines Vaters. Die Hochzeit fand in einem großen Hotel mit weitaus mehr Gästen als seinerzeit in Kiel statt. Das Schönste an dieser Hamburgreise war für mich allerdings die Hafenrundfahrt am Tag nach der Hochzeit.

Mein Onkel Markus Ehrmann, ein Bruder meiner Mutter, und seine junge Frau Rita kamen aus New York zur Kieler Hochzeit und blieben viele Wochen in Kiel. Onkel Markus war 1924 von Kiel bzw. Hamburg, wo er studierte, in die USA ausgewandert und hatte in New York geheiratet. Onkel und Tante Rita haben sich in der Zeit des Naziregimes aufopfernd der Familie gewidmet und von 1935 bis 1941 viele Familienmitglieder in die USA gebracht. Tante Rita und Onkel Markus besuchten mich und meine Schwester in jenem Sommer auch in dem jüdischen Kinderheim in Bad Segeberg, wo wir einen Ferienaufenthalt verbrachten. Dieses Kinderheim wurde sehr streng geleitet von einem Fräulein Werner, das gern lila Strümpfe trug und darauf bestand, daß die Tomatensuppe aufgegessen wurde.

Ostern 1930 erfolgte meine Einschulung in eine höhere Schule. Meine Eltern wählten für mich das Reform-Realgymnasium am Knooper Weg, die heutige Humboldt-Schule. Voraussetzung für die Aufnahme in das Gymnasium war das Bestehen einer Aufnahmeprüfung und zwar mündlich sowie schriftlich. Die Prüfer waren Volksschullehrer. Natürlich wurden sofort die entsprechenden Gymnasiastenmützen gekauft und stolz getragen. Zur selben Zeit wurden zwei Schulkameraden und Freunde aus der Religionsschule mit mir in das Gymnasium eingeschult: Akki Herzberg in eine Parallelklasse, während Max Berger und ich in dieselbe Klasse kamen. Akki wanderte 1934 mit seiner Familie nach Palästina aus. Er war kaufmännisch tätig. Max Berger ging um 1938/39 nach Palästina, wurde später Beamter im Außenministerium Israels und beendete seine politische Laufbahn als Botschafter des Staates Israel in Japan. Er starb vor wenigen Jahren.

Ich erinnere mich, daß im Jahre 1930 noch drei weitere jüdische Schüler im Gymnasium am Knooper Weg waren. Kurt Goldmann, wohl sechs Jahre älter als ich, machte noch das Abitur in Kiel, wurde Beamter im Palästina-Amt in Berlin und war später höherer Beamter in Israel. Heinz Noah, ebenfalls älter als ich, emigrierte mit seiner Familie nach Australien. Mein Cousin Leo Nagelberg war zu meiner Sextanerzeit bereits Primaner. Er wurde später Arzt. Leider starb er sehr jung in den USA.

Wie bereits erwähnt, war mein Schulweg von der Gellertstraße ziemlich weit. Am Anfang ging ich des öfteren mit meiner Schwester Reginchen den gemeinsamen Schulweg. Reginchen war Schülerin in einer höheren Mädchenschule in der Legienstraße. Doch bald hatte ich dann Schulfreunde, die in meiner Nähe wohnten.

Im Gegensatz zur Volksschule wurde im Gymnasium jeden Montagmorgen vor Schulbeginn in der Aula ein evangelischer Gottesdienst gehalten. Jüdische, katholische und Schüler, deren Eltern keiner Kirche angehörten, brauchten daran nicht teilzunehmen. Allerdings durften wir deshalb nicht länger schlafen; anwesend mußten wir schon sein, wenn nicht beim Gottesdienst, so doch im Schulgebäude. Zwar war ich vom Schulbesuch am Sabbat befreit, bin aber trotzdem des öfteren an diesem Tag zur Schule gegangen, denn es wäre schwer für mich gewesen, sonst das Pensum zu schaffen.

Eltern, die damals ihren Kindern den Besuch einer höheren Schule ermöglichen wollten, mußten Schulgeld zahlen. In meiner Klasse gab es zwei Freiplätze. Dies wurde uns dadurch bekannt, daß ein Studienrat diese beiden Schüler bei mangelhaften Leistungen darauf hinwies, daß sie für diese Freiplätze bessere Leistungen zu erbringen hätten. Meine Sympathie und die der meisten meiner Mitschüler war natürlich auf seiten der Schüler. Wobei ich aber betonen möchte, daß dieser Studienrat ein Einzelfall war und alle anderen Lehrer diese beiden Schüler absolut fair behandelten.

Was ich bis heute nicht begreife, ist, daß die Schule sehr schlechte und vernachlässigte Toiletten hatte. Dagegen waren die Toiletten in der Grundschule bedeutend besser. Vielleicht war es die Absicht, uns Schüler spartanisch zu erziehen. Eher glaube ich jedoch, daß es an der Tatsache lag, die ja stündlich vom Rathaus klang und alle Bürger erinnerte: „Kiel hat kein Geld, das weiß die Welt, wie sie was kriegt, das weiß sie nicht" – ein Spruch, wie ich es mir erlaube zu beurteilen, den die Damen und Herren im Kieler Rathaus noch heute sehr beherzigen müssen.

Der Unterricht in der Schule war sehr ausgewogen. Fast alle Lehrer waren sehr gute Pädagogen. Geschichte, Erdkunde, Biologie, Deutsch und Englisch als Fremdsprache waren meine Lieblingsfächer. Wir haben viel für's Leben gelernt. Dr. Otto, unser Mathelehrer, hatte seinen Kummer mit mir und, wie ich zu jener Zeit dachte, ich auch meinen Kummer mit ihm. Die Noten 4 und 5 waren gang und gäbe in meinen Zeugnissen und Klassenarbeiten. Aber etwas muß ich wohl doch gelernt haben, denn ohne Grund wird man wohl kaum Vizepräsident und zugleich Mitinhaber einer amerikanischen Bank sowie Generaldirektor ihrer Filialen in vielen europäischen Ländern. Viele Jahre lang war mein Klas-

Gisela, Leo und Reginchen
in Schilksee 1929

senlehrer Herr Dr. Schmidt auch mein Englischlehrer, ein kultivierter, feinfühliger Mensch. Natürlich war der Unterricht auch sehr national orientiert. Doch die Schüler stammten meist aus gut- und großbürgerlichen Familien, so daß diese Orientierung vielen bereits im Elternhaus mitgegeben wurde. Unser Deutschlehrer, ein jüngerer Herr, der seinerzeit oft im offenen blauen Hemd unterrichtete, hatte auch einen nicht unbedeutenden Einfluß, und so wurden wir Schüler andererseits mit liberalen Anschauungen bekanntgemacht.

Ich werde auch unseren Zeichenlehrer, Herrn Erich Mundt nicht vergessen, denn dieser äußerst begabte Herr vermittelte uns die Fähigkeit, selbständig seinen Gedanken, Ansichten und Vorstellungen in Zeichnungen Ausdruck zu verleihen. Ein Schüler, der gut abmalen konnte, bekam eine der Leistung entsprechende Note. Andererseits erhielt ein Schüler, der seine Vorstellung von z.B. Pferd und Reiter auf seine Art zu Papier brachte, eine sehr gute Note. Wir Schüler lernten, selbständig zu wirken und unsere eigenen Gefühle und Gedanken zum Ausdruck zu bringen.

Sport wurde an der Schule groß geschrieben. Ich war sicherlich kein guter Sportler, gehörte aber immerhin zu den Schülern, die mittlere Leistungen vollbrachten. Schlagball, ein Spiel, das man heute kaum noch kennt, war mein Lieblingsspiel. Jedes Jahr trafen sich viele Schulen zu einem sportlichen Wettbewerb auf dem städtischen Sport- und Spielplatz an der Eckernförder Straße. Einmal erhielt ich den Hindenburg-Preis im Schlagball-Weitwurf. Der Name dieses Preises deutet an, daß die Welt zu dieser Zeit noch „in Ordnung" war. Allerdings fing es bereits hier und da zu bröckeln an. Viele Schüler trugen beim Sport manchmal die Hemden ihrer Sportvereine. Ich gehörte dem jüdischen Turnverein zu Kiel an. Als ich einmal das Hemd dieses Vereins beim Sportunterricht trug, wurde ich von dem Vertreter unseres Turnlehrers aufgefordert, es abzulegen. Das war 1 oder 2 Jahre vor der Machtergreifung Hitlers.

Eine Genugtuung hatte ich dann jedoch, als unser Turnlehrer mir später sagte, wenn ich wollte, könnte ich das Hemd tragen. Irgendein Mitschüler mußte in seinem politisch links orientierten Elternhaus darüber gesprochen haben, denn dieser Vorfall wurde durch einen Stadtabgeordneten dem Schuldirektor, Dr. Weygold, vorgetragen. Meine Mutter wurde in die Schule gebeten. Direktor Weygold meinte zwar, daß ich selbstverständlich das Trikot tragen dürfe, er rate aber, es nicht zu tun. Meine Mutter versicherte Dr. Weygold, daß ich das Hemd in Zukunft in der Schule nicht mehr tragen würde. Ich hatte von diesem Vorfall zu Hause nichts erzählt, denn wir jüdischen Kinder hatten bereits einige Erfahrungen gesammelt. In dieser Zeit des wachsenden Antisemitismus konnte es schon vorkommen, daß unsere Eltern uns sagten, man selbst könnte auch manchmal unbewußt den Rischus (Antisemitismus) fördern.

Im Spätfrühling eines jeden Jahres feierte die Schule ihr Schulfest auf der Waldwiese. Es gab Kaffee und Kuchen, Spiele und Sport und Lehrer sowie Schüler lernten sich näher kennen. Meist war es ein gelungenes Fest. Doch schon 1931 gab es folgendes Problem: Wie auch in den Jahren zuvor, waren mehrere der älteren Schüler bereit, unsere schöne Schulfahne von den marschierenden Klassen von der Schule bis zur Waldwiese zu tragen. Erheblich schwieriger war es, jemanden für die Reichsflagge, die manche Schüler „Schwarz-Rot-Hühnerdreck" nannten, zu finden. Zu guter Letzt erbot sich ein großer Sekundaner, die Flagge zu tragen. 1932 meldete sich niemand mehr freiwillig und so wurde auf die schwarz-rot-goldene Fahne verzichtet.

Außer dem Schulfest erinnere ich mich an viele andere Veranstaltungen während meiner Schulzeit, z.B. an eine wunderbare Aufführung des „Dr. Faustus" mit Marionetten. Auch der Chor und das Schulorchester waren vortrefflich. Irgendwie gab es in unserer Schule sowohl beim Lehrerkollegium als auch bei den Schülern eine Art von Bewußtsein, daß die Kieler Synagoge direkt neben der Schule innerhalb desselben Straßenviertels lag. Wenn man in den USA eine Art Solidarität zeigen oder bestätigen will, daß man sich kennt, besonders in der Nachbarschaft, so sagt man: „We lived (or grew-up) on the block". Dr. Plöger, der so vorzüglich über die Humboldt-Schule geschrieben hat, erwähnte ebenfalls, daß die beiden Institutionen, Synagoge und Humboldt-Schule, benachbart und somit verbunden waren. Mir wurde berichtet, daß am Tage der Einweihung des Mahnmals am Synagogenplatz am 24. Mai

1989 die Reden sowie die feierliche Musik eines Geigers in der Schule zu hören waren. Die Tatsache, daß es an jenem Tag ca. 27 Grad C warm war und die Fenster der Schule deshalb geöffnet waren, wird wohl dazu beigetragen haben.

Im Sommer 1932, gut ein halbes Jahr vor der Machtergreifung der Nationalsozialisten, wurde ein Bombenattentat auf die Synagoge verübt. Es entstand ein großes Loch in der zur Humboldtstraße gelegenen Synagogenwand. Dieser Gewaltakt wurde nicht nur von einem Zwölfjährigen, der ich damals war, nicht verstanden. Rabbiner Dr. Posner bat um Hilfe und Verständnis bei seinem evangelischen Amtsbruder. Doch die Antwort, die Dr. Posner erhielt, war weder christlich noch menschlich:

Den Sprengstoffanschlag ... verurteilen wir selbstverständlich auf das Schärfste und können nur dringend hoffen, daß die Täter, wer sie auch sein mögen, strengster Bestrafung entgegengehen. Unsere Kirche hat niemals einen Zweifel darüber gelassen, daß sie von ihren Gliedern ... jeder Religion Achtung fordert, daß sie Haß und Beleidigung des Gegners und jede Gewalttat als unchristlich ablehnt. Unsere Kirche hat darüber hinaus niemals – auch heute nicht – vergessen, das Gebot ihres Herrn, Liebe zu üben gegen alle Meschen, ihren Gliedern in Predigt und Unterweisung mit allem Ernst auf die Seele zu legen. Wo kirchlicherseits gegen diese Grundsätze verstoßen ist, sind wir – soweit es zu unserer Kenntnis gelangt ist – nachdrücklich dagegen eingeschritten. Wir müssen aber jede Einwirkung ablehnen, soweit es sich nicht um die Verletzung eines christlichen Liebesgebotes, nicht um die Mißachtung und Herabsetzung eines fremden Glaubens, nicht um die Verbreitung von Haß und Feindschaft, sondern um die durch die ernste, verantwortungsvolle Sorge um die Zukunft des deutschen Volkes begründeten Bestrebungen handelt, das deutsche Volkstum auf gesetzlichem Wege von undeutschem Geist und wesensfremder Kultur zu befreien.

Ich erinnere mich, daß der Anschlag zur Zeit der Sommerferien geschah. Dennoch wurde der Vorfall später auch in der Schule unter uns Schülern besprochen. Wir waren inzwischen Quartaner und merkten, daß das Lehrerkollegium überhaupt keinen Kommentar abgab, weder beim Gottesdienst am Montagmorgen noch im Religionsunterricht. Doch mein jüdischer Klassenkamerad Max Berger und ich wurden von unseren Mitschülern um unsere Meinung gebeten. Viele verstanden überhaupt nicht, warum man ein Gotteshaus in die Luft sprengen wollte. Wir wurden gefragt, welcher Spruch denn so groß über dem Haupteingang der Synagoge eingemeißelt war und was er bedeutete. Wir erklärten ihn und wurden nun gefragt, wenn wir doch behaupteten, Deutsche zu sein wie alle anderen, warum dann hebräische Sprüche den Eingang unserer

Synagoge verzierten. Max Berger, schon seine diplomatischen Fähigkeiten zeigend, antwortete trocken und gelassen: „Martin Luther hat diesen Spruch wohl nicht übersetzt".

Synagoge, ein für viele Leute nicht leicht zu buchstabierendes Wort, dazu noch ein Fremdwort. In der Kieler Gemeinde nannten alle Kinder sowie die Erwachsenen unsere Synagoge einfach Tempel – man ging zum Tempel, traf sich im Tempel usw.. Bei Bekanntmachungen, Einladungen und offiziellen Anlässen wurde dagegen das Gebetshaus Synagoge genannt.

Zur Zeit meiner Einschulung ins Gymasium erhielten wir, die jüdischen ca. zehnjährigen Jungen, bereits Unterricht von Rabbiner Dr. Posner, welcher nur selten mit „Herr Rabbiner" angesprochen wurde. In der Schule und auch sonst, wenn man über ihn sprach, hieß er „Herr Doktor". Die jüdische Religionsschule erhielt ca. 1930 den Namen Dr.-Jakob-Schule nach einem Arzt, der sich sehr um die Gemeinde verdient gemacht hatte. Als er verstarb, waren alle Schüler der Religionsschule zur Beerdigung anwesend. Seinerzeit war ich das erste Mal auf dem jüdischen Friedhof in Kiel. Der Eingang zum Friedhof befand sich damals in der Harriesstraße und war ein großes, breites Eisentor.

Dr. Posner unterrichtete uns Jungen im Alter von elf bis zwölf Jahren bereits in einigen Talmud-Abschnitten, wobei er besonderes Gewicht auf jüdische Geschichte, Bräuche und Sitten legte. Manchmal machten wir für einige Tage einen Klassenausflug. Dann schliefen wir in Jugendherbergen. Die Jungen wurden von Dr. Posner, die Mädchen von Frau Posner betreut. Glückstadt, Friedrichstadt, Hamburg, Altona und andere Orte in Schleswig-Holstein, in denen es jüdische Stätten gab, waren unsere Ziele. Obwohl Dr. Posner sehr streng war, zeigte er besonders bei diesen Ausflügen sehr viel Wärme und Güte.

Je älter wir wurden, desto länger dauerte auch der Religionsunterricht: Sonntagvormittag ca. vier Stunden und dreimal wöchentlich nachmittags je zwei Stunden. Jeden Freitagabend war „open house" bei Dr. Posner in seiner Wohnung am Sophienblatt, später in der Jahnstraße. Tee und Kuchen wurden serviert. Dr. Posner lehrte unter anderem den jeweiligen Wochenabschnitt, doch auch über andere Themen wurde gesprochen. An diesen Gesprächen beteiligten sich die unverheirateten Jugendlichen im Alter von 17 bis 25 Jahren.

Im November 1930 wurde meine Schwester Zita geboren, benannt nach einer Großtante meiner Mutter, die eine Verehrerin der letzten Kaiserin Österreichs Zita war. Bei der Geburt eines Mädels ist es jüdische Tradition, daß der Vater an dem folgenden Sabbat zur Tora aufgerufen wird,

Kieler Synagoge, 1938 geschändet,
nach dem Krieg abgerissen

das heißt, ihm wird ein Teil des Wochenabschnitts vom Kantor vorgelesen. Der Vater gibt dann die Geburt und den Namen seiner Tochter bekannt. Im Anschluß an den Gottesdienst laden die Eltern die Gemeinde gewöhnlich zu einem Kiddush, einem Imbiß, der nach dem Gottesdienst gereicht wird, ein, An diesem Sabbat erfüllte Leo Domowitz die Pflichten eines Kantors und Toralesers, der angesichts der bevorstehenden Pensionierung von Gerson Chaim zu einem Probesabbat nach Kiel gekommen war. Leo Domowitz wurde kurz danach als Kantor, Lehrer und Schächter von der Gemeinde angestellt. Kantor Chaim zog nach Berlin und starb dort wenige Jahre später.

Herr Domowitz war damals ein junger Mann, frisch verheiratet und sehr geschätzt.

Die Synagoge war ein sehr schönes Gebäude, gleichermaßen imposant von außen wie im Innern. Über den Eingangstüren waren hohe Fenster und darüber ein hebräischer Spruch in Stein gemeißelt „DA LIVNE MI ATO OMED" (zu deutsch: „Wisse, vor wem Du stehst"). Drei Türen befanden sich nebeneinander, von denen jedoch nur eine benutzt wurde. Durch diese Tür betrat man eine große Halle, in welcher links und rechts Treppen zur Synagoge aufstiegen. Weiterhin lagen links von der Halle ein Klassenzimmer mit Fenstern zur Humboldtstraße, rechts ein großer Gemeindesaal, durch dessen Fenster man zur Goethestraße hinaussah. Eine Ecke dieses Saales diente zugleich als Unterrichtsraum der Religionsschule. Der Saal wurde wochentags auch als Synagoge benutzt, außerdem viele Jahre am Samstag als zweiter Betsaal. Links in der Halle waren Garderobenständer und ein Schrank, in dem manche Besucher ihre Zylinder aufbewahrten. Der Synagogendiener gab ihnen dann am Samstag oder an Feiertagen den Zylinder. Eine Mikwe, ein rituelles Tauchbad, befand sich in den Kellerräumen der Synagoge.

Die Treppen am Anfang der Halle führten in die 1. Etage. Durch große Türen betrat man den großen Synagogenraum, in dem ein breiter, mit Teppichen ausgelegter Gang zum Vorbeterpult führte. Das Pult betrat man über zwei seitliche Treppen. Eine weitere Treppe auf der linken und rechten Seite führte zum Toraschrein, an dessen Seiten sich die Sitze des Rabbiners und Kantors befanden. Das Gestühl war aus hellem Holz mit Klappsitz, Pult und einem kleinen Fach, in dem die Gebetbücher bzw. -tücher aufbewahrt wurden.

Die Frauengalerie erreichte man, indem man die Außentreppen weiter emporstieg. Sie befand sich auf drei Seiten, ähnlich den Galerien in einem Theater. Die Brüstung war sehr niedrig. Der Gottesdienst wurde von Frauen kaum besucht, nur an den hohen Feiertagen kamen viele in die Synagoge, die wohl hoffnungslos überfüllt gewesen wäre, wenn dann nicht im Gemeindesaal im Erdgeschoß ein weiterer Gottesdienst stattgefunden hätte. Der Gottesdienst war immer sehr feierlich, und der Kantor wurde von einem Chor unterstützt.

Außerdem gab es in Kiel eine kleine Betstube am Knooper Weg zwischen Fleethörn und Waisenhofstraße. In dieser Betstube gab es auch ein Cheder, eine sehr traditionsreiche Religionsschule, die ihren Ursprung in Osteuropa hatte und die schon Jungen ab dem vierten Lebensjahr besuchten. Einige aus dem Osten stammende Kieler Juden setzten diese Tradition fort. An den hohen Feiertagen, insbesondere am Jom Kippur, wenn das Kol-Nidre-Gebet gesungen wurde, nahmen viele Gemeindeglieder am Gottesdienst teil, die man sonst nur sehr selten in der Synagoge traf.

Rabbiner Dr. Posner hielt zu allen Feiertagen sowie auch meist am Sabbat eine Predigt, während der der Synagogendiener an den Türen wachte, so daß man weder hineinkommen noch hinausgehen konnte. An dem Sabat, der in die zehn Bußtage zwischen Rosh-Hashonoh und Jom Kippur fiel, predigte Dr. Posner ziemlich offen über etwaige „Sünden" von Gemeindemitgliedern, ohne natürlich Namen zu nennen. So wurde zum Beispiel einmal eine Dame erwähnt, die ihre Perücke abgelegt hatte, um nun eine moderne Frisur zu tragen. Ein anderes Mal wurde über ein Ladengeschäft gesprochen, das seit Jahren samstags stets geschlossen war, nun aber auch am Samstag öffnete. Religionsschüler wurden getadelt, weil sie ihre Gebetbücher sowie den Pantateuch als „Torpfosten" beim Fußballspiel benutzten.

In Kiel trugen nur einige ältere Frauen die traditionelle Perücke, selbstverständlich aber die Ehefrauen des Rabbiners und Kantors.

1957 traf ich Dr. Posner in Jerusalem wieder, wo wir unter anderem auch über das jüdische Kieler Gemeindeleben sprachen. Inzwischen hatte ich dazugelernt und wußte um den Unterschied, wenn eine Frau keine Perücke trug, weil sie nicht davon wußte bzw. ihre Mutter es auch nicht tat, oder wenn der Mann es nicht verlangte. Wenn aber schon eine Perücke getragen worden war, sollte man sie nicht ablegen. Diese Ansichten teile ich nicht unbedingt, hier aber berühre ich das Gebiet von Theologie und Philosophie, von dem ich nur laienhafte Vorstellungen besitze.

Noch kurz vor der Machtergreifung der Nationalsozialisten im Jahre 1933 fanden zwei besondere Feiern in der Synagoge statt, an denen ein Großteil der Gemeindeglieder teilnahm. Die erste war die Stiftung und Übergabe einer neuen Torarolle an die Gemeinde durch Dr. Posner und Frau – ein herrliches, freudiges Ereignis, das von einem Gottesdienst umrahmt war. Eine Torarolle ist ziemlich teuer, auf Pergament in besonderer Schrift von einem Spezialisten geschrieben. Ihre Fertigstellung dauert gut ein Jahr.

Die zweite Feierstunde bezog sich auf die Stiftung des Bundes jüdischer Frontsoldaten, und zwar einer sehr großen Menora mit den Namensschildern der im Ersten Weltkrieg gefallenen Soldaten aus der jüdischen Gemeinde Kiel. Auch diese Zeremonie war von einem Gottesdienst und mehreren Reden umrahmt.

Jeder, der die Bibel kennt, weiß, daß über tausend Jahre von Joshua bis zur Römerzeit in Palästina ein jüdischer Staat bzw. eine Monarchie bestand. Trotz der 2000jährigen Diaspora wissen wohl heute noch die meisten Juden, von welchem Geschlecht sie abstammen; die Kohanim, die Priester der Leviten, und die Jisroel, benannt nach dem Volk Israel. Der wöchentlich in der Synagoge verlesene Tora-Abschnitt wird in acht Teilen vorgelesen, und jeweils acht Männer werden einzeln zu einem Teil dieser Lesung, wie wir sagen, „aufgerufen". Selbstverständlich wußte das diensthabende Vorstandsmitglied, welcher Mann zu welcher der drei genannten „Kategorien" gehörte, denn zum ersten Abschnitt wurde ein Kohen, zum zweiten ein Levite und zu den übrigen sechs ein Jisroel aufgerufen.

Der Synagogenchor 1931/32 v.l.: Julius Offen, Israel; Leo Metzger, New York; Max Nagelberg, New York; Akki Herzberg, Tel Aviv; Leo Bodenstein, Florida; Max Berger, verstorben in Israel; Isi und Johny Klapper, Opfer der Nationalsozialisten.

Eines Tages kam ein Fremder in die Synagoge; man wollte diesen Gast ehren und zur Tora aufrufen. Er wurde gefragt, was er denn wäre, antwortete aber nicht Kohen, Levi oder gar Jisroel, sondern sagte, er wäre ein Heldentenor. Das stimmte, denn er war ein jüdisches Mitglied des Theaterensembles in Kiel.

Der jüdische Turnverein in Kiel hatte sehr viele Mitglieder und war im gesellschaftlichen Leben der Gemeinde sehr aktiv; er gab Bälle, Vorstellungen usw.. Der Trainer hieß Herr Reese, der, obwohl er nicht Jude war, am gesellschaftlichen Leben der Gemeinde rege teilnahm. Es gab zwei Herrenhandballmannschaften, eine Damen- und eine Knaben-Mannschaft, in der ich meistens als Mittelläufer spielte. Trainiert wurde im Hof bzw. in der Turnhalle einer Grundschule im Norden Kiels. Außerdem gab es eine Damen-Turnmannschaft. Der jüdische Turnverein beteiligte sich bis 1933 an den Wettkämpfen mit vielen anderen Kieler Vereinen.

In den 1920er Jahren wurde ein jüdischer Jugendbund, später der Habonim und Poel Hamisrachi gegründet. Der Habonim war linksgerichtet, der Poel Hamisrichi links-religiös orientiert, doch gab es keine strenge Festlegung. Weil diese Vereine zionistisch orientiert waren, wurden sie in der Nazizeit in den ersten Jahren noch nicht verboten. Dasselbe gilt für die zionistische Ortsgruppe in Kiel sowie die Kieler Misrachi-

Gruppe. Die Mitglieder der Jugendvereine trugen bei Fahrten oder Treffen uniformähnliche Hemden und eine Art Pfadfindertuch mit Lederknoten. Zwei nur mit Bänken ausgestattete Vereinsheime gab es in Hinterhöfen in der Schaß- bzw. Lutherstraße. Der jüdische Jugendbund war politisch nicht engagiert. Außerdem gab es in Kiel noch den Misrachi, einen zionistischen Verein, der auch religiös orientiert war.

1931 kurz nach der Geburt meiner Schwester Zita zogen wir von der Gellertstraße zum Ziegelteich 7. Es war ein schönes großes Backsteinhaus, welches sogar den Zweiten Weltkrieg überstand. Wir hatten dort eine sehr große Wohnung mit herrlichen Kachelöfen. Jedoch mußte das Haus dem Neubau des Kaufhauses Hertie leider weichen.

Bei der Reichstagswahl im Sommer 1932 erhielten die Nationalsozialisten in Schleswig-Holstein ca. 50 Prozent aller Stimmen; der Antisemitismus wuchs. Es gab blutige Straßenschlachten zwischen den Anhängern der politischen Parteien, Familien verfeindeten miteinander wegen unterschiedlicher politischer Auffassungen. Viele Lehrer und auch Nachbarn trugen nun offen ihr NSDAP-Parteiabzeichen. Meine Erfahrungen und die meiner Familie und Freunde zeigten uns, daß die frühen Nazis nicht so schlimm waren wie die Opportunisten, die nach der Machtergreifung erst der Partei beitraten und im Volksmund „Märzgefallene" genannt wurden. Genau wie wir unsere Glaubensgenossen nannten, die sich erst 1933 ihres Judentums erinnerten. Juden wurden auf offener Straße beschimpft, verhöhnt und angepöbelt, zum Beispiel wurde gerufen: „Hau ab nach Palästina, da gehörst Du hin!" Immerhin bestätigten damit die Antisemiten den Juden das Recht auf das biblische Land, heute wollen die Antisemiten die Juden auch aus diesem eigenen Land vertreiben. Beim Marschieren auf der Straße sangen die Nazis: „Wenn das Judenblut vom Messer spritzt, dann geht's noch 'mal so gut". – Das war öffentliche Aufforderung zum Mord, die von keinem Staatsanwalt geahndet wurde. Wenn eine andere Partei – und das glaube nicht nur ich – das spritzende Blut von Kapitalisten, Bankiers und Junkern verlangt hätte, würde man diese Leute zur Rechenschaft gezogen haben. Oft liefen auch Kinder und Jugendliche hinter Juden auf der Straße her und sangen folgende Spottlieder, an die ich mich noch erinnere:

„Ich bin ein Jude, kennt ihr meine Nase,
im hohen Bogen steht sie mir voran
im Krieg konnt' ich am besten laufen,
doch im Frieden steh' ich meinen Mann."
„Jude Itzig, Nase spitzig, Ohren dreckig,
A...ch dreckig".

Oder vielleicht schon als „Vorfreude" auf die „entrüstete Volksmeinung" im November 1938:

> „Hello, die Synagoge brennt
> Hello, die Knoblauchbande rennt".

Mancher Leser wird sich fragen, warum ich denn diese längst vergessenen Sprüche bringe. Leider sind sie nicht vergessen. Noch immer werden sie in gewissen Kreisen gesungen und nicht nur bei 100jährigen Geburtstagserinnerungen oder Feiern einiger sehr junger Polizisten in Eutin im Jahre 1989.

Im Herbst 1932 begannen die Vorbereitungen für meine Bar Mizwah (Konfirmation), die im Januar 1933 stattfand. Mein Lehrer, Leo Domowitz, unterrichtete mich, den Abschnitt aus der Torah vorzulesen, der an dem Sabbat nach meinem 13. Geburtstag, am 3. Januar 1933, vorgelesen wurde. Dieser Abschnitt wurde nicht nur vorgetragen, sondern auch gesungen. Der Rabbiner unterwies mich in meinen religiösen Pflichten und half mir bei meiner Rede, die ich an dem Tag meiner Bar Mizwah vorzutragen hatte. Es handelte sich dabei um einige Sabbatgesetze, vor allem aber um die Sabbatruhe.

Zur Freude meiner Eltern und aller Verwandten gelang mir meine Vorlesung in der Synagoge sehr gut. Sicherlich auch zur Freude meines Lehres. Die Predigt Dr. Posners war an mich, meine Eltern und Verwandten gerichtet. Er erläuterte das Ritual sowie die Pflichten der Bar Mizwah, zu deutsch „Sohn der Pflicht". Mein Bar Mizwah-Anzug war dunkelblau mit kurzen Hosen und weißem, offenen Schillerkragen.

Meine Rede hielt ich dann bei der anschließenden Feier im Elternhaus. Ein Pult war im Erker aufgestellt, denn ich zitierte aus verschiedenen Quellen. Auch hier klappte alles prima, allerdings stimmte mein Großvater nicht mit der mir von dem Rabbiner beigebrachten Auslegung einer Bibelstelle überein. Darüber diskutierten die beiden Herren dann allein beim Festmahl. Außer Verwandten und Gemeindemitgliedern nahmen auch nichtjüdische Freunde sowie einige meiner nichtjüdischen Klassenkameraden aus der Humboldtschule teil.

Dr. Schmidt, mein Klassenlehrer, erlaubte mir dann, am Montag nach meiner Bar Mizwah meinen Klassenkameraden in der Schule Kuchen und Plätzchen anzubieten. Dr. Schmidt trug das Parteizeichen der Nationalsozialisten. Wir Schüler sahen aus den Listen auf den Litfaßsäulen, daß er für den Stadtrat kandidierte. Meinen Eltern und mir gegenüber verhielt er sich auch immer außergewöhnlich höflich. Ich meine sogar, daß Zensuren, die mir Dr. Schmidt gab, einen sehr hohen Grad an

Reformrealgymnasium, heutige Humboldtschule in Kiel

Fairneß aufwiesen. Trotzdem durfte er nach dem Krieg nicht mehr unterrichten.

30. Januar 1933. Reichspräsident Hindenburg ernennt Adolf Hitler zum Reichskanzler. Wir alle fühlten uns unsicher, irgendwie ängstlich, zugleich aber meinten wir zuversichtlich, daß alles doch noch gutgehen könnte. In der Schule war Hochstimmung, in manchen Kreisen aber auch Besorgnis. Eines meiner Bar Mizwah-Geschenke war das Buch „Erfolg" von Lion Feuchtwanger. Obwohl es ein Roman war, konnte man erkennen, worüber Feuchtwanger schrieb. Er beschrieb München, oder besser gesagt Bayern in den zwanziger Jahren und das Milieu, in dem Nationalsozialismus wachsen konnte. 30 Jahre später wollte ich erneut das Buch lesen, aber es wurde nach dem Zweiten Weltkrieg in der Bundesrepublik nicht mehr verlegt und gedruckt. Mit Hilfe eines Münchener Buchhändlers erhielt ich es aus der DDR. Erst viel später, zum 100. Geburtstag Lion Feuchtwangers, erschien eine Sonderausgabe seiner Werke wieder in Westdeutschland.

Irgendwann zwischen dem 30. Januar und der Wahl am 5. März 1933 lud der Jugendbund Habonim die Gemeindemitglieder zu einer Veranstaltung ein, die in dem Saal des Restaurants „Clubhaus des Westens" am Wilhelmplatz/Ecke Eckernförder Straße stattfand. Wir Kinder sangen hebräische Lieder, die „Horrah" (jüdischer Volkstanz) wurde getanzt. Die Hauptdarbietung war etwas Besonderes, nicht allein wegen der schauspielerischen Leistung, sondern weil sie so gut in das damalige

Zeitgeschehen paßte. Die etwas älteren Jungen und Mädchen marschierten auf den Platz und sangen:

„Ihr verteibt uns aus den Werkstätten und Fabriken,
Ihr vertreibt uns aus den Ämtern und Büros,
Monarchien und den freien Republiken,
überall das gleiche Judenlos ...”

Leider erinnere ich mich nicht mehr des ganzen Textes.

Irgendwann kamen dann zwei SA-Leute ins Lokal und versuchten zu randalieren. Ein früherer Boxer, Herr Mayer, Mitglied der Gemeinde und Besitzer einer Chemischen Reinigung am Sophienblatt, versetzte einem SA-Mann einen Kinnhaken, so daß die beiden Männer verschwanden. Vorsorglich gingen alle Anwesenden sofort nach Hause. Doch hatte dieser Vorgang, soweit ich weiß, kein Nachspiel.

Einen Sonntag im März 1933 werde ich nicht vergessen. Wir Jugendlichen sammelten bei den Gemeindemitgliedern für den JN, den „Jüdischen National Fonds”. Dieser war um die Jahrhundertwende gegründet worden, um in Palästina Land zu kaufen, zumeist von arabischen Besitzern. Dieses Land wurde dann von den zionistischen Pionieren in Palästina bearbeitet und fruchtbar gemacht. In der Wohnung eines Gemeindemitglieds wurde uns plötzlich empfohlen, sofort nach Hause zu gehen. Von meinem Vater erfuhr ich später von der heimtückischen Ermordung des Kieler Rechtsanwalts Dr. Spiegel. Obwohl ich erst vor einigen Wochen einen neuen Anzug mit kurzen Hosen zu meiner Bar Mizwah erhalten hatte und auch an diesem Tage, wie sicherlich noch weitere zwei Jahre lang, kurze Hosen trug, wurde ich wie ein Mann von dem Tage an von meinen Eltern zu Rate gezogen; sie besprachen fortan alles mit mir. Einige Tage später klebte an den Litfaßsäulen Kiels die Aufforderung der Staatsanwaltschaft, daß für Hinweise auf den/die Mörder Dr. Spiegels eine Belohnung von 1.000 RM ausgesetzt wäre. Ich wußte schon damals, daß es eine „Volksverdummung” war. Zu jener Zeit wurde auf der Synagoge die schwarz-weiß-rote Fahne auf Anweisung des Vorstandes der Gemeinde gehißt, mußte aber sofort aufgrund behördlicher Verfügung wieder entfernt werden.

Zum Purim-Fest im März 1933 wurde wie jedes Jahr in der Synagoge das Buch Esther gelesen. Die jüdische Königin Esther, die mit einem persischen König verheiratet war, hatte alle Juden vor dem Bösewicht Haman gerettet. Wir Jugendlichen stimmten nach dem Fest in der Synagoge, und zwar im unteren Garderobenraum, ein altes jüdisches Volkslied an:

Deutscher!
Das sind in Kiel Deine Feinde!

Allgemeiner Konsum-Verein
Bata Schuhe, Holstenstr.
Bebe, Strumpfhaus, Holstenstr.
Behrens, Benno, Möbelhaus, Kehdenstr.
Berger, Salo, Tuchhandlung, Schülperbaum 14
Berghoff, David, Eiergroßhandlung, Königsweg
Berghoff, David, Schuhwaren, Königsweg 1
Berju, Hugo (Goldmann), Damenkleidung, Holstenstr. 31
Bertenthal, David, Schuhwaren, Preußerstr. 9
Bertental, David, Schuhwaren, Flämische Straße
Bodenstein, Bernh., Bekleidungshaus, Ringstr. 98
Bombach, Gebr., Möbelhaus, Mühlinsstr. 72
Breßmann, M., Althändler, Exerzierplatz 34
Brill, M., Strickwaren, Lerchenstr.-Königsweg
Ehrlich, Josef, „Kaiserkrone“, Breiter Weg
Epa, Einheitspreis-Geschäft, Holstenstr. 55/57
Etam, Strumpfhaus, Holstenstr. 48/50
Schönlank, „Petzold-Stuben“, Schloßgarten-Brunswiker Straße
Gerstel, Mützenfabrik, Schülperbaum 13/15
Goldberg, Textilwaren, Lerchenstr. 24
Goldstein, Lotte, Tabak-Zigarren, Wall 56
Gurau, Louis, Handschuhe, Holstenstr. 31
Herzberg, Ch., Textilwaren, Eckernförder Str. 4
Herzberg, J., Textilwaren, Lerchenstr. 4
Hirsch, A., Leihhaus, Fischerstr. 27
Hirsch, B., Händler, Kehdenstr. 21
Hirsch, D., Pianogeschäft, Gasstr. 2
Hirsch, Mendel, Schuhwaren, Falckstr. 2
Holstenhaus (Goldmann), Holstenstr. 26
Hurtig, A., Hut- und Pelzlager, Holstenstr. 78, Holtenauer Str.
Jonas, Siegfr., Warenhaus, Holstenauerstr. 17
Jonas (Erwege), Warenhaus, Augustenstr. 59
Karstadt A.-G., Holstenstr.
Krabu, Schnellimbiß, Holstenstr.
Last, Michael, Luxuswaren, Schloßgarten
Lindor-Strumpfläden
Mastbaum, S., Siedenhaus, Holstenstr.
Meyer, Sally, „Wie Neu“, Färberei- u. Reinigungsinstitut in allen Stadtteil?
Nagelberg, B. Textilwaren, Küterstr. 1—3
Nagelberg, R., Textilwaren, Dammstr. 11
Pietsch, Emil, Herrenbekleidung, Holtenauerstr. 32
Pietsch, Emil, Herrenbekleidung, Knooperweg, Ecke Eckernförder Straße
Rosenblum, Pelze und Felle, Sophienblatt 21a
Rosenstein, E., Kurzwaren, Lerchenstr. 2
Rosenstein, J., Kurzwaren, Kehdenstr. 24
Rosenthal, B., Teppiche, Gardinen, Brunswikerstr. 11a
Schumm, Möbelhandlung, Kehdenstr. 16
Tannenwald, Bekleidungshaus, Schuhmacherstr.
Texta, Holstenstr.
Woolworth-A.-G., Holstenstr.
Zabel, Aug., (Friedmann!) Möbelhandlung, Kehdenstr. 8
Schuhhaus Salamander, Holstenstr.
   „   Mercedes, Holstenstr.
   „   Conrad Tack, Holstenstr.
   „   Rheingold, Holstenstr.
               Aufbewahren!   Weitere Listen folgen.

Boykottaufruf in der Kieler NS-Zeitung „Volkskampf“ vom 31. März 1933

„Haman hat gewollt die Juden umbringen,
Haman hat gewollt den Juden antuen eine Zore (Ärger),
Doch ist er geworden allein die Kipore (Opfer)".

Wir wurden vom Vorstand sofort zum Schweigen aufgefordert.

Zum Passahfest 1933 wurde die Synagoge vom Gemeindevorstand aus eigenem Entschluß geschlossen, da befürchtet wurde, daß sich die Damen, wie es bisher üblich war, zum Osterfest in neuer Garderobe, zumindest aber mit neuen Hüten zeigen würden. Dies sollte, wie alle eventuellen Bloßstellungen den Nazis gegenüber, entfallen. Ich muß aber auch darauf hinweisen, daß der Vorstand der Israelitischen Kultusgemeinde zu Kiel nur versuchte, Ruhe und Ordnung zu wahren. Dieser Vorstand hat in den späteren mörderischen Jahren der Nazizeit wie die Wölfe um das Wohlergehen jedes einzelnen Gemeindemitgliedes gekämpft und war bereit, die eigenen Leben zu verwirken.

Die Ereignisse häuften sich in der Stadt Kiel. Der 1. April 1933 war offizieller „Boykott-Tag". SA-Männer standen vor jüdischen Geschäften und Unternehmen und hinderten Käufer daran, die Geschäfte zu betreten. Vielfach wiesen sie allerdings die Passanten nur darauf hin, daß es ein „jüdisches Geschäft" wäre. Mit Genugtuung sah ich in der Holstenstraße, daß dennoch viele Käufer Geschäfte jüdischer Inhaber betraten. Viele unserer Kunden kamen in das väterliche Geschäft, nur um uns zu sagen, daß der Boykott nicht ihrer Denkweise entspräche. Dann kam am späten Nachmittag jenes Tages die Nachricht von den Ereignissen in der Kehdenstraße und zwar zuerst von der Schießerei beim Möbelgeschäft Schumm, später dann die Nachricht von der Ermordung des Rechtsanwaltes Schumm. Es gibt mehrere nicht sehr genaue Überlieferungen der Vorgänge, doch eines ist sicher: Ein SA-Mann hinderte Herrn Schumm, der in Ostpreußen wohnte, daran, das Geschäfts seines Vaters zu betreten. Es ist absurd anzunehmen, daß ein Anwalt daraufhin eine Pistole zieht und auf einen SA-Mann schießt. Der SA-Mann überlebte, Herr Schumm wurde im Polizeigefängnis „Blume" in der Blumenstraße von den Kugeln seiner Mörder getötet. Er durfte nicht in Kiel beerdigt werden. Seine Grabstätte befindet sich auf dem jüdischen Friedhof in Westerrönfeld. Seit vielen Jahren besuchen frühere jüdische Bürger und ich das Grab des Herrn Schumm, und wir sprechen dort das El Mole Chachamim, ein Gebet für die Toten.

Der angeschossene SA-Mann überlebte den Krieg, war aber nicht sehr hilfsbereit bei seinen Aussagen nach Kriegsende. Die Nazis behaupteten 1933, daß Schumm ohne Grund geschossen hatte. Die Nazis zerstörten das Geschäft der Schumms und die Wohnung sowie die Wohnung eines christlichen Nachbarn. Herr Schumm ging allein und freiwilig zum

Polizeipräsidium. Einige Stunden später erzwangen SA-Leute sich Eintritt ins Polizeigefängnis und zur Zelle des Inhaftierten Schumm. Herr Schumm wurde in der Zelle von vielen Schüssen durch viele Mörder niedergestreckt.

In meiner Klasse an der Humboldtschule wurde vom Klassenlehrer Dr. Schmidt und einigen Schülern von jedem ein paar Groschen eingesammelt, um ein Bild Hitlers im Klassenzimmer aufzuhängen. Gesagt, getan – nur leider fand die Klasse einige Tage später das Bild auf dem Boden, das Glas zerbrochen, aber Rahmen und Porträt Hitlers heil. Es war selbstverständlich, daß wir zwei jüdischen Mitschüler nicht um eine Spende gebeten worden waren. Aber, wie meistens, irgendein „Waschweib" in der Klasse plapperte, und eine Nazizeitung druckte, die Schüler Bodenstein und Berger hätten sich geweigert, Geld für das Hitler-Bild zu geben. Wie auch immer, die Klasse hatte kein Glück mit dem Hitler-Bild. Nachdem es repariert worden war und wieder die Wand im Klassenraum schmückte, verschwand es über Nacht sang- und klanglos. Niemand wußte, wer es entfernt hatte, oder ob es vielleicht sogar gestohlen worden war. Jedenfalls erhielten nun alle Klassen ein solches Bild.

Bei dem Thema Hitler erinnere ich mich, daß wir unsere Lehrer mit dem sogenannten deutschen Gruß begrüßen mußten, den alle Lehrer erwiderten, einige zackig, andere ziemlich gelangweilt. Max Berger und ich grüßten nicht, aber wir standen auf.

Zur Osterzeit 1933 fand eine Schulfeier in der Aula statt. Ein jüdischer Mitschüler, Kurt Goldmann, er war bereits Primaner, spielte im Schulorchester. Auf einmal gab es Krach in der Aula. Schüler in braunen Hemden verlangten die Entfernung Kurt Goldmanns aus dem Orchester, aber ein Kompromiß kam durch Direktor Weygolds Mitwirkung zustande. Dieser erklärte, daß Kurt Goldmann an diesem Tag das letzte Mal spielen würde und er ihm daher das Weiterspielen erlaubte. Seit Jahren sang ich als Sopran im Schulchor, und als die „Nazischüler" den Krach machten, winkte mir unser Musiklehrer, Herr Orthmann, beruhigend zu. Jedenfalls, so schien es mir, ging es nicht um jüdische Knaben, sondern um erwachsene Juden. Der Tag war gerettet, und ich sang noch bis zu meinem Stimmbruch im Chor.

Herr Orthmann war ein alter, sehr warmherziger Lehrer, und bei allen beliebt. Er wiederum mochte die Schüler und unsere Schule, mir schenkte er zu meiner Bar Mizwah ein Buch. Die Schule war seine Lebensaufgabe, und es war schön zu hören, wie unser Chor sang. Ein Lieblingslied von Herrn Orthmann, zugleich auch meines, war: „Die Himmel rühmen des Ewigen Ehre". Ich glaube, daß meine Mutter mir das dramatische Theater nahebrachte, Herr Orthmann aber Opern und Operetten. So manches Mal sah ich meinen alten Lehrer in der Oper und er mich, als es bereits für Juden verboten war, das Theater zu besuchen.

In der Bergstraße in Kiel wurde die „Volkszeitung" gedruckt. Ich kann mich in dem Namen oder in der Straße irren, aber ich spreche von der sozialdemokratischen Zeitung, die 1933 von den Nazis übernommen wurde. Nun geschah es, daß ein Redakteur dieser Zeitung in einem Bild unbedingt die soviel besprochene und berühmte Schönheit der nordischen Rasse festhalten wollte. Natürlich benötigte er dazu ein blondes, blauäugiges und schönes Mädchen. Der Redakteur fotografierte gleich zwei Schwestern im Alter von ca. zehn bis elf Jahren, die diese Merkmale aufwiesen und beschrieb die beiden Mädchen dem Leser als nordische Schönheiten. Er hatte recht, denn die Mädchen waren aus Kiel und sicherlich schön, doch sie waren auch jüdisch. Es waren die Sengpiehl-Schwestern, mit deren Bruder Günter ich in die Religionsschule ging.

Eines Tages sah ich den Sohn eines Nachbarn aus der Gellertstraße, der Gewerkschaftsführer war, in SA-Uniform umherlaufen. Ich hatte den Eindruck, als schämte er sich, als er mich grüßte. Dann hörte ich von einem SPD-Spielmannszug, der geschlossen zu den Nazis überging. Den Trommler kannte ich auch.

Das Goethe-Jahr wurde in der Humboldt-Schule gefeiert. Man hätte meinen können, wenn man so manchen Reden lauschte, daß Goethe Ehrenmitglied der NSDAP gewesen wäre.

Die Förderschüler an der Humboldtschule gaben keine Ruhe und schlugen auf Max Berger und mich auf dem Heimweg von der Schule ein. Ich blutete nicht einmal, dennoch ging mein Vater mit mir zum Polizeirevier in der Ringstraße. Er duzte sich mit einem der Polizeioffiziere. Als er mit meinem Vater und mir allein im Büro war sagte dieser: „Bernhard, da kann ich nichts machen". Mein Vater folgte aber dem Rat, von einer privaten Gesellschaft einen Wachmann zu engagieren. So wurde ich dann täglich von einem uniformierten Mann mit dunkler Schirmmütze und einer schwarzen Uniformjacke mit glänzenden Knöpfen von der Schule abgeholt und nach Hause begleitet. Auch mein Mitschüler Max Berger nahm diese Gelegenheit wahr, um sicher nach Hause zu kommen. Als sich uns dann noch nichtjüdische Schüler anschlossen, nicht etwa aus Solidarität, sondern weil sie irgendwo von anderen Schülern Prügel erwarteten, kam ein Brief von der Schule, in dem meine Eltern um Rücksprache wegen dieser Angelegenheit gebeten wurden. Ich wurde aber weiterhin von dem Wachmann begleitet. 1934 verließ ich die Schule, um – wie es im Zeugnis hieß – eine jüdische Schule zu besuchen.

Im Sommer 1933 mieteten meine Eltern in Schilksee ein Haus. Schilksee hatte zu jener Zeit noch eine Freibadeanstalt, und der Bademeister brachte den Strandkorb mit einem Ruderboot an den gewünschten Strandabschnitt. Dort baute jeder Kurgast eine Sandburg um seinen Strandkorb herum. Der Name wurde mit Muscheln in die „Burgmauern" gesetzt, und auch eine Flagge mußte wehen, zumindest waren die „Burgmauern" mit Wimpeln versehen worden. Da das Gesetz Juden verbot, nationale Fahnen zu zeigen, wurde auf Vorschlag meiner Mutter die Burg mit kleinen blauen und weißen Wimpeln umgeben. Blau-weiß waren die zionistischen Farben.

Noch im Jahre 1933 verließen meine Großeltern und Rabbiner Dr. Posner mit seiner Familie Deutschland. In dem Jahr zogen wir wieder um, und zwar vom Ziegelteich in die Lerchenstraße. Im Haus Ziegelteich 7 wohnten wir im ersten Stock. Einige Monate nach der Machtergreifung der Nationalsozialisten zog in das Erdgeschoß eine NSDAP-Ortsgruppe. Abends, samtags und sonntags warteten SA-Leute auf ihre Gruppenführer oder versammelten sich hier für ihre Märsche; sie saßen auf den Treppen im und vor dem Hause, so daß man manchmal kaum ins Haus gelangen konnte. Die Leute standen aber höflich auf und machten Platz, wenn man auch hier und da schon eine antisemitische Bemerkung hörte.

Mein Großvater Ehrmann hatte in der Koldingstraße viele Jahre lang ein Geschäft, das man heute einen „Second Hand Shop" nennen würde; es war schlicht gesagt ein Trödelladen. Mein Großvater hatte zwar wenig Geschäftsinteresse, doch er mußte seine Kinder großziehen. Meine Großmutter betrieb außerdem einen privaten kosheren Mittagstisch.

Mir wurde erzählt, es hätte in Kiel im Ersten Weltkrieg ca. 600 jüdische Marinesoldaten gegeben. Meine Großmutter bereitete damals die Mahlzeiten für eine große Sederfeier für viele Soldaten in der Kaserne und außerdem noch für ein Lager in Russee, in dem jüdische russische Kriegsgefangene waren. Ansonsten war es ein kleiner Mittagstischbetrieb, der ein bescheidenes Zubrot abwarf.

Mein Großvater ist eine Nachfahre in direkter Linie des Jacob Emden, 1698 in Hamburg geboren, 1776 in Altona gestorben und dort auf dem Friedhof Königstraße beigesetzt. Rabbi Emden trug seinen Namen nach der Stadt, in der er bis 1732 als Rabbiner wirkte. Er ging dann nach Altona und wirkte später als Rabbiner in Hamburg, Altona und Wandsbek. Im Landesarchiv Schleswig-Holstein befindet sich heute noch ein Gesuch Rabbi Emdens an den König von Dänemark, in dem er um die Erlaubnis bat, in Altona eine Buchdruckerei zu eröffnen.

Rabbi Emden hatte drei Söhne, die später alle als Rabbiner tätig waren und zwar in London, Amsterdam und Lemberg. Mein Großvater war ein Nachkomme des Lemberger Rabbiners, also des Sohnes Jakob Emdens. Die Mutter meines Großvaters Ehrmann war eine geborene Rubinstein und ist die Tante des Religionsphilosophen Professor Dr. Martin Buber. Mein Großvater, Professor Buber, und auch Helene Rubinstein, die Gründerin der Kosmetikfirma, waren Cousins bzw. Cousinen ersten Grades.

Die letzten zehn Jahre seines Lebens in Kiel widmete sich mein Großvater zusammen mit Herrn Peterseil dem Talmudstudium; sie studierten den gesamten babylonischen Talmud, was sehr selten geschieht. Die jüdische Gemeinde zu Kiel ehrte meinen Großvater und Herrn Simon Peterseil entsprechend mit einer Feierstunde mit Reden, Ehrungen usw.. Mein Großvater starb im Jahre 1941 mit 82 Jahren an einer Erkältung.

2. Als Gymnasiast in Frankfurt a. M.

Zwei Freunde aus Aurich und Hannover, die ich vom Kinderheim in Bad Segeberg her kannte und mit denen ich korrespondierte, gingen ab Ostern 1934 in ein jüdisches Internat nach Frankfurt/Main, in dem zugleich jüdischer sowie allgemeiner Unterricht erteilt wurde. Ich wollte auch nach Frankfurt, doch meine Eltern waren zunächst dagegen. Schließlich erhielt ich Hilfe von Rabbiner Dr. Winter aus Lübeck, der auch die Kieler Gemeinde nach der Auswanderung Dr. Posners betreute, und meine Eltern willigten ein, mich nach Frankfurt zu schicken. Diese Lehranstalt wurde von Rabbiner Dr. Jakob Hoffmann geleitet. Jüdische Fächer wurden im Internat unterrichtet, weltliche im israelitischen Gymnasium.

Kurz vor meiner Abreise nach Frankfurt emigrierte die Kieler Familie Herzberg nach Palästina. Viele ihrer Freunde kamen – so auch wir – zum Abschied auf den Bahnhof, denn meine Eltern waren mit ihnen ebenfalls befreundet, darüber hinaus ich mit Akki, meine Schwester Gisela mit Mira Herzberg. Mira Herzberg wurde später eine bekannte Jounalistin in Israel, die auch einige kleine Artikel über das Leben ihrer Familie in Kiel und den Abschied von der Stadt schrieb.

Außerdem emigrierte mein Cousin Daniel Bauer nach Palästina. Er war gelernter Elektriker. Bis heute ist er der Familie seines Lehrmeisters in Kiel freundschaftlich verbunden. 1935, als ich in Frankfurt war, verließen auch die Familie meines Onkels Bauer mit den Kindern Lotti und Hans sowie mein Onkel Ehrmann und seine Frau, das Hochzeitspaar aus dem Jahre 1927, Deutschland und gingen nach Palästina.

Leo im Taunus

Vor meiner Abreise nach Frankfurt erhielten meine Eltern von der Schulleitung einen Brief, daß Schüler mit der Reichsbahn zu stark ermäßigten Preisen fahren könnten. Anbei lag eine Bestätigung, daß ich Schüler wäre. „Nein, das gelte nicht für jüdische Schüler", meinte der Schalterbeamte. Also mußte ich den vollen Fahrpreis bezahlen. Es war eine schöne und lange Reise, und es war auch die längste Reise, die ich bisher dazu noch allein, unternommen hatte. In Frankfurt wurde ich von Herrn Dorfzaun, dem Heimleiter, vom Bahnhof abgeholt. Er riet mir, die Fahrkarten nicht abzugeben, sondern abstempeln zu lassen, um einen Antrag auf Fahrgelderstattung zu stellen. Tatsächlich erhielt ich dann einen Teil des Fahrgeldes zurück.

Ein neues Leben begann für mich. Frau Dorfzaun, die Hausmutter im Frankfurter Internat, kinderlos, aber sehr kinderlieb, zeigte mir mein Zimmer, das ich mit drei weiteren Jungen teilte. Der Unterricht war gut, sorgfältig und interessant gestaltet. In der Klasse waren viel weniger Schüler als in Kiel, nämlich 20, während es in Kiel über 40 Schüler gewesen waren. Wie alle Neuankömmlinge im Internat sehnte ich mich nach meinen Eltern und Geschwistern, aber so etwas wurde selbstverständlich nicht eingestanden. Oh, Wunder geschehen noch: Ich erhielt gute Zensuren in Mathematik, während ich Schwierigkeiten in den jüdischen Fächern hatte. Doch ein junger Lehrer, Dr. Josef Burg, half mir sehr, mich in den jüdischen Fächern zu bessern. Dieser Dr. Burg war viele Jahre später in Israel für ca. zwanzig Jahre lang Minister, u.a.

Innenminister im Kabinett von Ministerpräsident Menahim Begin und hatte sehr erfolgreich dazu beigetragen, daß der ägyptisch-israelische Friedensvertrag unterzeichnet wurde.

Während Kiel nur 600 jüdische Einwohner hatte, gab es in Frankfurt trotz der laufenden Auswanderung ca. 15.000 Juden, und es wurden nicht weniger, denn aus den Kleinstädten und Dörfern Hessens zogen viele Juden in die Großstadt. In Frankfurt gab es ein Kino, einen Kultur-bund, Theatervorstellungen und zwei jüdische Cafehäuser. Sogar der Bäckerjunge, der uns morgens die Brötchen brachte, war jüdisch. Trotz-dem lebten wir in dem Internat nicht zurückgezogen oder gar in einem Ghetto. Wir spielten Fußball, machten Ausflüge in den Taunus, nach Worms und einige Dampferfahrten auf dem Rhein, einmal sogar bis nach Köln. Doch der Kontakt zu der nichtjüdischen Umwelt war mini-mal.

Es war bereits 1935, als wir den Rhein hinauffuhren und die Lorelei passierten, stimmten die Passagiere, die kurz zuvor noch die „Wacht am Rhein" gesungen hatten, lautstark und doch schön in das Lied „Ich weißt nicht, was soll es bedeuten" ein – warum auch nicht. War doch dieses Heine-Lied nach damaliger Lesart vom einem Herrn „Unbekannt" geschrieben worden.

In Wiesbaden hatte ich erntfernte Verwandte, die ich gelegentlich be-suchte. 1934 war es noch ungefährlich, per Anhalter zu fahren. Doch einmal bemerkte ein Fahrer, daß ich ihm auf seine Fragen etwas auswei-chend antwortete, und meinte, ich solle ganz offen reden, er wäre auch jüdisch. Der Mann war Molkereibesitzer und hieß Eschwege. Jahre später lernte ich seine Tochter an der deutsch-holländischen Grenze kennen.

1934 war der Röhm-Putsch oder die „Nacht der langen Messer". Wir Schüler verstanden nicht, worum es ging, doch wir ahnten, daß „etwas faul im Lande" war. Als Reichspräsident Hindenburg starb, flaggten unsere Schule sowie alle öffentlichen jüdischen Häuser halbmast wäh-rend der vorgesehenen Tage, Schwarz-Weiß-Rot, was auch von den Behörden erwartet wurde. Gemeinderabbiner Dr. Jakob Hoffmann hielt eine Gedenk- und Trauerrede für den verstorbenen Reichspräsidenten, außerdem wurde ein Gebet gesprochen. Kurze Zeit darauf wurde Dr. Hoffmann von der Gestapo in Schutzhaft genommen, doch nach einigen Tagen wieder auf freien Fuß gesetzt. Meine Mitschüler und ich, die die Predigt gehört hatten, meinten, daß Dr. Hoffmann vielleicht angesichts der kommenden Ereignisse sehr betroffen war von dem Tode des Reichs-präsidenten und es auch kundtat. Die Gestapo meinte, Dr. Hoffmanns

Trauer wäre etwas übertrieben. Dr. Hoffmann, später Rabbiner einer großen Gemeinde in New York, wohnte in den fünfziger Jahren nur zwei Häuser entfernt von mir an der Westend Avenue. Häufig sprachen wir über dieses wie auch andere Ereignisse. In den dreißiger Jahren wurde Rabbiner Hoffmann noch nach dem November-Pogrom sehr oft von den Nazis verhaftet, blieb für einige Monate in Haft, emigrierte aber zum Zeitpunkt des Kriegsausbruchs.

In Frankfurt lernte ich auch Professor Martin Buber kennen, der dort regelmäßig Vorträge im Gemeindehaus oder Kulturbund hielt. Auch ein Sohn Dr. Hoffmanns, Akiva Hoffmann, war einer meiner Lehrer.

Im Nachbarhaus des Internats wohnte Rabbiner Dr. Josef Breuer, Rabbiner der orthodoxen israelitischen Austrittsgemeinde (Austrittsgemeinde: extrem orthodoxe Juden sind aus der allgemeinen jüdischen Gemeinde ausgetreten und bildeten eine eigene staatlich anerkannte Austrittsgemeinde). Er war seit 1938 sehr aktiv im Stadtteil Washington Heights in der Stadt New York. Er sowie Mitglieder seiner Gemeinde, die auch nach New York emigriert waren, brachten eine sehr starke orthodoxe Welle in das Judentum der USA. Diese Welle ist noch heute spürbar und auch einflußreich.

Unsere Ferien von jeweils vier Wochen fielen im Frühling zusammen mit dem Pessachfest und im Herbst mit den hohen Feiertagen. Ich verbrachte sie immer in Kiel in meinem Elternhaus. Doch besuchten mich auch meine Mutter und mein Vater je einmal in Frankfurt. Mitte und Ende 1935 wurde ich wegen Gelbsucht ins Krankenhaus eingeliefert; aufgrund der Krankheit verließ ich Ende 1935 nach 20 Monaten die Schule in Frankfurt.

3. Wieder in Kiel bei meiner Familie

Nun war ich bereits 16 Jahre alt und wieder in Kiel. Die Gemeinde war inzwischen geschrumpft, das Bethaus am Knooper Weg geschlossen, doch ein neues, wenn auch kleineres gab es im Feuergang. Der Sabbat-Gottesdienst in den unteren Räumen der Synagoge fand nicht mehr statt, denn inzwischen hatte die Gemeinde in der Mitte des großen Synagogensaals eine Bima gebaut, ein Vorleserpult für die Tora. Somit entfiel das Hauptargument der Herren, die die unteren Räume zum Gebet benutzten. In allen orthodoxen Synagogen befindet sich die Bima in der Mitte des Gebetssaales, und diese Vorschrift war jetzt erfüllt.

Viele der Kieler jüdischen Jungendlichen waren bereits emigriert oder bereiteten sich zumindest auf die Auswanderung nach Palästina (Hachscharah) vor. Auf den Straßen war es ruhiger geworden. Die Wehrpflicht und der Arbeitsdienst waren eingeführt, das Rheinland war von deutschen Truppen besetzt, das Saarland war deutsch, und es war eindeutig, daß auf die Frage Görings „Wollt Ihr Butter oder Kanonen?" gewollt oder ungewollt das Volk Kanonen bekam. U-Boote sowie Schlachtschiffe wurden gebaut, Arbeitszeiten verlängert, die Löhne gekürzt, es wurde gesammelt für die Volkshilfe, Winterhilfe und vieles andere mehr. Das Volk erzählte sich Witze über Göring und sang folgendes Spottlied:

„Wenn am Samstagabend der Reichskanzler spricht,
Eintopfgericht, Eintopfgericht, Grünkohl,
und der kleine Goebbels seinen Senf dazu gibt,
Eintopfgericht, Eintopfgericht, Grünkohl.
Und die arme Hausfrau den Kopf sich zerbricht,
Was koch' ich nun? Was koch' ich nun?
Eintopfgericht, Eintopfgericht, Grünkohl."

In der Straßenbahn schimpften die Leute, wenn auch gemäßigt, über Mussolini und seinen Äthiopien-Krieg. „Ob das wohl gutgeht? Italienern sollte man nicht trauen" – Sprüche dieser Art waren zu hören. Zwei bis drei Jahre nach der nationalsozialistischen Machtergreifung war es in Kiel ruhiger. Leider täuschte dieses auch so manche Juden, ebenso wie man weniger Nazigruppen marschieren sah und weniger das Grölen des „Liedes" hörte; „Wenn das Judenblut vom Messer spritzt, dann geht's nochmal so gut!" Was wir damals nicht wußten: daß man tatsächlich damit beschäftigt war, „die Messer zu schärfen!"

1936 erhielt der Vorstand der jüdischen Gemeinde Besuch von den Schauspielern Paul Kemp und Adolph Wohlbrück aus Berlin. Anlaß war der Ariernachweis für Herrn Wohlbrück. Außer Gerüchten sind mir weitere Details nicht bekannt. Tatsache ist, daß Herr Wohlbrück nach London ging und eine weitere Karriere unter dem Namen Anton Walbrook machte. Ende der sechziger Jahre starb Herr Walbrook in der Nähe Münchens im Hause von Hansi Burg, der Witwe von Hans Albers; er wurde nach jüdischem Ritus begraben.

Allein oder einsam war ich nicht. Es waren noch genügend jüdische Jugendliche in Kiel, um gemeinsame Fahrten zu machen oder einen abgelegenen Strand oder See zum Baden aufzusuchen. Wenn Kolonnen der SA, Hitlerjugend und andere Nazigruppen durch die Straßen mit Fahnen voran marschierten, mußte man als Jude wenn möglich in einem Laden, einer Einfahrt oder einem Haus verschwinden. Erhob man die Hand zum Gruß, konnte man, falls man erkannt wurde, Dresche beziehen. Wenn man es nicht tat, konnte es einem aber genauso geschehen.

Als an einem Sonnabendvormittag mein Vater und ich von der Synagoge kamen und den „Schülperbaum" hinuntergingen, marschierte eine Kompanie Marinesoldaten mit Fahne die Straße hinauf. Wir konnten nicht ausweichen, grüßten aber auch nicht. Da kam ein Offizier auf uns zu und fragte, warum wir die Fahne nicht ehrten. Mein Vater erwiderte, daß wir als Juden sie nicht grüßen durften. Der Offizier salutierte zackig und machte kehrt.

Unter dem Stichwort „Fahne" fällt mir folgendes ein: Ein Kieler Jude, Herr Czapnick, der Schwiegervater meines Onkels Gedalje Ehrmann, erzählte einem Nichtjuden von einem Flaggenzwischenfall in New York im Jahre 1937. Dort sei von dem deutschen Schiff „Bremen" von amerikanischen Dockarbeitern die Hakenkreuzfahne heruntergeholt worden. Herr Czapnick wurde wenig später verhaftet, verbrachte einige Monate in Untersuchungshaft in Neumünster, wurde dann aber in dem Prozeß in Hamburg freigesprochen. Der Richter meinte, Herr Czapnick hätte keine Progagandalüge erzählt, sondern nur die Wahrheit wiedergegeben. Kurz nach seinem Freispruch sah ich ihn in Kiel auf der Straße mit einigen Burschen sprechen, die mir nicht gerade „sehr solide" erschienen. Ich stellte mich daher in ihre Nähe, falls Herr Czapnick Hilfe gebraucht hätte. Nach einigen Minuten jedoch gingen sie fort. Herr Czapnick kam auf mich zu und sagte: „Ich habe Dich gesehen, habe keine Angst", und weiter mit einem Lächeln: „Mit diesen Leuten war ich in Untersuchungshaft, und wir Knastbrüder halten eben zusammen". Herr Czapnick ging einige Wochen später nach Palästina.

Jener Richter verurteilte einen Hamburger Juden wegen Rassenschande zu einer Strafe von vier Monaten Gefängnis, die mit der Untersuchungshaft verbüßt war. Dieser Herr wanderte sofort in die USA aus. Im übrigen war dieser Richter während der ganzen Nazizeit tätig und auch noch Jahre danach. Man braucht nicht unbedingt immer den Henker zu bemühen, wie es so manche Richter taten.

Frühere Schulkameraden blieben stehen und plauderten mit mir, wenn ich sie auf der Straße traf. Waren sie jedoch in der Gruppe, war ich derjenige, der sie nicht erkannte. Ich glaube, dafür waren sie mir dankbar. Insbesondere zwei Jungen gaben sich Mühe, mich zu kennen und fühlten mit mir: Günter Muth von „Blumen-Muth" und Harald Gans, dessen Schwester damals in unserem Geschäft arbeitete.

Wie bereits erwähnt, ging ich – ohne Wissen meiner Eltern – ins Theater, was seit 1936 für Juden verboten war. Kinobesuche wurden dagegen erst 1938 verboten. Ein „Juden verboten"-Schild steckte auch an der Tür eines Pelzgeschäftes hinter der „Klinke". Keinem Juden in Kiel wäre es eingefallen, in diesem Geschäft einen Pelz zu kaufen, denn dessen Besitzer war ein früher Nutznießer des Loses der Juden.

Zu dieser Zeit spürte ich, obwohl ich noch ziemlich jung war, daß meine Eltern sowie andere jüdische Geschäftsleute und jüdische Pensionäre sich ihrem Schicksal beugten. Insbesondere dachten viele, daß es nach den Nürnberger Gesetzen geregelter zugehen würde. 1936, nachdem die Nürnberger Gesetze in Kraft traten, hofften viele Juden, daß sich ihre Lage bessern würde, trotz der vielen Ungerechtigkeiten.

Ich glaube, daß das Gesetz, obgleich es ungerecht war, so gedeutet wurde, als wollten die Nazis damit sagen: „Soweit gehen wir und nicht weiter". Jugendliche, jüngere Familien und natürlich Familienväter, die ihre Arbeit oder ihr Einkommen verloren hatten, drängten zur Auswanderung. Ein Kieler Jude, der seinen Posten als Handelsvertreter verloren hatte, wurde von einem Losverkäufer für das Winterhilfswerk derart bedrängt, daß er endlich aus dem Bauchladen des Verkäufers für 50 Pfennige ein Los zog und – damit 5000 Reichsmark gewann. Das Geld wurde ausgezahlt und half dieser Familie über die Zeit, bis sie 1939 in die USA auswanderte.

Ganz ohne Schule war ich nicht. Mindestens dreimal in der Woche erhielt ich Englischunterricht von einer Engländerin, Frau Jungclausen, die mit einem deutschen, bereits pensionierten Seeoffizier verheiratet war. Die Dame deutete immer geheimnisvoll an, daß sie im Ersten Weltkrieg sehr gelitten hat, weil sie den Engländern viel geholfen hätte. Wir drei Schüler, ein weiterer Kieler Jude Max Nagelberg, der auch in die USA auswanderte, und ferner ein nichtjüdischer Schüler, nannten sie unter uns „Mata Hari". Meine Eltern versuchten, mir außer Englisch, noch weiteren Unterricht erteilen zu lassen, aber irgendwie fanden wir nicht die richtigen Lehrer. Andere jüdische Jugendliche konnten 1936 noch in die Berufsschule gehen, auch wenn sie keinen Beruf erlernten. Ich war jedoch nicht mehr erfaßt, weil ich von der Schule 1934 nach Frankfurt wechselte.

1936 fanden die Olympischen Spiele in Berlin statt. Ich besuchte Verwandte dort und gewann den Eindruck, daß diese Spiele der größte Progaganda-Trick der Nazis waren. Alles war gut organisiert, die Nazigrößen gaben sich jovial, die „Juden verboten"-Schilder verschwanden. Die jüdische Fechterin, Frau Mayer, durfte für Deutschland kämpfen und siegen.

Anschließend an die Spiele in Berlin wurden sie in Kiel mit Segelregatten fortgesetzt. Zu diesem Zeitpunkt besuchten drei amerikanische Kriegsschiffe Kiel. An einem Freitagabend betraten zwei amerikanische Seeof-

Dan Gelbert und Leo an der Kieler Förde 1937

fiziere und fünf bis sechs Mannschaftsdienstgrade die Kieler Synagoge und nahmen am Gottesdienst teil. Da es in jüdischen Kreisen seit Jahrhunderten üblich ist, auswärtige Gäste einzuladen, begleiteten meine Schwester Reginchen und ich am Samstagnachmittag nach dem Sabbatmahl in unserem Haus zwei von den US-Marinern zur Tirpitzmole, wo die US-Kriegsschiffe festgemacht hatten. Meine Schwester wurde von einer Dame auf der Straße zur Seite gebeten und darauf hingewiesen, daß deutsche Mädchen nicht mit Amerikanern gehen sollten. Der Synagogenbesuch der jüdischen Besatzungsmitglieder war mehr eine Sympathiebezeugung als das Bedürfnis, einen Gottesdienst zu besuchen. Im übrigen hatte der US-Flottenkommandant offiziell bei den deutschen Behörden angefragt, ob und wo ein jüdischer Gottesdienst in Kiel stattfände.

Zu dieser Zeit besuchte uns mein Onkel Markus in Deutschland und nahm noch im Sommer 1936 seine Nichte Lotti Ehrmann, meine Cousine, mit in die USA. Mein Onkel Max Ehrmann folgte im selben Jahr, 1937 dann meine Tante Sophie und zwei weitere ihrer Kinder, Friedel und Leon.

Dennoch ging unser Geschäft bisher noch gut. Es gab eine beständige Stammkundschaft besonders unter den Arbeitern und kleinen Angestellten. Die „Kieler Neuesten Nachrichten" nahmen von Juden schon keine Anzeigen mehr an, auch keine Todesanzeigen. Dies beruhte keineswegs auf einem Reichsgesetz oder staatlichem Verbot, denn das „Hamburger

Fremdenblatt" nahm zu jener Zeit noch Anzeigen von Juden an. Jüdische Vertreter von jüdischen Fabrikanten kamen jetzt in die Geschäftsräume, denn sie konnten besser und billiger produzieren als später die „ariesierten" Betriebe. Natürlich verkauften wir keine Uniformen für nationalsozialistische Organisationen. Aber es gab „halb-offizielle" Bekleidung, z.B.: Berchtesgadener Jacken, bei jungen Frauen und BDM-Mädels sehr beliebt. Diese Jacken gab es in unserem Geschäft besonders günstig, und daher wurden viele verkauft. Da wir nicht mehr inserieren durften, warfen wir Werbezettel in Briefkästen. Seinerzeit befanden sich die Briefkästen noch an der Wohnungstür bis hoch zur 5. Etage – ein „Heidenjob". Langsam fing ich an, im Geschäft mitzuhelfen, und es machte Spaß. Ich hatte den Kopf und das Einfühlungsvermögen dazu, ich war beschäftigt.

Ehekrach im Hause Bodenstein: Meine Eltern waren seit vielen Jahren mit einem nichtjüdischen Ehepaar bekannt: Die Frau war etwas exzentrisch, aber beide waren ansonsten herrliche Menschen. Die Frau meinte, ihr Gatte wäre wieder einmal bei einer dienstlichen Beförderung übergangen worden und wollte sich bei Hitler persönlich beschweren, also, ab nach Berlin. Nun fehlte ihr aber eine schöne kleine Reisetasche, etwas Gediegenes und Gutes. Eine solche Tasche besaß meine Mutter, die sie der Frau auch gab. Mutter erzählte es zu Hause, und da gab es Krach. Mein Vater sah alle möglichen Dinge auf uns zukommen und sprach lautstark ohne Rücksicht auf meine jüngeren Geschwister. Wir redeten ansonsten nie über politische Themen, wenn die Jüngeren dabei waren, aber sie haben es gar nicht so mitbekommen. Die Frau kam jedenfalls mit der Handtasche wieder zurück. Sie war lediglich in der Reichskanzlei gewesen und hatte dort mit irgendeinem Herrn gesprochen. Meine Eltern trafen diese Freunde 1956 und 1957 in Kiel wieder.

Meine Schwester Reginchen und ich wollten nun auch nach Palästina, doch Vater gab uns nicht die Erlaubnis. „Erstens wird alles halb so schlimm werden, die Familie bleibt zusammen. Malaria könnt Ihr Euch immer noch holen", meinte unser Vater.

Von Ende 1935 bis Ende 1937 gab es in Kiel eine Hachscherah, eine Vorbereitungsstätte für die Auswanderung nach Palästina. Zehn bis zwölf Jugendliche im Alter von 17 bis 20 Jahren wohnten gemeinsam in einer größeren Dachwohnung eines Hinterhauses zwischen der Holsten- und Kehdenstraße. In der Mehrzahl waren es Jungen, die in verschiedenen Werkstätten handwerkliche Berufe erlernten, zwei Jungen arbeiteten auf einem Bauernhof am Westensee. Die Mädchen besorgten den Haushalt; große Sachen zu kochen gab es allerdings nicht. Hin und wieder schickte mich meine Mutter mit Obst, Kuchen usw. in dieses Heim. Auch kamen einige von dem Chaluzim, das waren hebräisch für Pioniere, die das Land in Palästina wiederum bearbeiten und fruchtbar machten, zu uns ins Haus. Wir gestalteten nette Abende mit Musik und Liedern. Ein Mädchen namens Käthe aus Leipzig hatte nicht nur eine wunderbare Stimme, sondern auch eine große Begabung, Lieder vorzutragen. Ich hatte bisher nur wenige jiddische Volkslieder gehört, manche schön und hinreißend: Kindermärchen im Lied, Volkslieder – traurig, lustig und zum Teil sehr ergreifend. Zum erstenmal hörte ich hier ein Lied über Krieg und Soldaten, das nicht fröhlich und zackig war, sondern sehr traurig. Es war ein schlichtes, einfaches und volkstümliches Lied, das den Krieg nicht verherrlichte. Ich hörte es gern, besonders wenn Käthe es sang. Es hatte viele Strophen:

> Durchs Dorf hert man a Geschrei.
> Man fregt sech, wus ist geschehn.
> Es haisst, alle Männer müssen zi die Soldaten gehn.
> Jankel der Schmied kischt sein Waab.
> As, Gott will, das ich dort eiwig verblaab.
> Wain dir die Eugen nisch blind.
> Un, sug das Kaddisch mit inserem Kind.

Von 1936 an gab es jährlich zwei bis drei Aufführungen im Gemeindehaus, kleinen Dramen jüdischen Inhalts, von uns Jugendichen sowie Erwachsenen aufgeführt. Regie führte Herr Salberg, ein früheres Mitglied des Kieler Stadttheaters. Der Gemeindesaal war immer besetzt.

Nach dem Novemberpogrom hat sich Herr Salberg das Leben genommen – von einem Schiff sprang er in die Kieler Förde.

Es gab mindestens acht bis zehn Vorträge im Jahr, zionistische Themen, Berichte über Palästina und Lesungen. Da mein Vater und mein Onkel Josef Locker im Vorstand des zionistischen Ortsverbandes waren, dessen Hauptvorsitzender Herr Hugo Tannenwald war, mußte ich mit meinem Fahrrad immer zur Gestapo in die Düppelstraße fahren, um die Versammlungen anzumelden. Es erschien dann stets ein Gestapo-Beamter, meistens derselbe, zu den Vorträgen, hängte Hut und Mantel an die Garderobe, begrüßte Herrn Tannenwald mit einem Händedruck, setzte sich neben mich, denn ich erklärte ihm die Ausdrücke wie „Alija", „Hachschara", „Kibbuz" usw.. Nach einigen Wochen kannte er diese Begriffe. Er siezte mich, nannte mich aber Leo.

Im übrigen, wenn man das Gestapo-Gebäude in Kiel in der Düppelstraße betrat, saß der Pförtner an einem Fenster, das fast zwei Meter über dem Fußboden war, so daß man hoch aufblicken mußte. Unter dem Fenster des Pförtners hing ein großes Bild, das den sehr ernsten, drohenden

Kopf eines Mannes zeigte, dessen Zeigefinger auf den Lippen lag, mit der Unterschrift: „Schweig".

Jener zuvor als ruhig beschriebene Gestapo-Mann entpuppte sich aber als sehr hart und grausam. Herr Tannenwald, der mit Gattin, Schwägerin, Neffe und Nichte über Kuba in die USA emigrierte, erzählte 1940 in New York, daß dieser Beamte ihm einmal brutal mit der Faust ins Gesicht geschlagen hätte. „Erinnerst Du Dich, Leo", fragte er mich, „wie ruhig, sogar fast höflich der Kerl an Versammlungen teilgenommen hatte?" Herr Tannenwald berichtete mir, daß er nach dem Pogrom vom November 1938 relativ früh entlassen worden war; fast alle Kieler Juden waren nach ca. acht Wochen wieder zu Hause. Herr Tannenwald sagte dem Gestapo-Mann – in äußerst vorsichtiger Weise – er sollte doch dafür sorgen, daß alle noch Inhaftierten entlassen werden, und diese Bitte wurde mit einem Faustschlag quittiert. Peter Tannenwald, Sohn des 1935 verstorbenen Kieler Anwalts Bruno Tannenwald, wurde später in den Vereinigten Staaten von Amerika ein bekannter und angesehener Pianist.

Als Jude durfte man nicht mehr verreisen, das heißt im Inland Ferien zu machen war nicht mehr erlaubt und für das Ausland gab es keine Devisen. Meine Schwestern Gisela und Zita wurden in den Sommerferien 1936 bei freundlichen Leuten in Strande einquartiert. Leider machte der Kürschner aus der Klinke auch Ferien in Strande und regte sich dort derart auf, daß ich meine Schwestern zurückholen mußte.

1937 konnten meine jüngeren Schwestern ihren Urlaub in der Nähe von Bordesholm in einem am See gelegenen Haus verbringen. Die Leute waren freundlich und es gab keinen Ärger mit den Nachbarn. Es stellte sich später heraus, daß die Gastgeberin Leiterin des lokalen NS-Frauenbundes war.

1938 fuhr dann Zita zusammen mit einem anderen kleinen jüdischen Mädchen aus Kiel aufs Land in die Nähe von Aurich. Insgesamt waren es nur wenige sieben- bis achtjährige Mädchen, die dorthin zur Erholung zu einem jüdischen Viehhändler fuhren. Der Viehhändler mußte sich wegen schlechter Geschäfte ein Zubrot verdienen, doch leider machte er die Rechnung ohne den „Wirt", in diesem Fall die Unmenschen. Die Kinder wurden noch in der Nacht von Dorfbewohnern vertrieben. Ich holte meine Schwester und das andere jüdische Kieler Mädchen aus Hamburg ab.

Im Jahre 1937 wurde auch der Besuch der öffentlichen Bäder für Juden verboten. Ein Bad war in der Prüne, und für manche, die zu Hause kein Bad besaßen, war dieses Verbot sehr einschneidend. Ich erinnere mich,

Jüdische Jugendwandergruppe ca. 1937 v.l.: Dina Metzger, Israel; Lotti Wiesner, 1948 auf der Patria umgekommen; Röschen Nagelberg, verst. in USA; Lotti Locker, Sao Paulo; Lotti Ehrmann, USA; vorne Leo

daß wir danach ab und zu abends von Leuten Besuch erhielten, die bei uns ein Bad nahmen; unter ihnen war Herr Lieser, ein kleiner Mann. Wir wurden alle verfolgt, aber er hatte mehr Angst als andere. Eines Tages war Herr Lieser wieder bei uns zu Besuch; es klingelte, und hinterher konnten wir Herrn Lieser zunächst nicht finden – er hatte sich in der großen Standuhr versteckt. Familie Lieser wurde später nach Osten deportiert, Mutter und Tochter kamen dort um, Vater und Sohn gingen zu den Partisanen und überlebten. Herr Lieser starb 1975 neunzigjährig in New York. Zu meinem Vater meinte er immer, man hätte ihn „halt übersehen".

Meine Schwester Gisela war 1937 bei einem Arzt in Kiel in Behandlung. Eines Tages wurde ihr von der Arzthelferin mitgeteilt, daß sie nicht mehr angenommen werde und nicht mehr kommen sollte, der Arzt wollte keine Juden mehr behandeln. Gisela, damals ein Kind von zwölf Jahren, fing an zu weinen. Die Arzthelferin rief bei uns im Geschäft an, und eine Verkäuferin holte Gisela dann zurück. Die heute 70jährige Verkäuferin, Frau Herta Paul, erinnerte sich noch an diesen Vorfall.

Meine Schwester Gisela hatte überhaupt Pech mit den Kieler Ärzten. Als sie 13jährig von einem Radfahrer einmal angefahren und verletzt worden war, brachte sie der Radfahrer ins Städtische Krankenhaus in der Metzstraße. Als dort die Personalien aufgenommen wurden, teilte man dem 12jährigen Mädchen mit: „Wir behandeln keine Juden". Der

Radfahrer brachte Gisela daraufhin zu uns nach Hause. Er war ein jüngerer Mann, der sehr verstört wirkte, vielleicht weil er ein Kind angefahren hatte oder Erste Hilfe verweigert wurde.

47 Jahre später, im Mai 1985, als in Deutschland an das Kriegsende vor 40 Jahren erinnert wurde, erinnerte sich auch die Witwe jenes Arztes, der meiner Schwester die Behandlung im Jahre 1937 verwehrt hatte, der Vergangenheit. Diese nun sehr betagte Dame verkündete lautstark im Frisiersalon des Hotel Maritim in Kiel, wie herrlich die alten Zeiten gewesen wären und wie breit sich die Juden bereits wieder machten. Zu diesem Zeitpunkt, 1985, war Kiel ohne Juden, außer zwei älteren Damen und einem jüdischen Herrn, der zu Besuch in Kiel weilte und sich im Frisiersalon im Hotel Maritim die Haare schneiden ließ und die ältere Dame sprechen hörte.

In den letzten Jahrzehnten wundere ich mich immer darüber, wenn zur Erinnerung bei Feiern bzw. in Reden für die Verschwörer des 20. Juli 1944 Politiker aller Parteien dieses Thema etwas vorsichtig anfassen. Rechtsgerichtete Kreise, die nach eigenen Aussagen selbstverständlich das Naziregime auch verurteilen, zeigen doch etwas leicht getarnt ihre Entrüstung darüber, daß diese Offiziere immerhin ihren Eid gebrochen haben. Allerdings ist bis zum heutigen Tag wenigen Menschen bekannt, noch interessiert es, daß viele deutsche Ärzte ihren Eid der Menschheit gegenüber gebrochen haben.

Ab 1936 wurden alle jüdischen Volksschüler in einer Sammelklasse unterrichtet, und zwar nach Art der alten Dorfschulen die 6- bis 14jährigen in einem Klassenraum. 1937 wurde der bisher „arische" Lehrer durch zwei jüdische Lehrer ersetzt. Herr Isaac und Herr Neumann, „frisch" vom jüdischen Lehrerseminar, ferner studierte ein Herr Lehmann an der Kieler Universität. Derzeit war für Juden die Möglichkeit zu studieren, stark eingeschränkt. Diese drei waren orthodoxe Juden, und ihre Anwesenheit half natürlich auch sehr der Jugend sowie dem Gemeindeleben. Meine Cousine Lotti Locker und weitere 16- bis 17jährige junge Damen erschienen plötzlich jeden Samstag in der Synagoge zum Gottesdienst, und ich war sichtlich eifersüchtig.

Zum Ende des Jahres 1937 wurden alle Juden gezwungen, genaue Vermögensangaben zu machen und dem Regierungspräsidenten in Schleswig-Holstein vorzulegen. Es war eine sehr detaillierte Liste, die man ausfüllen mußte, und es wurde mit schweren Strafen gedroht, falls man seine Vermögensverhältnisse nicht hundertprozentig angab. Natürlich sahen wir das nicht nur als eine Schikane an, wir befürchteten besondere Besteuerung oder ähnliches. Keinem von uns Juden kam der

Theatervorstellung in der Synagoge, in der Mitte Leo

Gedanke, daß diese von den Schreibtischtätern entworfenen Fragebögen den Anfang der systematischen Beraubung der Juden bezweckte. Später, in den frühen vierziger Jahren, gingen jene Unmenschen sogar soweit, daß Juden vor der Deportation jede einzelne Socke, Tischdecke usw. angeben mußten, damit „dem deutschen Volksvermögen ja nicht das winzigste Objekt entging".

Auch Kinobesuche wurde ab 1938 für Juden verboten. Einige von uns jüdischen Jugendlichen gingen trotzdem, besonders zu den amerikanischen Filmen. Das Theater besuchte ich von nun an nicht mehr. Es war zu gefährlich, da ich in den Pausen erkannt worden wäre. Aus den USA erhielt ich damals eine Schallplatte von den berühmten drei amerikanisch-jüdischen Sängerinnen „Andrew Sisters", und zwar ein Lied mit englischen und jiddischen Refrains: das weltberühmte „Bei mir bist du scheen, bei mir host du Chen (Charme), bei mir bist du die scheenste of der Welt". Dieses Lied hörten wir Jugendlichen, tanzten danach und wußten, wir sind nicht allein auf der Welt! Wir Jugendlichen trafen uns ein- bis zweimal wöchentlich in den elterlichen Wohnungen bei Kaffee und Kuchen, sprachen über politische Angelegenheiten, Auswanderung und andere Themen.

In Berlin wurde die „Jüdische Rundschau" verlegt. Ein Blatt, das über innen- und außenpolitische Themen, soweit es gestattet war, berichtete z.b.: über die Nürnberger Gesetze, eventuelle Urteile und Vermögensangaben. Außerdem brachte es exzellente Editorials, Aufsätze, Familiennachrichten, Ratschläge und Bekanntmachungen. Wer in der Lage war „zwischen den Zeilen zu lesen", wurde ausreichend informiert. Hauptsächlich gab es Berichte über Auswanderungen und entsprechende Ratschläge.

Jahre später beim Militär in den USA lernte ich einen Mann kennen, der mir erzählte, daß er in der „Jüdischen Rundschau" inserierte und Sprachunterricht anpries. Er beherrschte Englisch, und in Spanisch war er seinen Schülern immer eine Lektion voraus. Die „Jüdische Rundschau" erhielten wir wöchentlich. Sie war ein Teil unseres Lebens.

Im März 1938 fand ein Treffen in Hamburg-Blankenese von Delegierten der zionistischen Ortsgruppen Hamburg, Schleswig-Holstein und dem heutigen Niedersachsen statt.

Es waren ca. 70 Delegierte zusammengekommen, ich vertrat Kiel. Das Thema der Tagung lautete „Die Auflösung des Judentums in Deutschland" und wurde sehr vorsichtig behandelt, da wir unter Gestapo-Aufsicht waren. In demselben Monat sprach ich über das Thema auch noch im Gemeindesaal in der Kieler Synagoge.

Im März 1938 wurde Österreich von deutschen Truppppen besetzt. Trotz des Jubels und der Freude der Österreicher, wie es in der Wochenschau gezeigt wurde, wußte jeder vernünftige Mensch, daß Österreich „vergewaltigt" wurde. Die Zeitungen zeigten in den Schaufenstern ihrer Geschäftsräume eine Karte des vergrößerten Deutschen Reiches, das die Tschechoslowakei von drei Seiten umschloß. Personen, die neben mir standen und sich die Karte anschauten, meinten: „Das wird auch noch abgerundet". Man hörte auch einige Bedenken, aber eine Begeisterung des Volkes, wie es sich die Nazis wünschten, gab es nicht.

Meine Schwester Reginchen hatte sich mit einem Herrn aus Berlin verlobt; im Juni sollte geheiratet werden. Meine Auswanderung in die USA wurde beschlossen. Ich sollte als Vorbote für die Familie sofort nach der Heirat meiner Schwester abreisen. Die Erteilung des Visums verzögerte sich, aber mein Onkel Markus aus New York, der zur Hochzeit meiner Schwester nach Kiel gekommen war, besuchte den US-Konsul in Hamburg, und mir wurde das Visum für August 1938 versprochen. Ich wanderte dann im September 1938 in die USA aus. Im übrigen konnten alle unserer Gruppe in Kiel angehörenden Jugendlichen bis zum Kriegsausbruch im September 1939 Deutschland verlassen. Leider

Wir beehren uns hierdurch, Sie zu der am SONNTAG, den 12. Juni 1938, nachmittags 4 Uhr, in der Synagoge Kiel, Goethestr. stattfindenden

TRAUUNG und der darauffolgenden HOCHZEITSFEIER

unserer Kinder REGINA und JRE, im Hause Lerchenstraße 2, ergebenst einzuladen.

Bernhard Bodenstein u. Frau   Naftali Grünbaum u. Frau
KIEL   BERLIN N 54
Lerchenstr. 2   Dragonerstr. 48

Telegramm-Adresse: Bodenstein-Grünbaum, Kiel, Lerchenstr. 2

קול ששון   בעזהש"י   וקול שמחה
קול חתן   וקול כלה

אנחנו מתכבדים בזה לבקש את קרובינו ומיודעינו לבוא לקחת חבל בשמחתנו
היא יום כלילת בנינו

הכלה הבתולה המהוללה   עב"ג   הבחור חתן המהולל
מרת פייגע רבקה תחי'   מר אורי יחי'

החופה תהי' אי"ה בשטו'ט' ביום א' פ' בהעלתך יג' סיון תרח"ץ
בשעה 4 אחה"צ בבית הכנסת קיעל געטהעשטר.
ואי"ה בשמחת בניכם נשיב לכם גמולכם הטוב

בעריש באדענשטיין ורעיתו   נפתלי גרינבוים ורעיתו
קיעל   ברלין

Einladung, V. u. R. untereinander

wurde ein Mädchen in Brüssel aufgegriffen und nach Auschwitz deportiert, wo sie ermordet wurde.

Die Hochzeit meiner Schwester fand am 12. Juni, einem Sonntagnachmittag, in Kiel in der Synagoge statt. Rabbiner Dr. Winter aus Lübeck war gekommen, Herr Domowitz aus Kiel amtierte als Kantor; Eltern, Geschwister und Verwandte des Bräutigams waren aus Berlin angereist, so daß die Synagoge gefüllt war. Die Stimmung war gelöst und fröhlich.

Das Außergewöhnliche an dieser Hochzeit in einer Synagoge, die vier Monate später in Brand gesteckt und geschändet wurde, war, daß viele nichtjüdische Bekannte und Freunde spontan zu der Trauung erschienen, obwohl wir nur einige wenige benachrichtigt hatten.

Ein Teil der Trauungszeremonie besteht darin, daß der Bräutigam mit seinem Fuß ein Glas zerbricht, und alle dann „Chosen, Kalle, Mazeltow” (Bräutigam, Braut, viel Glück) singen. Das Glas muß vorher in ein Handtuch gewickelt werden, damit die Scherben nicht umherfliegen. Ich war in diesem Fall beauftragt, die Vorbereitungen zu treffen. Doch ich nahm in Unwissenheit ein Schnapsglas, so daß mein neugebackener Schwager Schwierigkeiten hatte, das Glas zu zerbrechen. Noch heute glaube ich, daß mir mein Vater die Beteuerungen meines Irrtums nie ganz abgenommen hat.

Nach der Zeremonie wurden im Sitzungssaal ein Imbiß und Getränke angeboten. Da es für einige Familienmitglieder und Freunde schwierig war, zu Fuß zu der Hochzeitsfeier in der Lerchenstraße zu gelangen, hatte ich einige Taxis bestellt. Dies alles schien einem Nachbarn zuviel zu sein; er rief die Polizei, die in dem Moment erschien, als einige meiner Freunde und ich dem Synagogendiener halfen, den Gemeindesaal wieder in Ordnung zu bringen. Es wurde ein Protokoll aufgenommen, und meine Eltern sollten einige Wochen später zur Gestapo kommen. Meine Eltern waren zu der Zeit aber in Berlin, so daß ich zur Gestapo ging. Dort meinte man, daß die Hochzeit hätte angemeldet werden müssen. Ich versuchte, dem mir bekannten Herrn zu erklären, daß es lediglich ein Gottesdienst war. Er gab sich jovial: „In Zukunft, wenn Du heiratest, bitte anmelden”.

4. Die Entscheidung – das Visum für die USA

Der US-Konsul erteilte mir im August 1938 ein Einwanderungsvisum. Es wurde nicht nur in den Reisepaß gestempelt, sondern dazu gab es ein pergamentartiges Papier mit rotem Lacksiegel und roten Bändern. Dieses Papier enthielt das Visum und auch die sogenannte Quotennummer, denn seinerzeit durften nur 27.000 Deutsche pro Jahr in die USA

AMERICAN CONSULATE GENERAL
HAMBURG, GERMANY

German

Quota Immigration Visa No. _15394_

Issued to *Lea Bodenstein*

(name)

This *5th* day of *August* no 38

(S D)

No charge *Richard H Davis*
American Vice Consul

Visum

auswandern. Zu diesem Zeitpunkt lernte ich etwas sehr Unerfreuliches über das amerikanische Quoteneinwanderungssystem kennen. Es war leicht ersichtlich, daß dieses System Auswanderer aus gewissen Ländern sehr bevorzugte, gegenüber anderen. Das Quotensystem bevorzugte nordische Länder und benachteiligte lateinische und slawische Länder.

Noch vor meiner Auswanderung nach Amerika besuchte ich meine Schwester, die nach Berlin gezogen war, und meinen Schwager Ira Grünbaum, die dort in der Alten Schönhauserstraße wohnten und schon fast vollständig eingerichtet waren. Beide hatten ebenfalls die Absicht auszuwandern, waren aber finanziell sowie von dem Gedankengut der Eltern meines Schwagers, der in der Immobilienverwaltung war, sehr abhängig. Die Eltern meines Schwagers wollten ihr Vermögen nicht im Stich lassen und wurden später von den Nazis ermordet. Seine Eltern waren sehr wohlhabend und besaßen viele Immobilien. Ich wußte, daß ich das Richtige tat, und konnte meinen Schwager und meine Schwester doch irgendwie verstehen, denn im August 1938 ahnte ja niemand oder besaß soviel Phantasie auszudenken, was die Unmenschen planten. Meine Schwester und ihr Mann wanderten dann im Februar 1939 nach Kuba aus und kamen von dort ein Jahr später in die USA. Der Schwiegervater meiner Schwester kam im November 1938 ins KZ, das er nicht überlebte. Die Schwiegermutter und ihre Nichte waren bis März 1945 in Berlin bei Nichtjuden versteckt. Beide wurden denunziert und von der Gestapo in Berlin erschossen.

Berlin im Spätsommer 1938 war voller Leben. Wir besuchten Theatervorstellungen, waren in der „Scala", einem bekannten Varieté-Theater. Auch das jüdische Gemeindeleben war noch intakt. Obwohl Auswanderung „groß geschrieben" wurde, gab es für Juden, die Vermögenswerte hatten, noch die Möglichkeit, in Berlin zu leben. Ein jüdisches Ehepaar aus Wien besuchte auf seinem Weg nach London für einige Tage Berlin. Es waren junge Leute mit Universitätsabschluß. Das Visum nach England hatte es nur deshalb erhalten, weil es bereit war, dort als Hauspersonal zu arbeiten. Dieses Paar meinte, Berlin wäre in keiner Weise mit Wien vergleichbar, wo Juden seit dem Tage des „Anschlusses" öffentlich gedemütigt und geschunden wurden. Inzwischen hatten so manche Berliner Nazis schon etwas „die Nase voll". Es ging ihnen keineswegs besser, sie mußten mehr als zuvor und härter arbeiten für weniger Lohn.

Zur Auswanderung hatte ich für die „Queen Mary" gebucht, die am 14. September 1938 von Southampton nach New York fuhr und am 19. September dort anlegen sollte. „Cabin Class" riet mir mein Onkel Markus, denn dies garantierte, daß man einerseits als erster in New York von Bord ging, und zweitens reduzierte sie die Chance, in Ellis Island (auf dieser Insel im Hafen New Yorks wurden Einwanderer nochmals untersucht und man konnte abgewiesen werden), zu „landen", auf Null.

Es gab kleine Abschiedsfeiern in Kiel mit Freunden und im Familienkreis. Ich war von Kopf bis Fuß ausgestattet mit schönen Sachen, die in zwei nagelneuen Koffern verstaut wurden. Außerdem wurde in Anwesenheit eines überfreundlichen Zollbeamten zu Hause eine Kiste gepackt mit Bettzeug, Tischtüchern, einer Persianer-Brücke, Kristall, Geschirr und etwas Silber, versiegelt und von der Speditionsfirma Schenker & Co. nach New York versandt. Es sollten die einzigen Gegenstände sein, die meine Eltern retten konnten.

Zwei Tage war ich noch in Hamburg bei Verwandten. Eine Schwester meiner Mutter wohnte in Altona, eine Schwester meines Vaters in Hamburg. Auf Anraten der Hamburger Verwandten gab ich meine Koffer in Anwesenheit eines Zollbeamten, der alles „auseinandernahm" und seine Naziweisheit zum Besten gab, in Hamburg direkt für das Schiff nach Southampton auf. Wenn man mit einem Beamten allein war, zeigte er meist doch viele menschliche Züge, fühlte er sich aber beobachtet, wehte ein anderer Wind. Daß ich die Koffer aufgab, war, wie sich später herausstellen sollte, gut. Ich hatte nur noch eine mittelgroße Reisetasche und eine Leica-Kamera mit viel Zubehör bei mir. In der Reisetasche waren außer Wäsche, Familienbilder, Geburtsurkunden aller Familienmitglieder, Ahnentafel und einige Geschäftsunterlagen.

Leo 1938, einige Wochen
vor der Emigration

Am 11. September 1938 verließ ich Hamburg und sollte am 12. September morgens in Harwich eintreffen. Ein Hotelaufenthalt für zwei Tage in London sowie die Bahnreise 1. Klasse waren für mich als „Cabin Class"-Passagier in der Schiffspassage enthalten. Mit mir im Abteil reiste ein Herr aus Warschau. Zweck seiner Reise wären Geschäfte in Amsterdam, er wäre Diamantenhändler, erklärte er später den deutschen Beamten, die in Osnabrück in den Zug stiegen und die Pässe kontrollierten. Außerdem reiste ein deutsches Ehepaar mit uns. Der Zweck meiner Reise wäre wohl Auswanderung, meinte der Beamte und winkte einen im Gang stehenden SS-Mann herbei: „Sie steigen an der Grenze aus zwecks einer weiteren Kontrolle". Dieser SS-Mann, nicht viel älter als ich damals, blieb im Abteil bis zur Grenzstation Bentheim. Dort nahm ich meinen Handkoffer, Mantel und Hut und verabschiedete mich. Der Pole, der ein mit Jiddisch gemischtes Deutsch sprach, sagte mir etwas Zuversichtliches, während das deutsche Ehepaar in seine Zeitschriften vertieft schien.

Ca. 15 Frauen und Männer, darunter auch ich, wurden von SS-Leuten in das Bahnhofsgebäude geführt und gefragt, wieviel Geld wir hätten. Alle mußten sich nackt ausziehen und durften sich dann wieder anziehen. Durchsucht wurden weder meine Taschen noch der Handkoffer, es war lediglich eine Schikane. Im Wartesaal wurde uns erklärt, der nächste Zug nach Hoek van Holland führe erst am nächsten Morgen, es gäbe keine Bedienung oder Essen für Juden, doch könnten wir Wasser auf dem Bahnhof trinken, wenn wir einen eigenen Becher hätten. Die Wasserleitung am Bahnhof hatte einen Blechbecher, der an einer Kette befestigt war.

Ein ca. vierzigjähriger Mann aus Hamburg, der ebenfalls von der SS befragt worden war, und ich, setzten uns auf eine Bank im Bahnhofsbereich und nicht in den Wartesaal. Er sagte mir, in 45 Minuten ginge ein Personenzug nach Hengolo, bereits einige Kilometer in Holland gelegen. Wir wollten die zur anderen Seite des Bahnhofs gelegene holländische Grenze überschreiten, die mit holländischen Beamten besetzt war, und von dort aus den Zug nach Hengolo besteigen. Zwei junge Damen mit sehr viel Gepäck kamen auf uns zu und erklärten, sie wollten auch den Zug nach Hengolo nehmen. So überschritten wir die Grenze – ich hatte ein auf 14 Tage beschränktes Durchreisevisum für Holland – und bestiegen den Zug auf der holländischen Seite. Inzwischen war es 20.00 Uhr.

Im Zug nach Hengolo kamen zwei deutsche Beamte in unser Abteil. In einem von ihnen erkannte ich jenen Beamten wieder, der mich zuvor aus dem Zug gewiesen hatte. Noch hatten wir keine deutschen Ausreisestempel. In diesem Moment betrat ein holländischer Beamter das Abteil und machte seine deutschen Kollegen darauf aufmerksam, daß man sich auf holländischem Gebiet befände. Wir erfuhren, daß die Beamten sich in Deutschland keine Namen gemerkt hatten und es jetzt nachholen wollten. Wir haben sie um das „Vergnügen" gebracht, die Juden auf dem Bahnhof in Bentheim zu schikanieren, zu schlagen und vielleicht auch zu bestehlen. Der Hamburger Herr und ich wußten von derartigen geplanten „Spielen", die beiden jungen Damen erhielten den Tip von der Beamtin, die sie in Bentheim untersucht hatte. In Hengolo sandte ich ein Telegramm ohne Absender und mit einem nichtssagenden Text nach Kiel an eine Deckadresse. So wußten meine Eltern, daß ich in Holland war.

Durch die unvorhergesehene Übernachtung in Holland entstand ein kleines Loch in meinem Portemonnaie. Mir waren 10,– DM Reisedevisen bewilligt worden zuzüglich 50 US-Dollar für die Überseereise plus einige Dollar Bordgeld. Mein Vermögen bestand also aus 70 Dollar und einer Leica-Kamera, die ich nach Ankunft in den USA sofort für ca. 200 Dollar verkaufte. Mein Vater hatte eine gute Idee gehabt: Ich nahm eine große Kiste mit guten Zigarren mit und konnte so Trinkgeld auf dem Schiff sparen, indem ich statt dessen Zigarren gab.

Auf der Fahrt von Hengolo nach Hoek van Holland bzw. auf dem Schiff nach Harwich sprachen wir mit einigen Emigranten, die auf dem Bentheimer Bahnhof die Nacht verbracht hatten. Sie erzählten, einige SS-Leute wären zwar betrunken gewesen, es wäre im übrigen aber einigermaßen ruhig zugegangen, niemand wäre belästigt oder angegriffen worden. In dem Gespräch mit den Mädchen, die mit uns die Grenze überschritten hatten, stellte sich heraus, daß eine von ihnen die Tochter des Molkereibesitzers Eschwege war, der mich vor einigen Jahren einmal mit seinem Auto von Frankfurt nach Wiesbaden mitgenommen hatte.

Die Überfahrt nach England von Hoek van Holland dauerte ungefähr sechs Stunden. In Harwich kamen wir in eine große Halle. Die Formalitäten wurden schnell und sehr zuvorkommend erledigt in einer Art und Weise, für die ich die Engländer bis zum heutigen Tag bewundere.

Eine Beobachtung, die ich damals machte, war, daß auf dem Schiff nach England auch in der großen Halle in Harwich die deutschen Reisenden in Gruppen laut miteinander redeten, laut lachten und mit ihrem Benehmen die Aufmerksamkeit der Mitreisenden auf sich zogen. Eigenschaften, die doch gerade die Nazis den Juden ankreideten. Während meiner vielen Reisen in den letzten 50 Jahren habe ich diese Eigenheiten immer wieder feststellen müssen. Im übrigen halte ich dieses Benehmen für völlig normal: Man ist, was man ist.

In London angekommen, war es Abend. Die Ankunft war eigentlich für den Morgen geplant. Das Hotel war für zwei Nächte gebucht. Eine der jungen Damen, mit denen ich von Bentheim nach London reiste, emigrierte nach England und wurde von Onkel, Tante und mehreren Cousins auf dem Bahnhof erwartet. Wir wurden einander vorgestellt. Der Herr von der Cunard-Line, der mich zum Hotel begleiten sollte, wurde mit den Worten zur Seite geschoben: „No hotel, you will come to our house!" Aber ich ging doch ins Hotel, begleitet von einem der „Cousins".

Zum Abendbrot war ich dann in dieser gastfreundlichen Familie eingeladen. Diese Solidarität, aufopfernde Hilfe zwischen Juden, insbesondere in den Zeiten der Verfolgung, hatte ich schon in Deutschland erlebt. Im jüdischen Jugendclub Habonim in Kiel sangen wir hebräische Lieder. Eines dieser Lieder lautete: „Am Jisroel Chaj (Das Volk Israel lebt). Nun, als 18jähriger und fremd in London, verstand ich die volle Bedeutung dieses Satzes.

Am nächsten Tag ging ich in London umher; alles war neu, eindrucksvoll, überraschend und angenehm anders. Am Tag darauf reiste ich nach Southhampton weiter, wo die „Queen Mary" wartete. Ich hatte noch nie ein Schiff solchen Ausmaßes und mit derartigem Luxus gesehen.

Es gab alles auf dem Schiff: von einer Kirche bis zu einer kleinen Synagoge, Swimming-Pools, Speise- und Gesellschaftsräume, Kinos und große Decks. Ich sprach jetzt Englisch, doch es war anfangs schwer, zu verstehen und verstanden zu werden. Abends konnte ich sogar tanzen, ohne Furcht vor irgendwelchen Gesetzen haben zu müssen. Ich fühlte mich frei und wohl, dennoch war ich krank vor Heimweh. Auf dieser Überreise gab es auch in politischer Hinsicht eine Überraschung; in jener Woche gaben England und Frankreich das Sudetenland preis, und ich meine, daß Chamberlain überzeugt war, sich so den „Peace in our time" erkauft zu haben.

Als Kinofan war ich besonders begeistert darüber, daß eine bekannte französische Filmschauspielerin, Simone Simon (nicht zu verwechseln mit der Schauspielerin der Nachkriegszeit ähnlichen Namens), auch auf der „Queen Mary" reiste. Frau Simon hatte 1937 zusammen mit James Stewart den preisgekrönten Film „Seventh Heaven", eine Liebesgeschichte, die im Ersten Weltkrieg in Paris spielte, gedreht.

Am Morgen des 19. September 1938 erblickten wir nach mehrtägiger Überfahrt die Freiheitsstatue vor dem Hafen von New York. Beamte der Einwanderungsbehörden betraten die „Queen Mary" noch weit außerhalb des Hafens, und die Passagiere erhielten die „Passes", die einem erlaubten, an Land zu gehen. In der Cabin Class standen wir nicht, sondern saßen Schlange. Wir bewegten uns von Clubsessel zu Clubsessel, Ärzte schauten uns in den Mund und in die Augen, wir zeigten die Pässe mit dem Visum vor und gingen dann an Land. Meinen Onkel Markus fand ich wartend unter dem riesigen Buchstaben „B", wohin nach einiger Zeit auch meine Koffer gebracht wurden. Die restliche Familie wartete außerhalb des Dockgebietes. Als ich mein Gepäck vollzählig hatte, mußte ich einen Zollbeamten finden, der „frei" war und mein Gepäck untersuchen konnte. Mein Onkel freute sich, daß alles „so schnell ging", wie er sich ausdrückte, wir wären doch nur drei Stunden auf dem Dock gewesen. Die Familienmitglieder wurden begrüßt, das Gepäck im Auto verstaut, und dann fuhren wir in den Stadtteil Bronx, wo ich bei meinem Onkel Max und Tante Sophie Ehrmann die nächsten eineinhalb Jahre wohnen sollte. Ich teilte ein schönes Zimmer mit meinem Cousin Leon, der heute, 50 Jahre später, mein Nachbar in Florida ist.

Zuerst mußte ich erzählen, erzählen und nochmals erzählen. Die Freude war groß, daß ich in New York war, doch alle waren besorgt um die Familienmitglieder, die in Deutschland zurückgeblieben waren. Ich lernte etwas, was sich in meinem Leben immer wiederholte: Man spürte eine Gefahr draußen stärker und deutlicher als dort, wo sie besteht.

In den ersten zwei bis drei Monaten schaute ich mich in New York um und machte Pläne. Mein Onkel Markus und Tante Rita nahmen mich auf kurze Reisen mit. Onkel Max, der bereits zwei Jahre in New York wohnte, stellte mich Freunden vor. Er sprach wenig Englisch, und wenn, dann war es stark mit Plattdeutsch vermischt. Wenn er mich vorstellte, klang es so: „Dets min nephew, he kommt von de anne Sit too".

Die jüdischen hohen Feiertage wurden kurz nach meiner Ankunft in New York gefeiert. Ich vermißte meine lieben Eltern und Geschwister. Ein Witz, der damals in Emigrantenkreisen im Umlauf war, erzählte, daß ein Emigrant 1938 nach New York zu seinem Bruder kam, der bereits 1935 emigriert war und in dessen Wohnzimmer er zu seinem Erstaunen und Entsetzen ein Bild von Hitler entdeckte. „Bist Du meschugge?" fragte er seinen Bruder. „Es hilft gegen Heimweh", antwortete der Bruder.

5. Der Beginn, ein Amerikaner zu sein

Kurz nach meiner Ankunft in New York hatte ich auf Bitten so mancher Kieler Juden, deren Verwandte in New York aufzusuchen und um Affidavits zu bitten. Das waren die Garantien, die der US-Konsul im Deutschen Reich verlangte, so daß etwaige Einwanderer dem Staat nicht zur Last fielen. Der eine hatte bereits ein solches Papier gehabt, doch es war unzureichend, und so brauchte er Zusatzaffidavits. Er bat mich also, seine Verwandten deswegen aufzusuchen. In einem anderen Fall besuchte ich den Halbbruder einer Dame aus Kiel, der nach meiner Einschätzung in guten Verhältnissen lebte. Es bestand allerdings ein zerrüttetes Familienverhältnis, denn er wollte seiner Schwester nicht helfen. Diese Schwester mit Gatte und Tochter wurden später nach Auschwitz deportiert, nur ein Sohn rettete sich nach Palästina. Ich nehme mit Sicherheit an, daß dieser Herr ein Affidavit gegeben hätte, wenn er auch nur im geringsten geahnt hätte, was sich in Deutschland anbahnte. An Mord und Totschlag glaubte niemand.

Viele jüdische Amerikaner meinten ernsthaft, Hitler sollte sich nur nach Amerika wagen. „Ich selbst", sagte mir eine Dame, „werde ihn dann bei seiner Ankunft mit kochendem Wasser an der Landung hindern". Ich mußte an die Dithmarscher Frauen denken, die mit heißer Grütze den Feind vertrieben haben sollen.

Onkel Markus und Tante Rita wohnten mit ihren beiden Söhnen, sieben und neun Jahre alt, in einer der besten Wohngegenden New Yorks am Central Park West in einem Wolkenkratzer. Das Büro meines Onkels war im Rockefeller Center in der 20. Etage des International Building.

Es ist den Besuchern New Yorks gut bekannt, denn vor dem Gebäude steht die große Statue des Herkules, der die Weltkugel auf seinen Schultern trägt. Meine Tante war in einem Büro tätig, die beiden Söhne Sanford und Herbert gingen in eine New Yorker Privatschule.

Ich wohnte bei Onkel Max und Tante Sophie. Deren Kinder Friedel, 17, Lotti, 16, und Leon 14 Jahre alt, gingen zur High School in der Boston Road im Stadtteil Bronx. In der Ostbronx wohnten vor allem Juden, die bereits um die Jahrhundertwende nach New York eingewandert waren. Abgesehen von einigen kleinen Beamten und kleinen Kaufleuten, die hier ein Geschäft hatten, waren es Arbeiter, von denen die meisten in der Bekleidungsindustrie beschäftigt waren. Einige junge Mädchen arbeiteten aber auch als Sekretärinnen, Verkäuferinnen usw.. Es gab jiddische Zeitungen zu kaufen, ab und zu auch jiddische Filme in einem der zahlreichen Kinos zu sehen. Jiddische Theater fand man im Stadtteil Manhatten an der Lower East Side; es wurden Dramen, Musicals und auch Stücke der Klassiker aufgeführt.

Anfangs las ich die demokratisch ausgerichtete „Deutsche Staatszeitung". Mit Rücksicht auf ihre vor längerer Zeit ausgewanderten Leser waren darin prodeutsche Untertöne enthalten, was vielleicht nicht einmal vermeidlich war. Lange blieb ich nicht bei dieser Zeitung, sondern wechselte sehr bald zu amerikanischen Zeitungen, denn nach einigen Wochen beherrschte ich die englische Sprache ziemlich gut.

Eine weitere deutsche Zeitung in New York, die nur einmal wöchentlich erschien, war der „Aufbau", von Immigranten für Immigranten geschrieben. Diese Zeitung hatte ein hohes Niveau. Man wurde gut und genau informiert und wußte, was in Deutschland, den USA und überall auf der Welt geschah. Eine Zeitung, die man lesen mußte und die ich bis zum heutigen Tag lese. Der Herausgeber des „Aufbau" war der „New World Club", ein von Immigranten gegründeter Club. Unter anderem gab es dort Herren- und Damen-Bridge, Jugendsport, Fußballclubs und literarische Zirkel. Er hatte eine Verbindung zur „New School", einer Art Volkshochschule, und bot praktisch alles an, wofür Interesse bestand.

Unzweifelhaft steht für mich fest, daß diese Zeitung und die vielen Zehntausenden von Immigranten, deren Kinder und Kindeskinder den Vereinigten Staaten ein großes kulturelles Erbe vermachten, das kulturelle und geistige Leben Amerikas belebten. Weltberühmte Schauspieler, Regisseure, Musiker und Dirigenten fanden einen neuen Wirkungskreis in den USA. Schriftsteller, Wissenschaftler, Nobelpreisträger trugen ebenfalls dazu bei. Wenige Jahre später gab es Abgeordnete im Kongreß, Kabinettsmitglieder und Regierungsberater, die aus der deutsch-jüdischen Immigration der dreißiger Jahre stammten.

Meine ersten Freunde in den USA fand ich im „New World Club",
dessen Wanderabteilung ich angehörte. Fast jeden Sonntag fuhren wir
mit U-Bahn, Fähre oder Bus aus der Stadt und gingen dann zu einem
Ziel, historischen Stätten oder landschaftlichen Schönheiten. Dazu wurden Butterbrote mitgenommen, denn es konnte sich damals niemand
erlauben, irgendwo einzukehren. Doch ich fand auch Freunde unter
Gleichaltrigen in der Straße, in der ich wohnte. Die meisten waren
bereits in den USA geboren.

Kurz nach meiner Ankunft in New York belegte ich in der High School
in meiner Nachbarschaft einen Abendkurs, Night School genannt. In
kürzester Zeit legte ich die High School-Prüfung mit Erfolg ab und war,
wie man auf englisch sagt, ein „High School Graduate". Dieser Abschluß
ist vergleichbar mit dem Realschulabschluß in Deutschland. Immerhin
konnte man nur mit dem „High School Diplom" das College besuchen.

Das Grundcollege bestand aus vier Semestern (insgesamt zwei Jahren),
und nach bestandener Prüfung war man ein „College Graduate", vergleichbar mit dem deutschen Abitur.

Mein Onkel Markus, bereits seit 1924 in den USA ansässig, war Mineraloge und selbständiger, vereidigter Sachverständiger bei den Gerichten.
Außerdem war er staatlichen Museen behilflich, indem er als Käufer
und Sachverständiger auftrat, um die mineralogischen Sammlungen der
Museen zu ergänzen. Der berühmte Rubin „Star of India", im Museum
of Modern History in New York ausgestellt, wurde dem Museum durch
seine Vermittlung geschenkt. Im August 1938 kaufte mein Onkel die
bekannte „Lord Calver Collection" in London, bestehend aus Mineralien
und Muscheln. Diese Sammlung, in hunderten von Kisten verpackt,
erreichte New York im Oktober 1938, und ich hatte damit meinen ersten
Job. Direkt neben dem Büro meines Onkels wurden zusätzlich größere
Räume gemietet, und meine Aufgabe bestand nun darin, die Mineralien
zu säubern. Sie lagen in kleinen, mit Zettel versehenen Kästchen, die
den Namen und das Herkunftsland des Steines nannten. Diese Arbeit
machte mir Spaß und war allein schon deshalb interessant, weil Kollegen
meines Onkels wie Professor Whitmann oder Dr. Pough vom Museum
of Natural History ab und zu erschienen und bei der Arbeit halfen. In
der Muschel-Kollektion suchten wir eine besondere, sehr seltene Mu-
schel, die sich angeblich in der Sammlung befinden sollte. Leider fanden
wir sie nicht. In den fünfziger Jahren schrieben Dr. Pough und mein
Onkel Markus L. Ehrmann gemeinsam eine Arbeit über Jade.

Eine bekannte, sehr attraktive Schauspielerin des Stummfilms, Gloria
Swanson, betrieb eine Art Modeberatungsfirma in der 20. Etage, in
derselben Etage des International Building im Rockefeller Center, in

der ich arbeitete. Sie schaute ab und zu herein, denn sie war sehr interessiert, und wir unterhielten uns gern. Da ich durch die Beziehung zu Frau Swanson freien Eintritt hatte, besuchte ich des öfteren nach der Arbeit die Radio City Music Hall, den auch zum Rockefeller Center gehörenden Filmpalast, in dem Filme und Bühnenshows gezeigt wurden.

Ich verdiente zehn Dollar die Woche, von denen ich meiner Tante fünf Dollar wöchentlich für Kost und Logis gab, und sparte jede Woche einen kleinen Betrag. U-Bahn oder Bus kosteten fünf Cents, auch konnte man für fünf Cents telefonieren. Die Boulevardblätter wie Daily Mirror oder Daily News kosteten wochentags zwei Cents, sonntags fünf Cents. Für die New York Times wurde der beachtliche Preis von fünf Cents wochentags und zehn Cents sonntags verlangt. Ein wöchentlicher Luxus, den ich mir leistete, bestand darin, meine Schuhe von einem Schuhputzjungen für fünf Cents auf Hochglanz bringen zu lassen. Die Wäschereien waren praktisch alle im Besitz von Chinesen, und ein Hemd waschen und bügeln zu lassen, kostete zehn Cents oder zwölf Hemden einen Dollar.

Amerika überwand damals langsam die Weltwirtschaftskrise. Man konnte Arbeit bekommen, wenn auch bei geringem Lohn. Es gab alle möglichen Projekte und Förderungen für jüngere Leute und auch Erwachsene. 1938 befand sich Präsident Roosevelt bereits in seiner zweiten Amtsperiode, und es war zu spüren, daß er beim Volk sehr beliebt war.

Ich korrespondierte eifrig mit meinen Eltern, die wahrscheinlich eine Liste mit den Namen der Schiffe hatten, sowie den Daten und Häfen, aus denen sie ausliefen. Der Briefumschlag enthielt nicht nur meine Anschrift, sondern auch Hinweise wie zum Beispiel „mit Normandie ab Cherbourg 5. Oktober 1938". Das Visum für die USA könnte aufgrund der Wartelisten ein bis zwei Jahre für sie dauern, wurde meinen Eltern mitgeteilt. So warteten wir und hofften.

10. November 1938 in New York: Radio und Zeitungen waren voll mit Berichten aus Deutschland über Judenpogrome, Verfolgung und Zerstörung. Es wurde ausführlich mit Bildern berichtet. Onkel Markus, der noch fünf Geschwister in Deutschland hatte, versuchte vergeblich, telefonisch meine Mutter und seine Schwester in Hamburg zu erreichen. Am 11. November jedoch erreichte er seinen Bruder Benno in Berlin, der, wie viele Juden in Berlin später verhaftet wurde. Er konnte kaum reden, gab aber unmißverständlich zu verstehen, daß alle Familienangehörigen leben. Einige Tage darauf erhielt ich aus Kiel ein Telegramm meines Vaters, der mir zu einer bestandenen Prüfung gratulierte, von der ich gar nichts wußte, aber ich wußte nun, daß mein Vater zu Hause in Kiel war und lebte.

Es waren beunruhigende Tage, besonders wenn man die Wochenschauen sah. Ein Telegramm aus Dänemark folgte, aus dem hervorging, daß mit meiner gesamten Familie in Kiel alles in Ordnung wäre.

Ende November 1938 erreichte mein Cousin Hermann Bauer mit Frau und Kind New York. Er hatte Kiel am 15. November 1938 verlassen, und sie waren noch am selben Tag von Hamburg nach New York abgereist. Meine Cousine Anni, Tochter meiner Tante Regina, erreichte New York einige Tage später. Onkel Benno und Familie kamen Weihnachten 1938 in New York an, mein Onkel und Tante Nagelberg im März 1939. Meine Schwester Regina und ihr Mann verließen Deutschland im Februar 1939 in Richtung Kuba. Außerdem erreichten noch einige Kieler Juden New York kurz nach dem Pogrom. So waren wir über die Ereignisse in Kiel bestens informiert.

Am frühen Morgen des 10. November 1938 klingelte es in der Wohnung meiner Eltern, und mein Vater wurde von Leuten, in „Räuberzivil" gekleidet, unter Flüchen und mit Fußtritten aus seiner Wohnung abgeholt. Meiner Mutter wurde mit „Halt das Maul, Judenweib" gedroht und die weinenden Kinder beiseitegestoßen. Die Leute warfen zwar einige Gegenstände durcheinander, doch verwüstet, demoliert und geplündert wurde nicht. Das kam erst Stunden später im Geschäft. Mein Vater wurde in ein wartendes Auto gestoßen, und man fuhr mit ihm einige Male um den Kleinen Kiel. „Du kannst Dir allein die Stelle aussuchen, wo wir Dich ersaufen", wurde er verhöhnt und zuletzt doch in das Polizeipräsidium in der Blumenstraße gebracht. Dort ging alles „ordnungsgemäß" zu. Zeitpunkt der Ankunft, Name des Festgenommenen, Wertgegenstände usw. wurden registriert.

Mein Cousin Hermann Bauer, wohnhaft am Exerzierplatz in Kiel, hatte bereits für seine Familie die Visa und Schiffskarten für die Fahrt in die USA. Zusammen mit seiner Frau und seinem Kind wollte er am 15. November in Hamburg das Schiff besteigen. Die Wohnung hatten sie bereits aufgegeben und waren daher seit einigen Tagen bei meinen Eltern untergekommen. Er wurde jedoch von den Nazis in der alten Wohnung am Exerzierplatz gesucht, wo der „hilfsbereite" Hauswirt den Hinweis gab, er wohnte bei seinem Onkel Bodenstein. So klingelte es erneut an der elterlichen Wohnung, kurz nachdem mein Vater abgeholt worden war. Gott sei Dank waren es andere Leute, die eben „nur" Herrn Bauer holen wollten. Resi, mit ihrem Kleinkind Judith (1/2 Jahr alt) auf dem Arm, bat die Leute, ihren Mann da zu lassen, denn sie wanderten doch sowieso in einigen Tagen in die USA aus. Es half nichts, im Gegenteil, mein Cousin wurde noch verprügelt. „So, mit einer deutschen Frau bist Du Schwein verheiratet", schrien sie, denn die jüdische Frau meines

Cousins war groß und blond, Eigenschaften, die die Nazis immer für sich in Anspruch nahmen.

Onkel Josef Locker, ein Kriegsblinder des Ersten Weltkrieges, der am Knooper Weg wohnte, erklärte kurz und bündig: „Ich gehe nicht mit. Ich lasse meine Frau und Kinder nicht allein"; die Kerle haben meinen Onkel tatsächlich nicht mitgenommen. Onkel und Tante Nagelberg wurden in ihrer früheren Wohnung in der Hafenstraße gesucht, wo sie bereits vor Jahren ausgezogen waren, und somit nicht gefunden. Doch die meisten männlichen Juden aus Kiel wurden verhaftet, zwei wurden auch angeschossen, doch beide überlebten.

Alle jüdischen Geschäfte in Kiel wurden ausgeraubt und teilweise zerstört; die Synagoge wurde geschändet und angesteckt. Die Feuerwehr beschränkte sich darauf, das Nebengebäude zu schützen. Der jüdische Student Lehmann, der in der Nacht nicht verhaftet worden war, fotografierte am nächsten Morgen das brennende Gotteshaus und wurde wenig später auch verhaftet.

Auch unser Geschäft war geplündert, die Waren auf Lastwagen geworfen und fortgefahren worden. Als am nächsten Tag die Hälfte zurückgebracht wurde, war meine Mutter gezwungen zu unterschreiben, die gesamte Ware in gutem Zustand zurückerhalten zu haben. Auch Geschäftspapiere und sonstige Unterlagen wurden zurückgegeben bis auf die Kundenkartei, die unsere Angestellte, Fräulein Hertha Gans, einige Tage später von der Gestapo in der Düppelstraße abholen durfte. Im Gestapogebäude traf sie auf Dr. Gradenwitz, Bürgermeister in Kiel von 1913 bis 1925, der in der letzten Zeit als Anwalt für meine Eltern tätig gewesen war. Dr. Gradenwitz schaute unsere Angestellte so flehend an, daß sie seinen Wunsch verstand: „Bitte, erkennen Sie mich nicht!"

Viele Juden, darunter mein Vater, wurden entlassen, viele kamen aber für einige Wochen oder Monate ins KZ. Allen wurde zur Auflage gemacht, schnellstens aus Deutschland auszuwandern. Meine Eltern mußten jedoch zuerst dem Liquidator bei der Abwicklung des Geschäftes behilflich sein, so daß die Vermögenswerte dem Volksvermögen einverleibt werden konnten. Ein Herr Kruse wurde als Liquidator des Geschäftes meiner Eltern sowie meines Onkels Locker und seiner Frau bestellt. Er übernahm auch eine unserer Angestellten, Frau Gans, gewisse Büroeinrichtungen und kaufte für sein Büro Schreib- und Rechenmaschinen auf Kosten der Firma Bodenstein ein. Nebenbei spielte Herr Kruse auch noch Zensor, denn sämtliche Post wurde ihm vorgelegt, so auch meine Briefe, die er öffnete. Diesem „Wirken" schob Frau Gans bald insoweit einen Riegel vor, indem sie meine Briefe dem Herrn Kruse nicht mehr vorlegte.

Die „Kieler Neuesten Nachrichten" machten diesmal keine Schwierigkeiten, den Verkauf für die Firma Bodenstein zu fördern. Es wurde annonciert, daß billigst verkauft würde, aber wie meine Mutter berichtete, wurde so teuer wie möglich verkauft, und mein Vater durfte nicht anwesend sein. Herr Kruse und seine langjährige Verlobte halfen beim Verkauf, scheinbar sehr erfolgreich, denn kurze Zeit später konnte Herr Kruse seine Verlobte heiraten.

Meine Eltern erhielten niemals, weder damals noch nach dem Kriege, irgendeine Abrechnung über die Geschäftsauflösung. Herr Kruse zahlte Miete, Strom und Gas, er teilte ihnen außerdem ein knapp bemessenes Wirtschaftsgeld zu. Die Krankenkassen hatten Juden bereits 1937 gekündigt, Erlöse aus Versicherungen fielen an den Staat, der dann auch noch für zerbrochene Scheiben, zerstörtes Inventar pp. Forderungen an die Versicherungsgesellschaften erhob.

In unserem Haus in der 4. Etage wohnte der Besitzer eines Frisiersalons, Herr Wriedt, mit Frau und Tochter, ein alter Parteigenosse, doch immer nett und freundlich. Seine Tochter grüßte allerdings nie. Dieser Herr Wriedt verlegte eine Klingel vom Fenster des Schlafzimmers meiner Eltern zu seinem Schlafzimmer mit dem Bemerken: „Wenn noch einmal so eine Schweinerei vorkommt, werde ich einschreiten". Später verkauften meine Eltern einen Großteil ihrer Möbel und Teppiche an Herrn Wriedt. Unser Hauswirt und Nachbar, Schlachtermeister Rieken vom Sophienblatt, der in den letzten Jahren meinen Eltern gegenüber kühl und reserviert gewesen war, schickte seine Frau mit Lebensmitteln zu meinen Eltern.

Meine Eltern machten Pläne, irgendwohin, wo auch immer sie aufgenommen würden, zu fahren. Onkel Benno, Tante Lene und Familie hatten bereits ein Visum für die USA. Meine Schwester Reginchen und ihr Mann erhielten ein Visum für Kuba, das man für ca. 500 Dollar pro Person kaufen konnte, die Gebühr war überhöht. Im Februar 1939 erreichten beide Kuba. Über Umwege erhielten auch mein blinder Onkel Josef und seine Familie Anfang 1939 kubanische Visa.

Im Januar 1939 ging von Hamburg ein Kindertransport nach London, mit dem auch meine Schwester Gisela mitfahren sollte. Als der Zug den Hamburger Hauptbahnhof verließ und Gisela erbärmlich weinte, holte mein Vater sie aus dem fahrenden Zug, so daß ihr Gepäck allein gen England fuhr.

Diese und andere Begebenheiten hörte ich von Verwandten bzw. Kielern, die nach New York kamen. Einiges erfuhr ich auch aus Briefen. Irgendwie entwickelten wir eine Art Code, wir fanden Worte, die irgendwelche Tatsachen offenbarten.

Mehr und mehr lebte ich mich in New York ein und gewöhnte mich daran, mit der Frage zu leben: Was wird passieren? Welches ist der nächste Schritt der Nazis?

Es gab in New York Demonstrationen, Massenveranstaltungen gegen das Naziregime. Herr Kuhn, der „Führer des Bundes", das heißt der Nationalsozialist in New York, kam ins Gefängnis, nicht weil er ein Nazi sondern ein Betrüger war. Der von den Nazis gehaßte New Yorker Bürgermeister La Guardia gewährte daraufhin dem deutschen Konsulat Polizeischutz. Die Begeisterungswelle der deutschen Bevölkerung in New York für die Nazis ließ 1938/39 spürbar nach, die „Staatszeitung" tat ihren Unmut über die Nazis kund. Der „Aufbau", eine Zeitung, die über alles berichtete, selbst über die grausamen Taten, damit weder sich noch die Leser schonte, vermittelte uns trotz allem Mut und Hoffnung. Doch in den ersten Monaten des Jahres 1939 erhielten viele Immigranten, die Familienangehörige in Deutschland hatten, eine Art Vorgefühl in dem Bangen um die Dinge, die noch auf uns zukommen sollten.

Ich erhielt in jenen Tagen meine „First Papers", die „ersten Papiere", aufgrund derer man nach fünfjährigem Aufenthalt in den USA eingebürgert werden kann. Unter Nationalität stand bei mir das Wort „German". Für mich bedeutete es Verfolgung, Unrecht, Willkür.

Das Leben ging weiter. Ich arbeitete, bildete mich fort und machte Ausflüge. Ich führte aber kein unbeschwertes Leben, wie es sonst ein 19jähriger tut. Mein Onkel Benno erhielt einen Job in einer der größten Bäckereien New Yorks, konnte somit Frau und Kinder ernähren. Meine Tante Lene arbeitete in einem Haushalt, ihr Mann in einer Fabrik.

Im Frühjahr 1939 wurde dem deutschen Schiff „St. Louis" verwehrt, seine jüdischen Passagiere im Hafen von Havanna an Land zu setzen mit der Begründung, die Visa wären Fälschungen. Die Visa waren zwar von einer korrupten Regierung ausgestellt, aber trotzdem waren sie echt. Die „St. Louis" machte nun Kurs mit ihren fast 1.000 Passagieren an Bord nach Miami, wurde aber von einem US-Kriegsschiff gehindert, auf die amerikanische Küste zuzusteuern. Es gab zwar Proteste in New York und schwache Regierungserklärungen, doch nichts half. Die „St. Louis" fuhr jetzt zurück nach Deutschland. In „letzter Minute" nahmen Großbritannien, Frankreich, Belgien und die Niederlande je 250 Passagiere auf. Diese vier Staaten zeigten Rückgrad und menschliche Verantwortung, die Vereinigten Staaten von Amerika hatten weder staatsmännisch noch demokratisch, gewiß nicht ehrenhaft gehandelt. Die damaligen Argumente, die ich heute noch höre, waren: „Wir haben feste Einwanderungsgesetze, an denen wir nicht rütteln dürfen. Die anderen

Staaten haben eine gesetzliche Flexibilität". Dieses Argument zählte für mich weder damals noch heute.

Als der „St. Louis" verwehrt wurde, ihre Passagiere in Havanna abzusetzen, und sie zurückkehrte, befand sich ein weiteres Schiff der HAPAG aus Antwerpen bereits zwei Tage im Atlantik auf dem Wege nach Havanna. Auf diesem Schiff befand sich mein Onkel Josef Locker mit seiner Frau Frieda und den Kindern Lotti und Herbert. Die HAPAG orderte das Schiff nach Hamburg zurück. Die Familie kam nach Kiel, und da sie dort keine Wohnung mehr hatte, wohnte sie bei meinen Eltern.

Auch meine Familie hatte bereits die Überfahrt von Antwerpen nach Havanna gebucht und konnte somit die Reise nicht mehr antreten. Mein Onkel hatte zu der Zeit, als die Familie die Visa für Kuba erhielt, aber ein bolivianisches Visum erhalten, obwohl er eigentlich nicht nach Bolivien wollte. Jetzt aber fuhr er mit seiner Tochter Lotti nach Hamburg zur HAPAG, doch nach Chile war alles ausgebucht. Bolivien ist ja kein Küstenstaat. Mein Onkel wurde auf seine Bitte zu einem Direktor vorgelassen, den er fragte, ob er Soldat gewesen wäre. Als er bejahte, sprach Onkel Josef ihn nur noch mit Kamerad an mit dem Ergebnis, daß ein Schiffsoffizier seine Kabine mit einem anderen Offizier teilen mußte und meine Verwandten seine Kabine erhielten.

Meine Eltern und Geschwister erhielten durch Beziehung Pässe ohne „J" (mit einem großen „J" im Paß gestempelt, identifizierten die Nazis die Juden) und wären somit in der Lage gewesen, legal nach Belgien einzureisen. Sie unterließen es und behielten die Pässe als eventuelle Reserve. Von professionellen Schmugglern wurden sie in der Nähe Aachens über die deutsch-belgische Grenze geschleust und mit einem Auto von dort direkt nach Brüssel gefahren. Zunächst übernachteten sie bei einer Kieler Familie, erst am nächsten Tag gingen sie zur Polizei, um sich anzumelden und um Asyl zu bitten. Selbstverständlich begleitete ein Amerikaner von dem amerikanischen jüdischen Hilfskomitee „Joint" meine Eltern und garantierte für deren Lebensunterhalt. Tatsächlich mußten dafür aber die Verwandten in den USA aufkommen.

Endlich, ca. zwei Monate vor Kriegsausbruch, erreichten meine Lieben ein, wie wir alle dachten, sicheres Land. Im Juli 1939 wurde mein Neffe Stanley in Kuba geboren. Es war sehr schwierig für meine Schwester und meinen Schwager, ohne Familie in einer fremden Stadt zu sein, doch zwei Kieler Familien, auch Immigranten in Havanna, kümmerten sich rührig um sie.

Wegen der bevorstehenden Kuba-Reise hatten meine Eltern im Frühling 1938 zwei kleinere Lifts (ein großer Holzkasten, in denen von Spediteu-

Unterschrift des Inhabers
Signature du porteur

~~eso~~ Bodenstein geb. Ehrmann

3

GELTUNGSBEREICH / GELTUNGSDAUER
VALIDITÉ DU PASSEPORT

Der Paß gilt für *In = u. Ausland*
Le passeport est valable pour

Der Paß wird ungültig mit Ablauf des
Le passeport expire le

31. 3. 1940

falls er nicht verlängert wird.
à moins de renouvellement.

Die Rückkehr nach Deutschland wird während der Geltungs-
dauer des Passes gestattet*).
Le retour en Allemagne est autorisé durant la validité du présent passe-
port*).

Es wird hiermit bescheinigt, daß der Inhaber die durch das
Lichtbild dargestellte Person ist und die darunter befindliche
Unterschrift eigenhändig vollzogen hat.
Le soussigné certifie, que la photographie et la signature apposées ci-
contre sont bien celles du porteur.

Kiel, den 11. 7. 3
le

Behörde / Autorité

Der Polizei-Präsident

Wappen-
stempel

Unterschrift / Signature

*) Der Inhaber unterliegt jedoch dem Sichtvermerkszwa
Toutefois le porteur est tenu à se procurer le visa d'e

4

ren Möbel und Haushaltsgegenstände verpackt und versandt wurden) nach Antwerpen vorausgeschickt; einer enthielt Geschirr, Bettzeug, Wäsche, Klappbetten für vorläufige Benutzung, der andere, bereits für die zweite Auswanderungsphase in die USA geplant, enthielt Möbel, Teppiche, etwas Silber, Wäsche usw.. In Brüssel wurde in der Rue Rogier in der Nähe des Hauptbahnhofs eine sehr billige Wohnung gemietet, und nun der für Kuba bestimmte Lift nach Brüssel geholt.

Meine Schwestern gingen dort zur Schule und lernten Französisch. Auf Gisela hat Belgien einen dauerhaften guten Eindruck hinterlassen. Die Söhne des „unglücklichen" Königs Albert waren in ihrem Alter, in der Schule wurde für die königliche Familie gebetet, und noch heute nimmt sie Anteil und verfolgt den Werdegang der belgischen Monarchie.

Onkel Markus und Tante Rita hatten bereits 16 Mitgliedern unserer Familie geholfen, in die USA zu kommen, vielfach auch finanziell. Da inzwischen alle Mineralien und Muscheln gewaschen, sortiert und verkauft waren, brachte mein Onkel mich bei einem befreundeten Juwelier unter, wo ich Laufjunge war und die Werkstatt ausfegen mußte. Ich hatte so die Möglichkeit, das Goldschmiedehandwerk zu erlernen. Leider war die Chance des Erlernens dieses Handwerks sehr gering, der Chef brauchte einen Laufjungen und keinen Lehrling, doch es machte mir Spaß, mit interessanten Leuten zusammenzuarbeiten. Mein Onkel war nicht erfreut, daß ich diesen Job aufgab, um in einer Bäckerei zu arbeiten, respektierte aber meinen Entschluß, mehr zu verdienen, um meinen Eltern helfen zu können.

Eine Cousine meiner Großmutter, Rachel Ehrmann, war mit ihren Kindern Besitzerin der Gottfried Bakery, die ihren Familiennamen trug. Diese Bäckerei belieferte Geschäfte, Märkte und Restaurants und beschäftigte ca. 800 Arbeiter und Angestellte. Eine andere Firma im Familienbesitz war die Hanscom Bake Shops mit einer großen Bäckerei und ca. 30 Läden in besseren Wohngegenden New Yorks. Ich suchte die alte Dame in ihrem Apartment in der Park Avenue auf, und sie besorgte mir einen Job wie auch für meinen Onkel Benno. Zwei oder drei Tage später nach dem Besuch traf ich ihren Sohn M.K. Gottfried, der die Hanscom Bake Shops leitete. Er gab mir einen Job, den ich noch in jenem Sommer 1939 aufnahm.

In dieser Tätigkeit erhielt ich 18 Dollar bei einer 48-Stunden-Woche, ein gelernter Bäcker hatte dasselbe Anfangsgehalt. Die Gewerkschaften hatten das Prinzip, dasselbe Geld für dieselbe Arbeit. Ich arbeitete in der Kuchenabteilung, in der fast alles am Fließband gefertigt wurde. Je sechs Kuchen wurden von einem Mann auf ein Tablett gelegt, in Fächer geschoben und zum Fließband gebracht. Unsere Arbeitszeit war von 20.00 Uhr bis 0.40 Uhr. Der Mann, der die Kuchen auf das Tablett legte, war ein deutscher Arzt, ein Immigrant, der nur nachts arbeitete, um tagsüber für sein amerikanisches Zulassungsexamen zu lernen. Ich fuhr oft mit ihm in der Untergrundbahn nach Hause. Ab und zu wurde er von seiner „Tochter" mit dem Auto abgeholt. Jedenfalls dachte ich, es wäre seine Tochter, denn in meiner jugendlichen Unschuld kam mir gar nicht der Gedanke, daß eine so junge Frau die Ehefrau dieses etwa 45jährige Arztes sein konnte.

Ich hatte ursprünglich nicht die geringste Ahnung, wie ein Kuchen oder eine Torte hergestellt wird, geschweige denn am Fließband. Der gebakkene Kuchen wurde zunächst von einem Mann auf das Fließband gesetzt, dann mit kleinen Sägen automatisch in die gewünschten Teile zerschnitten. Ein Arbeiter schob einen Pappdeckel unter den Kuchen, ein anderer schmierte die Erdbeer-, Schokoloadenfüllung oder ähnliches in den Kuchen, ein anderer auf den Kuchen. Am unteren Ende des Fließbandes wurde der fertige Kuchen in Boxen verpackt.

In der Bäckerei arbeiteten einige Immigranten und viele seit Jahren in den USA ansässige deutsche Bäcker sowie eine Reihe jüngerer Leute, die eine höhere Schulbildung hatten und in ihren Berufen noch nicht Fuß fassen konnten. Die meisten Vorarbeiter waren deutsche Bäcker. Wir kamen alle gut miteinander aus.

Der Kriegsausbruch in Europa am 1. September 1939 rief in den USA starke Verwunderung und Bestürzung hervor, viele Meinungen wurden laut. Die jüngeren Fabrikarbeiter waren geteilter Meinung. Die einen waren für die Alliierten, wie auch alle Immigranten, die anderen für strikte Neutralität mit der Maßgabe, daß auch sie auf einen Sieg der Alliierten hofften. Die deutschen Bäcker, fast alle US-Bürger, traten dagegen für eine Neutralität ein, konnten aber eine stille Genugtuung über die deutschen Siege nicht verbergen.

Im Februar 1940 kamen meine Schwester, mein Schwager und das jetzt sieben Monate alte Kind aus Kuba nach New York. Sie wohnten zunächst bei meinem Cousin Hermann Bauer, bis sie eine Wohnung in einem kleinen Haus gegenüber einem Park in Brooklyn erhielten und ich zu ihnen zog. Es war für meine Schwester und mich gut, beisammen zu sein, denn es gab uns beiden Mut und innere Festigkeit.

In New York bereitete man sich auf die Weltausstellung vor. Der „Blitzkrieg" in Polen war vorüber, und der „Sitzkrieg" im Westen Europas dauerte an. Im April 1940 besetzten deutsche Truppen Dänemark und Norwegen. Das norwegische Volk kämpfte tapfer um sein Land und seine Freiheit, doch vergeblich. Die Nazi-Propaganda behauptete, die deutschen Truppen wären den britischen nur zuvorgekommen.

Zwei junge Kieler Juden sowie ein Cousin von mir waren zu dieser Zeit auf Hachschera in Dänemark. Allen Dreien gelang die Flucht im Jahre 1943 nach Schweden. Im Frühjahr 1940 erhielt mein Schwager Grünbaum die Nachricht, sein Vater sei im Konzentrationslager umgekommen; seiner Mutter wurde die Asche überstellt. Der Bruder meines Schwagers wurde als Deutscher bei Kriegsausbruch in London interniert und kam später als Kriegsgefangener in ein Lager nach Australien, ein Schicksal, welches er mit vielen aus Deutschland stammenden Juden teilte.

Im Mai 1940 überschritten deutsche Truppen die niederländische, belgische und luxemburgische Grenze, zur selben Zeit auch die französische. Dieser Feldzug endete mit der Kapitulation von Paris Mitte Juni 1940. Einst stolze Nationen hatten ihre Selbständigkeit verloren, die Pavillons von zehn Nationen, die entweder von Deutschland oder der mit ihm verbündeten Sowjetunion besetzt waren, wurden dennoch auf der New Yorker Weltausstellung eröffnet. Während in Deutschland Hitler begeistert gefeiert wurde, trauerte man in New York, dem Schmelztiegel aller Nationen, oder feierte, je nachdem, wo die Wiege stand. Die Bundisten (eine deutsch-amerikanische Gruppe mit Nazi-Tendenzen) wagten sich schon wieder auf die Straße, im deutschen Kino in der 86. Straße wurde tagelang die „Deutsche Wochenschau" mit dem Einmarsch in Paris laut beklatscht und bejubelt. Auch in „Hanscom Bake Shops" wurde die Eroberung von Paris von einigen wenigen gefeiert.

Von unseren Eltern hörten meine Schwester und ich zunächst nichts mehr. Die Zeitungen berichteten von Zehntausenden von Flüchtlingen in Richtung Frankreich, von verstopften Straßen ud zeigten Bilder der Unglücklichen. Wir hofften, daß auch unsere Familie geflohen war, aber wir hörten nichts. Um den 1. Juni erhielten wir dann ein Telegramm aus dem südfranzösischen Ort Pomerols mit dem Wortlaut: „Wir alle auch Thees + Feldmann vorläufig in Pomerols. Ich schreibe heute, Ihr schreibt Poste Restante Marseille". Familie Thee und Feldmann sind mit uns verwandt, und wir gaben deren Verwandten in New York Bescheid.

Ein Brief unserer Eltern erreichte uns ungefähr zwei Wochen später; er war in Marseille abgestempelt, klebte voller Briefmarken und enthielt den Vermerk in der Schrift meiner Mutter „Via Lissabon Pan American Clipper". Dieser Brief war seitenlang und berichtete ziemlich lückenlos über ihre Flucht.

Einen Tag nach dem Einmarsch in Belgien begleitete meine Schwester Gisela meinen Vater, der nicht französisch sprach, zum Postamt, um ein Telegramm an uns in die USA aufzugeben. Unsere Eltern wollten uns mitteilen, daß sie Frankreich zu erreichen versuchten, doch das Telegramm wurde nicht angenommen. Mein Vater, der mit Gisela auf dem Postamt deutsch sprach, wurde als „Fifth Columnist" (Spion) verhaftet. Giselas Französisch reichte nicht aus für eine Erklärung, oder die Beamten wollten keine. Zwei bis drei Tage vergingen, bis meine Mutter mit Hilfe des amerikanischen Joint (Hilfskomitee) die Freilassung meines Vaters erreicht hatte.

Die Familien Bodenstein mit vier, Thee mit fünf und Feldmann mit fünf Personen, also sechs Erwachsene und acht Kinder, flüchteten dann in einem Gemüselieferwagen mit Fahrer, der aber nicht mehr bis an die französisch-belgische Grenze fahren wollte. Auf dem Weg zur Grenze wurde der Flüchtlingsstrom von Tieffliegern beschossen.

Die Familien entschlossen sich daher, per Bahn, d.h. in Güterzügen, weiterzureisen. Doch vorher gab es noch einen großen Bombenangriff. Die Familien rannten in einen Tunnel, wo alle den Angriff überlebten. Meine Schwester Zita war abhanden gekommen, drei Nonnen hatten sie behütet und beruhigt. Nach dem Bombardement fanden unsere Eltern Zita wieder.

Die Reisedauer von der Grenze bis nach Paris betrug zwei Tage. In Paris ging es mit einem Personenzug sofort weiter nach Südfrankreich. Die Flüchtlinge wurden aufgeteilt; die Bodensteins, Thees und Feldmanns kamen nach Pomerols. In dem ersten Brief aus Pomerols wurde uns in den USA die Absicht mitgeteilt, daß sie über Spanien Portugal erreichen wollten. Ungefähr eine Woche später erhielten wir einen Brief, daß Herr Thee und Herr Feldmann zur Fremdenlegion eingezogen und in der Nähe von Marseille kaserniert wären, allerdings bald wieder entlassen würden.

Bis Ende August erreichte uns kein Brief und keine Nachricht mehr, dann ein Telegramm: „Alle drei Familien vollständig und gesund in Lissabon. Schreib' Poste Restante." Gott sei Dank, diesmal hatte ich Recht, daß unsere Eltern einen sicheren Platz erreicht hatten.

Mein Schwager arbeitete im Sommer in einem Hotel in der Nähe New Yorks. Meine Schwester und ihr Kind waren bei ihm. Ich rief meine Schwester an. Sie weinte vor Freude und wollte sofort nach New York kommen. Ich beruhigte sie und sagte: „Du kannst hier nichts machen."

In diesem Sommer mußte ich wie alle Arbeiter in Hanscom Bake Shops drei Wochen unbezahlten Urlaub machen. Im Sommer gab es zwar weniger zu tun, aber durch den unbezahlten Urlaub wurden alle Arbeitsstellen sichergestellt. Seinerzeit gab es weder einen gesetzlich geregelten Urlaubsanspruch in den USA, noch konnten die Gewerkschaften einen solchen durchsetzen. Wer aufgrund einer Krankheit nicht arbeiten konnte, erhielt keinen Lohn.

Ich nutzte die Zeit, um mehr von Land und Leuten kennenzulernen. In der Nähe von Albany, der Hauptstadt des Staates New York und 250 km nördlich der Stadt New York gelegen, gab es eine kleine Siedlung von Bauernhöfen mit viel Weideland und Korn. Dieses Land war um die Jahrhundertwende von Baron Hirsch jüdischen Siedlern zur Verfügung gestellt worden. Jetzt bearbeiteten das Land aus Hessen stammende jüdische Immigranten. Wir halfen bei der Arbeit, fuhren zum Wochenmarkt nach Albany mit, und ich verkaufte an einem Stand Eier. Die Gegend mit vielen Seen war landschaftlich sehr schön. Sonnabends und sonntags gab es Tanzveranstaltungen, und ich lernte einige amerikanische Volkstänze. Wir ruderten mit Mädchen auf den Seen, badeten und hatten Spaß. Ich plante, meinen regulären Urlaub in den letzten drei Septemberwochen dort zu verbringen.

Meine Schwester und ihr Mann waren bereits wieder in Brooklyn. Ich wußte, daß meine Schwester mich sofort anrufen würde, sobald wir Post aus Lissabon bekämen – doch leider kam keine. Nach etwa zwei Wochen fuhr ich nach Hause, und am nächsten Tag kam ein Brief aus Lissabon, der trotz der Clipperflüge (Pan American flog zweimal wöchentlich von New York nach Lissabon und umgekehrt – Clipperflüge genannt) drei Wochen unterwegs gewesen war. Deshalb brachten meine Eltern später die Briefe nicht zum Postamt in Lissabon, sondern direkt zur Pan American Line.

In diesem Brief berichteten sie ausführlich, daß kurz nach dem deutsch-französischen Waffenstillstand unsere Verwandten, Herr Thee und Herr Feldmann, freigelassen wurden, denn die Franzosen mußte ihre Armee und die Fremdenlegion auflösen.

Alle drei Familien wollten zusammenbleiben. Dennoch hatte sich meine Mutter, die einigermaßen Französisch sprach, in Marseille umgehört. Zwar wiesen die belgischen Personalausweise sie nicht als belgische Staatsbürger zum Glück aber als Einwohner dieses Staates aus.

Aufgrund dieser Ausweise erhielten alle Familienmitglieder ein Visum für Belgisch-Kongo (Afrika), das man aber nur über das neutrale Spanien und Portugal erreichen konnte.

Es herrschte ein großes Durcheinander in der unbesetzten Zone in Südfrankreich. Die Franzosen richteten ihre „Hauptstadt" in Vichy ein, die

Deutschen „erholten" sich von ihren Siegen, und noch gab es keine genauen Instruktionen von den „neuen Herren" an die Puppen-Regierung in Vichy. So konnte man noch, besonders als Ausländer, an die spanische Grenze reisen, und die Spanier genehmigten die Weiterreise. Auf den Bahnhöfen von Barcelona und Madrid waren bereits Gestapo-Agenten tätig, die allerdings kein großes Interesse an Flüchtlingen, wie es meine Familie war, hatten, sondern nach Deserteuren und „großen Fischen" Ausschau hielten. Auf dieser Reise wurde meine Schwester Zita krank. Sie hatte in Barcelona bereits hohes Fieber, es war eine Gelbsucht – alle waren verzweifelt.

Ein Gepäckträger sprach die Familie in ziemlich gutem Deutsch an, brachte sie in einem Hotel unter, besorgte einen Arzt und Lebensmittel. Außerdem erledigte er alle Formalitäten bei den spanischen Behörden. Er sagte nicht, wer er wäre, sondern nur, er wäre ein Freund. Nach einigen Tagen konnte die Reise nach Madrid, dann nach Lissabon weitergehen.

Meine Eltern meldeten sich bei dem amerikanischen Konsul, der ihnen zusagte, ihre Papiere vom amerikanischen Konsulat in Brüssel nachschicken zu lassen. Da meine Eltern nur kleines Gepäck und Rucksäcke auf ihre Flucht mitnehmen konnten, benötigten sie jetzt verschiedene Sachen.

Eine Kielerin, Frau Nagelberg, schrieb meinen Eltern nach Lissabon postlagernd, daß sie, ihr Mann, ihre beiden Kinder und mehrere andere Personen auf der Flucht von deutschen Truppen abgeschnitten wurden und nach Brüssel zurückkehren mußten.

Frau Nagelberg durfte in Gegenwart eines Beamten die Wohnung meiner Eltern betreten, nahm mehrere Kleidungsstücke mit und schickte sie in mehreren Paketen nach Lissabon; dies war nur möglich mit der Hilfe eines freundlichen deutschen Konsulatsangestellten in Lissabon.

Die nächsten Wochen und Monate stellten eine große Belastungsprobe für uns in New York, mehr noch für unsere Angehörigen in Lissabon dar. Beim US-Konsul in Lissabon trafen die Papiere aus Brüssel nicht ein. „Dann müssen Sie sich eben neu registrieren lassen," meinte ein US-Vizekonsul zu meinen Eltern, was eine noch längere Wartezeit bedeutet hätte. Nachdem mein Onkel im State Department etwas Dampf gemacht hatte, war der US-Konsul in Lissabon bereit, die Anträge zu bearbeiten, meinte aber, das Affidavit meines Onkels reichte nicht aus, da Herr Ehrmann bereits für viele Einwanderer gebürgt hätte.

Unabhängig voneinander besorgten mein Onkel ein Affidavit von Helene Rubinstein, der Besitzerin der Helena Rubinstein-Kosmetikfirma, und ich von M.K. Gottfried, Besitzer der Hanscom Bake Shops.

Mein Großvater Wolf Ehrmann starb 1941 im russisch besetzten Polen in der Nähe von Lemberg. Die Nachricht von seinem Tode erreichte uns weit mehr als einen Monat später, und somit brauchten seine Kinder nur für kurze Zeit symbolisch Trauer zu sitzen. Normalerweise verlangt das Religionsgesetz, daß die engsten Angehörigen 7 Tage nach dem Tode „Schiwe" sitzen. Das Wort stammt von dem hebräischen Wort für „sieben". Die Angehörigen trauern in ihrem Haus oder in ihrer Wohnung, indem sie sieben Tage auf niedrigen Stühlen sitzen, Besuch empfangen und des Toten gedenken. Meine Mutter wurde von dem Tode ihres Vaters in Lissabon unterrichtet.

Es vergingen mehrere Monate; der US-Konsul verlangte nochmals neue Affidavits, bis endlich das Visum eintraf. Jetzt war das Problem der Überreise zu lösen: wie kommt man in die USA? Pan American war für lange Zeit im voraus ausgebucht, und auch „neutrale Schiffe" wurden Opfer der deutschen U-Boote; doch spanische Schiffe, wenn auch schmutzig und dreckig, waren mit etwas weniger Risiko verbunden. Für den dreifachen Preis, den ich für eine Kabine auf der „Queen Mary" vor weniger als 3 Jahren gezahlt hatte, fuhren meine Lieben mit dem spanischen Dampfer „Serpo Pinto", Männer und Frauen separat, auf irgendeiner Art von Matratzen schlafend, und erreichten den Hafen von New York im Juni 1941. Die Familie Feldmann erreichte New York einige Wochen später, Familie Thee ging zuerst nach Kuba und dann 1942 nach New York. Die zehn Monate, die unsere Eltern und Geschwister in Lissabon wohnten, waren nervenzerreißend, aber wenigstens wußten wir sie in Sicherheit.

Inzwischen konnte mein Neffe Stanley sprechen und lief schon umher.

Als ein besonderes Stück Amerika lernte ich den Streik kennen. Wir Arbeiter bestreikten für höhere Löhne und kürzere Arbeitszeit die Hanscom Bake Shops; Streikposten mit den obligatorischen Schildern standen vor den 30 Geschäften, der Fabrik und dem Verwaltungsbüro. Vielleicht war es unbeabsichtigt, vielleicht eine Schikane, denn man wußte in der Gewerkschaft, daß ich mit den Gottfrieds verwandt war; jedenfalls mußte ich vor dem Verwaltungsbüro Streikposten beziehen. Herr Gottfried, der kurz zuvor meinen Eltern nach Lissabon Affidavits sandte, kam aus dem Bürogebäude, begrüßte mich, fragte nach Nachrichten von meinen Eltern und ließ Kaffee und Sandwiches an die Streikenden verteilen. Fast vier Wochen dauerte der Streik, der folgende Resultate brachte: vor dem Streik verdiente ich 22 Dollar, jetzt 24 Dollar pro Woche, die Arbeitszeit wurde von 48 Stunden auf 44 Stunden reduziert.

Seit der Kapitulation Frankreichs hatte sich das politische Klima in den USA doch bedeutend verändert. Aufgrund des verstärkten U-Boot-Krieges wurden einige US-Schiffe angegriffen, durchsucht und versenkt. Der Luftangriff auf die Zivilisten in Rotterdam und jetzt die monatelange, fast nur nächtliche Bombardierung Londons durch die Luftwaffe, die nun gegen Zivilisten gerichtet war, diente dazu, Terror und Angst zu stiften. Churchill verstand es, der ganzen restlichen Welt klarzumachen, worum es den Nazis ging, wer sie waren, und daß sie darauf aus waren, die Welt zu beherrschen. Die USA führten die Wehrpflicht ein, und Hitler nannte Präsident Roosevelt den Juden Rosenfeld.

Ohne Zweifel war der Gedanke der amerikanischen Isolonisten: „Haltet Amerika 'raus aus dem Krieg!" sehr stark und populär. Doch ohne Frage lag die Sympathie der USA auf der Seite Großbritanniens und seiner Verbündeten.

6. Endlich – die Familie ist wieder glücklich beisammen

Endlich machte die „Serpo Pinto" am Kai in Brooklyn fest. Es war ein unansehnliches, verschmutztes und verrostetes Schiff, das eine große Menge von Passagieren an Bord hatte.

Mein Onkel und ich waren im Hafen zugelassen, denn wir hatten 2 Pässe, die uns erlaubten, das Hafengebiet zu betreten. Das Schiff lag an einem Freitagnachmittag im Dock. Der Zoll und die Einwanderungsbehörden überblickten die Lage, waren aber nicht bereit, unbezahlte Überstunden zu machen, und so gaben sie bekannt, daß die Passagiere erst ab Samstagmorgen an Land gehen könnten. Nur einigen Rabbinern mit Familien wurde es noch erlaubt, am Freitag das Schiff zu verlassen, so daß sie nicht am Sabbat zu fahren brauchten, somit eventuell den Sabbat entweihten. Durch Beziehungen zu Zollbeamten konnte mein Onkel dennoch auf das Schiff gehen und für meine Familie die Erlaubnis erhalten, am Freitag an Land zu gehen. Jedoch fanden meine Eltern eines ihrer Kinder nicht. Onkel Martin und ich fuhren in die Wohnung meiner Schwester, wo die ganze Familie versammelt war und auf die Eltern wartete. Die Familie aus der Bronx wurde bei der Brooklyner Familie untergebracht, und am Samstagmorgen fuhren mein Onkel und ich wieder zum Hafen, wo wir ziemlich früh ankamen – doch es regte sich nichts. Wir zeigten unsere Pässe. „Moment ‚mal," sagte der Beamte. „Eure Pässe sind ungültig. Die sind auf das gestrige Datum ausgestellt."

Nach einigem Hin und Her klappte es aber doch. Ich vermutete seinerzeit, daß dieser Beamte noch in Preußen seinen Beruf erlernt hatte.

Gegen Mittag waren wir alle zusammen. Es gab Tränen und Umarmungen. Meine Schwester Zita ließ mich nicht los. Sie war gerade 10 Jahre alt und meinte, sie wollte mich nie mehr verlassen. Doch leider verließ sie mich sehr bald, wenn auch nur für einige Stunden, denn mein Vater wollte nicht den Sabbat entweihen und im Auto fahren. So gingen mein Vater und ich zu Fuß ins Haus meiner Schwester. Es war ein Weg von knapp zwei Stunden. Mein Vater sagte zu mir, Gott hätte ihn und die ganze Familie gerettet, und er würde am Samstag nicht fahren. Mein Vater starb 1973 im Alter von 86 Jahren. Er hatte auch in seinem weiteren Leben niemals den Sabbat entweiht.

Obwohl meine Eltern eine anstrengende vierzehntägige Reise hinter sich hatten, lebten sie ebenso wie meine Geschwister sichtlich auf. Das Wiedersehen mit der Familie und die Gewißheit, in Amerika zu sein, dem „gepriesenen gelobten Land", taten Wunder. Tante Rita, die in den USA geborene Gattin meines Onkels Markus, versuchte sogleich, die Namen meiner Familie zu amerikanisieren: soweit ich mich erinnere, hat jedoch niemand in der Familie seinen Vor- oder Nachnamen geändert, wenn es nicht unbedingt nötig war. Aus Georg wurde George, und der Vorname meiner Mutter, Rosa, wurde aus Versehen Jahre später von den Einbürgerungsbehörden „Rose" geschrieben. Für meinen Vater und die Verwandten blieb sie dennoch immer Rosa. Allerdings änderten meine Schwester und mein Schwager ihren Namen von Grünbaum in Greenbaum, denn wenn der Name einen Umlaut enthielt, mußte man bei einem Behördengang in Amerika mindestens eine halbe Stunde extra einkalkulieren.

Der Alltag kam; meine Familie suchte und fand eine Wohnung in Brooklyn. Mein Onkel half bei der Möbelbeschaffung. Hier und da wurde ein Stück Möbel, eine alte Nähmaschine besorgt. Mutti nähte für sich und die Mädels, aber zuerst mußten natürlich Gardinen genäht werden. Jalousien, in Amerika üblich, wurden als o.k. befunden. Doch meine Mutter bestand auf Gardinen, zum Erstaunen unserer Hauswirtin und der Nachbarn.

Im Sprachgebrauch gab es des öfteren amüsante Verwechslungen. Die alten Einwanderer sprachen noch sehr viel Jiddisch, insbesondere eine ältere Nachbarin von uns. Meine Mutter hatte einmal Plätzchen gebakken, und als die Nachbarin sie bewunderte, bot meine Mutter ihr einige an, wobei sie das Wort „schmecken" benutzte. Prompt beroch die Nachbarin die Plätzchen, denn schmecken in Jiddisch bedeutet riechen.

Mein zweijähriger Neffe merkte rasch, daß seine Großeltern und seine jungen Tanten sein Englisch nicht verstanden, und so wechselte er, zu unserer aller Verblüffung, auf die deutsche Sprache über.

Auf dem Fußweg vom Schiff in Brooklyn hatte mein Vater mich schon nach der Wehrpflicht befragt, und ich antwortete, daß sich nur Männer über 21 Jahren melden müßten, ich jedoch erst 20 Jahre alt wäre. Im Sommer 1941 wurden bereits viele unverheiratete Männer bis zum 45. Lebensjahr in die US-Armee eingezogen. Alle über 38 Jahre alten wurden dann 1942 entlassen.

Kurz nach der Einwanderung meiner Familie nach New York machte Hitler seine ursprüngliche Absicht wahr und griff Rußland an. Die Wehrmacht siegte und siegte, und Beobachter konnten nicht umhin, diesen Feldzug Hitlers mit dem Napoleons zu vergleichen und damit die eventuelle Vernichtung der Wehrmacht vorauszusagen.

Mein Verdienst reichte aus, um die Familie zu ernähren; meine jetzt 16jährige Schwester Gisela half mit und arbeitete in einer Kleiderfabrik für 14 Dollar die Woche. Zita ging zur Schule und wurde weiterhin als Nesthäkchen von der Familie verwöhnt. Meine Mutti brauchte eine Lesebrille. In der Nähe unserer Wohnung gab es am Broadway ein Fachgeschäft für Brillen, „Finlay Strauss", bekannt für den Kreditslogan „One Dollar down one Dollar per month", d.h. bei einem Dollar Anzahlung eine monatliche Rate von einem Dollar. Nur erhielt meine Mutter keinen Kredit, weder sie noch Vater konnten Arbeit oder Einkommen nachweisen. So mußte ich bürgen. Meine Eltern waren Mitbegründer des „Schleswig-Holsteiner-Verbandes des kreditgebenden Einzelhandels". Meine Mutter lachte über die oben beschriebene Episode. Sie lebte sich schnell in den USA ein. Bei Papa nahm es eine lange Zeit in Anspruch. Natürlich gab es dafür viele Gründe. Papa war von seinen Kindern abhängig, weil er kein Einkommen hatte. Außerdem litt er seit der Verhaftung am 10. November 1938 an Depressionen und starken Kopfschmerzen und glaubte, sie von einem Schlag auf den Kopf herleiten zu können. Er wurde von dem Gesindel bei der Einlieferung in das Polizeigefängnis mit dem Kopf gegen das Eisentor gestoßen.

Auch meine Mutter hatte sich bei der nächtlichen Flucht über die „grüne Grenze" von Deutschland nach Belgien verletzt, war aber dennoch guten Mutes; sie mußte aber 1950 aufgrund der zugezogenen Verletzung operiert werden.

7. 7. Dezember 1941 – Kriegsbeginn für die USA

7. Dezember 1941 – Kriegsbeginn für die USA, Japan griff die USA in Pearl Harbor mit Flugzeugen an, als noch die japanischen „Friedensbotschafter" in Washington ihr doppelzüngiges Spiel betrieben. Ich war mit Freunden an diesem Sonntag im Paramount-Theatre am Times Square in New York, als der Film unterbrochen und bekanntgegeben wurde, daß alle Militärs sofort zu ihren Kasernen, Stützpunkten usw. zurückkehren sollten. Das ganze Publikum verließ das Theater, um genauere Nachrichten zu erhalten. Am Times Square stand das bekannte New-York-Times-Gebäude, von dem in leuchtenden Buchstaben die letzten Nachrichten gesendet wurden.

Es waren schlimme, furchtbare Nachrichten. Man wußte nur, daß ein großer Teil der amerikanischen Flotte in Pearl Harbor versenkt worden war, mit großen menschlichen Verlusten. Die amerikanischen Flottenverbände wurden unerwartet angegriffen, als im Stützpunkt Honolulu und auf den Schlachtschiffen der Sonntagmorgen-Gottesdienst abgehalten wurde. Dieser feige, hinterlistige Schlag nach dem Muster der europäischen Faschisten, den Lehrmeistern und Partnern Japans, überraschte Amerika und die Welt.

Ich fuhr nach Hause, meine Eltern waren erregt, ängstlich und irgendwie ärgerlich. Im Nachhinein verstand ich erst, daß dies der dritte Kriegsausbruch war, den meine Eltern in verschiedenen Ländern erlebten; erst den Ersten Weltkrieg, dann den Überfall der Deutschen auf ihre neue Heimat Belgien und jetzt in Amerika.

Am nächsten Tag erklärten die USA Japan den Krieg. Einige Tage später erklärten Deutschland und Italien den USA den Krieg.

Hitler tat dies in einer hysterischen Reichstagsrede. Was in den USA geschah, ist nicht leicht zu beschreiben. Doch mit Sicherheit kann man sagen, daß der Krieg von der Bevölkerung akzeptiert wurde. Dieser Krieg war aufgezwungen, und deshalb war es richtig und nötig, diesen zu gewinnen. Es gab keine Kriegsbegeisterung, sondern die Bereitschaft zu kämpfen und wenn nötig zu sterben. Viele Kriegsfreiwillige warteten, zu den Waffen gerufen zu werden, und nur wenige waren Drückeberger. Alle Nichtbürger der USA, die noch technisch eine Achsen-Staatsangehörigkeit besaßen wie zum Beispiel Emigranten aus Deutschland, wurden zu „enemy Alien", das heißt „feindliche Ausländer", erklärt. Man durfte nur mit Erlaubnis der Behörden das Stadtgebiet verlassen. Aus verständlichen politischen Gründen wurden italienische Staatsbürger nicht als „Enemy Alien" angesehen. Japanische Bürger wurden dagegen generell interniert, leider später auch Japaner mit US-Staatsangehörigkeit.

Von den Deutschen wurden nur wenige interniert. In der Bäckerei entpuppten sich meine deutschen nichtjüdischen Mitarbeiter als gute amerikanische Patrioten, die sie eigentlich auch waren, denn das Anstoßen und Feiern beim Fall von Paris war eher die Begeisterung von Fußballfans. Aber jetzt waren sie bzw. ihre Kinder in den Krieg mit Deutschland verwickelt.

Die ersten Wochen und Monate des Kriegs waren die schwersten für die USA. Eine Niederlage folgte der anderen: Pearl Harbor, die Flucht des General Mac Arthur von Batan auf den Philippinen, der Todesmarsch der amerikanischen Gefangenen in die Internierungslager der Japaner. Trotzdem waren alle guten Mutes und zuversichtlich, ich glaubte, manchmal etwas zu sehr.

Wenn ich heute, bald 50 Jahre später, auf diese Zeit zurückblicke, dann konnte diese Zuversicht der Amerikaner nur stark auf Hoffung und Gottesglauben sowie mit dem Glauben an eine gerechte Sache erklärt werden.

Die Achsen-Mächte hatten längere Kriegserfahrungen als die Alliierten. Frankreich, Norwegen, Dänemark, Polen, die Hälfte des Europäischen Rußlands, der Balkan, Griechenland, Holland, Belgien, Luxemburg, Niederlande und die Tschechoslowakei waren besetzt und besiegt. Die deutschen Kriegsherren erhielten einen unaufenthaltsamen Strom von Sklavenarbeitern. Es wurde produziert, gerüstet, und zwar schnell und gut aufgrund der Erfahrungen. Reichtümer und Gold, Wissenschaftler, Nahrungsmittel von praktisch ganz Europa standen den Deutschen beinahe unbegrenzt zur Verfügung.

Noch viele Jahrzehnte hörte ich immer das Argument, Deutschland wurde von einer gewaltigen Übermacht geschlagen. Dies sah ich anders. 1942, kurz nachdem die Achsen-Mächte die USA in den Krieg gezerrt hatten, waren sie an Menschenmaterial und Kriegsausrüstung den Alliierten überlegen, konnten aber diese Position nicht halten. Dies geschah meiner Ansicht nach aus zwei Gründen: Eine schlechte Kriegsstrategie und eine blutige grausame Diktatur können sich zwar einige Jahre behaupten, mußten am Ende jedoch untergehen.

Im Dezember 1941 wurden nur wenige Freiwillige zu den Waffen gerufen. Es war ein offenes Geheimnis: Die USA hatten nur wenige Waffen zu dieser Zeit. Ferner wurden Soldaten nicht nach Jahrgängen, wie in

Europa üblich, eingezogen, sondern durch ein System, das das „Selective Service System" genannt wurde. Das Wort „Selective" bedeutet auf Deutsch „aussuchen" und dieses Aussuchen taten die Einwohner in allen Nachbarschaften in einer Großstadt. Als erstes wurde jeder Person, die registriert war, per Lotterie eine Nummer zugewiesen. Ich zum Beispiel wurde erst im Januar 1943 vor den „Selective Service Board" geladen. Dieser „Board" waren meine Nachbarn, ungefähr zehn Herren, von denen ich auch einige kannte. Als erstes wurde ich für drei Monate zurückgestellt. Im April wurde ich gemustert und als 1a befunden.

Im Mai erhielt ich dann wie alle einen Brief, zwar eine gedruckte Formsache, aber immerhin vom Präsidenten der Vereinigten Staaten von Amerika. Dieser Brief begann mit dem Wort „Greetings!", also Grüße, und sagte ferner, daß meine Nachbarn mich erwählt hätten, in den Streitkräften der USA zu dienen. Der Präsident hieß mich willkommen und gab seine Genugtuung darüber zum Ausdruck, daß ich es sicherlich als Ehre empfinde zu dienen, und Worte ähnlicher Art.

Im August 1943 wurde ich Soldat. Doch sollte ich erwähnen, daß ich bereits im Mai 1943 nach der Musterung eingeschworen wurde. Strafrechtlich war es ein großer Unterschied, ob man nicht zum Kriegsdienst registriert worden war, oder nach einem Eid nicht erschien, dies wurde bereits als Fahnenflucht beurteilt. Im übrigen ist es interessant zu wissen, daß nur ein einziger Soldat von über 15 Millionen US-Soldaten wegen Fahnenflucht vor dem Feind erschossen wurde.

In meiner Familie veränderte sich einiges. Herr Feldmann, der mit meiner Familie aus Belgien flüchtete, richtete in seiner Wohnung ein Zimmer ein, in dem Fütterungen für Soldatenmützen zugeschnitten wurden. Meine Mutter arbeitete dort halbtags. Viele Jahre später war Herr Feldmann ein großer Unternehmer in New York, wohlhabend und angesehen, der sehr viel Geld gerade für Flüchtlinge spendete.

Mein Vater hatte in Berlin als junger Mann Kaufmann in der Eierbranche gelernt. Durch Beziehungen erhielt er einen Posten in dieser Branche in New York, wo er bis zu seinem 65. Lebensjahr arbeitete.

Anfangs war die schwere körperliche Arbeit für meinen Vater so ungewohnt, daß er schon früh am Abend auf die Uhr schaute, um dann schlafen zu gehen. Mehrfach äußerte er: „..., denn ich muß morgen wieder englisch sprechen." Es schien mir, daß mein Vater das Englisch für entschieden schwieriger als die körperliche Arbeit hielt.

Meine Eltern wollten nicht mehr, daß ich in der Bäckerei arbeitete, sondern ich sollte einen Beruf erlernen, um mit diesem Beruf in eine kaufmännische Tätigkeit zu kommen. Durch Bekannte erhielt ich einen

Leo als Soldat der USA Army,
April 1945

Posten in der Pelzbranche mit einem Gehalt von allerdings nur 20 Dollar die Woche. Aber ich arbeitete am Tag, nicht nachts wie in der Bäckerei, hatte jeden Abend frei und konnte daher einige Abendkurse an der Universität belegen. Kino, Theater und besonders Konzerte wurden von mir besucht. Natürlich hatte ich auch mehr Zeit für Damen, was ich auf keinen Fall bereute. Dennoch war wohl das Wichtigste, daß meine Eltern ihr Auskommen verdienten. Das Leben wurde besser und angenehmer. Trotzdem blieb die Angst um die Angehörigen in Europa und verstärkte sich im Laufe der Zeit noch.

Zwar war ich ein „enemy Alien", sollte um Erlaubnis fragen, wenn ich die Stadt verlassen wollte, doch keiner fragte, oder kümmerte sich darum. Ich fuhr einige Male nach Atlantik City, dem luxuriösen Badeort am Atlantik, der von der US Air Force übernommen worden war und wo ein Freund von mir seine militärische Ausbildung erhielt.

Mein Onkel Markus Ehrmann, 30 Jahre alt, eigentlich ein Jahr älter als das Maximum-Alter der Militärpflicht, dazu noch verheiratet und Vater zweier Kinder, wurde gebeten, der Armee beizutreten. Er meldete sich freiwillig, wurde sofort Hauptmann und hat den Dienst bei Kriegsende als Oberst verlassen. Mein Onkel war für einige Jahre Kommandant der Bomb-Disposal-Schule in Aberdeen, Maryland. Markus war weder

Ingenieur noch besonders technisch begabt, doch waren wohl seine Deutschkenntnisse gefragt.

Im Sommer 1942 wurde ein acht Jahre älterer Cousin von mir, Jerry Nagelberg, eingezogen, im Sommer darauf meine Cousins Leo Ehrmann, 19 Jahre und George Nagelberg, 18 Jahre. Ebenso waren die meisten meiner Freunde 1943 schon beim Militär.

Vor der deutschen Kriegserklärung an die Vereinigten Staaten berichteten die Zeitungen in den Staaten, insbesondere der „Aufbau", von der vollkommenen Rechtlosigkeit der deutschen Juden, von den Schikanen, denen sie ausgesetzt waren und dem Anfang der Deportationen nach Osten. In Polen wurden Gettos eingerichtet. Dort wurden Juden tätlich angegriffen, enteignet, erschlagen, erschossen, erhängt und auch bei lebendigem Leibe verbrannt. Doch eine organisierte Massenvernichtung wurde erst später beim Rußlandfeldzug zum Exzeß. Die „Einsatztruppen", spezialisierte Mörder, erschossen tausende und in großen Orten Zehntausende von Juden, Männer, Frauen, Kinder, Babys und Greise, aber erst nachdem man die Opfer ihrer letzten Habe beraubt hatte, sogar ihrer Kleidung.

Nachdem die USA in den Krieg verwickelt wurden, waren die Nachrichten, die man in den USA erhielt, leider sehr genau und richtig. Man wollte und konnte manches gar nicht glauben oder verstehen, doch wie es sich später herausstellte, handelte es sich um die volle Wahrheit.

An einem Sonnabendmorgen im August 1943 mußten vielleicht noch an die fünfzig andere Männer und ich uns beim Selective Service Board melden, mit nur etwas persönlichem Gepäck. Wir waren nur junge Leute, manche verheiratet, aber ohne Kinder. Väter, Mütter, Frauen und Geschwister waren auch dabei, um Abschied zu nehmen. Jeder von uns erhielt einen Nickel (fünf Cents) für die Fahrt mit der U-Bahn zum Pennsylvania Bahnhof in New York City. Während des fünfminütigen Weges zur U-Bahn wurden wir von unseren Verwandten begleitet. Die Frauen hatte natürlich Tränen in den Augen. Es wurde nicht gesungen, noch gab es irgendeine Art von Begeisterung. Doch man spürte das Pflichtbewußtsein aller Anwesenden. Es war das Gefühl von Verständnis „That a job has to be done".

Im Pennsylvania Bahnhof wurden wir sowie noch viele andere Gruppen aus fast allen Stadtteilen New Yorks von der Armee in Empfang genommen. Wir fuhren mit dem Zug zirka fünfzig Meilen zu dem Aufnahmelager „Camp Upton" in Long Island. Dieses Lager wurde bereits im Ersten Weltkrieg benutzt und war viele Quadratmeilen groß, mit Baracken bebaut soweit das Auge schauen konnte. Zuerst erfolgten Einweisungen in eine Baracke, dann „Processing", das heißt Papierkrieg bis weit nach Mitternacht. Für die nächsten Tage folgten ärztliche Untersuchungen, ein halbes Dutzend Impfungen und die Kleiderkammer. Bekleidung und Ausrüstung wurden sehr ernstgenommen. Alles mußte 100prozentig passen und sitzen. Nach der ärztlichen Untersuchung wurden zwei bis drei Leute aus meiner Baracke als dienstuntauglich aus der Armee verabschiedet und nach Hause geschickt mit der Auflage, sich wieder beim Selective Service Board zu melden.

Nach den ersten vier bis fünf Tagen wurden wir bereits zur Arbeit erfaßt, „Details", wie wir es nannten. Unangenehm war der Küchendienst; 12 bis 14 Stunden am Tag war die Durchschnittszeit. Der Soldat, der zur KP (Kitchen Police) eingeteilt war, mußte an seinem Bettende ein Handtuch befestigen, so daß die Wache den Soldaten um 4 Uhr morgens aufwecken konnte. Ich hatte nur einmal KP. Die anderen Details bestanden meistens aus vielen unnötigen Arbeiten, nur um die Rekruten zu beschäftigen. Fast alle Rekruten wurden nach einer Woche in ein anderes Armeelager gesandt, um ihre Ausbildung zu erhalten. Diese dauerte 17 Wochen, gleich ob sie für Infanterie, Tankkorps oder Artillerie vorgesehen war. Nur die Luftwaffe hatte eine etwas längere Ausbildungsperiode.

Aus irgendeinem Grund blieb ich ca. vier Wochen im Camp Upton. Allerdings konnte ich es nicht verlassen, durfte aber Besuch empfangen. Durch die günstige Lage des Camps, 50 Meilen von New York, wurde fast jeden Abend viel Unterhaltung geboten. Ganze Busladungen von jungen Damen wurden ins Camp gefahren. Es wurde getanzt, geplaudert, geflirtet und alkoholfreie Getränke verzehrt. Dies alles mehr oder weniger unter Aufsicht von älteren Begleiterinnen dieser Mädels. Broadwayshows wurden vorgeführt, Tänzer, Komödianten, viele von ihnen hatten bereits einen berühmten Namen.

Nach vierwöchigem Aufenthalt wurde ich in ein Infanterieausbildungslager gesandt, nach Camp Fannin, ca. 100 Meilen südöstlich von Dallas, Texas, gelegen. Die Reise dauerte drei Tage, natürlich mit Schlafwagen. Der Zug hatte an die 20 Waggons, in der Mitte des Zuges war der Verpflegungswagen. Die Wagen hatten bequeme Sitze. Diese Sitze wurden nachts zu einem Bett, in dem zwei Rekruten schliefen. Von der Decke wurde eine Koje heruntergelassen nur für einen Soldaten. Die Arbeiten, das heißt Bettenmachen und Aufräumen, erledigten zwei Neger der Pullmann-Gesellschaft. Im übrigen wurden alle Kriegsgefangenen per Schlafwagen genau wie die US-Soldaten transportiert, nur mit Wache versteht sich.

Camp Fannin war gerade aus dem Boden gestampft worden, alles war nagelneu und einigermaßen modern. Jede Kompanie hatte ihr eigenes Klassenzimmer, zwei Bataillons, ein Kino, eine Sanitätsstation.

Außerdem gab es dort einige Kapellen für Gottesdienst. Diese Kapellen waren für alle Konfessionen bestimmt und konnten mit einigen Bewegungen und Knopfdrücken je nach Wunsch zum Gottesdienst für alle bekannten Religionsgruppen hergerichtet werden.

Im Camp Fannin fing das ernste Soldatenleben bzw. Rekrutendasein an. Die USA hatten in Friedenszeiten nur eine kleine Armee im Vergleich zu der bedeutend größeren Kriegsflotte. Die Cadre, das Ausbildungspersonal, waren fast ohne Ausnahme Soldaten der Friedensarmee. Der Hauptmann war häufig Sergeant in der „Regular Army", wie wir es nannten. Unsere Sergeanten waren meistens vor ein bis zwei Jahren noch einfache Soldaten.

Selbstverständlich gab es hier und da Schwierigkeiten, aber in der Regel kam man miteinander aus. Jede Gruppe lernte schnell, mit der anderen umzugehen und auszukommen. Wenn ein Rekrut in die Kompanie-Schreibstube ging, um Ausgang für den Abend bzw. das Wochenende zu erhalten, lernte er sehr bald, als Grund nicht einen Konzertbesuch anzugeben. Noch schlimmer war es, den Wunsch zu äußern, eine Bibliothek aufzusuchen. Man ging in eine Bar, ein Tanzlokal, oder man hatte eine Verabredung mit einer flotten Blondine, und die Ausgangserlaubnis war gesichert.

Wir lernten Bettenmachen, die Decke mußte so stramm gezogen werden, daß ein Geldstück, welches der Sergeant auf die Decke schmiß, hochschnellte, Stiefel auf Hochglanz polieren, und dem ersten Haarschnitt fielen alle Locken zum Opfer.

Man hatte einige neue Freunde und fand auch gute Kameraden. Das Scharfschießen war für mich besonders interessant, denn die Zielscheiben wurden von deutschen POW (Kriegsgefangene) bedient; man kam ins Gespräch, bot sich gegenseitig Zigaretten an.

Diese deutschen Kriegsgefangenen in Camp Fannin wohnten in denselben Unterkünften wie die US-Soldaten, verdienten etwas Geld, hatten ihre eigene Kantine und genau dieselbe gute Verpflegung wie wir und spielten Fußball. Die POW wurden von eigenen Unteroffizieren zur und von der Arbeit geführt. Außerhalb des Lagers wurden sie von zwei oder drei Wachsoldaten begleitet. Beim Marschieren sangen die POW Lieder, die mir noch aus Kiel bekannt waren, einfache volkstümliche Marschlieder, nie aber irgendwelche Nazilieder.

Die höheren US-Offiziere in Camp Fannin, vom Major an, waren fast alle Regular Army und davon ein guter Teil West Pointer (von der berühmten US-Militärakademie im Staate New York), eine Elite in der Armee, sehr oft aus alten amerikanischen Familien stammend und stark religiös orientiert. Doch in diesem Ausbildungslager hatten auch diese Offiziere einen viel höheren Rang als dieselben in der Regular Army innehatten.

Ärzte und höhere Verwaltungsleute waren alle Offiziere, doch meistens Zivilisten in Uniformen.

Mein Cousin Leon Ehrmann war bereits einige Wochen vor mir im Camp Fannin und konnte mir so einige Tips geben. Unsere Familien waren sehr froh darüber, daß wir am selben Ort waren. Doch wir sahen uns nicht zu oft. Wenn, dann meistens in der Stadt namens Tyler, einige Meilen vom Camp entfernt. Eine sehr schöne kleine Stadt, Rose City genannt, bekannt durch ihre schönen Rosen. Nicht nur die Rosen waren schön, es gab auch besonders hübsche Mädchen in Texas. Die Bevölkerung war sehr gastfreundlich. Das berühmte „Southern Hospitality" öffnete für die Soldaten im wahrsten Sinne die Fenster und die Türen.

Ein Mädchen, das sonntags als freiwillige Telefonistin in der USO (Soldaten Club und Heim) arbeitete, lud mich in ihr Haus oder, besser gesagt, ihrer Eltern Haus ein. Ich war ein gutes halbes Jahr im Camp Fannin stationiert und verbrachte viele Wochenenden im Hause dieser gastfreundlichen Familie. Im übrigen war die Stadt Tyler „trocken", das heißt, es gab keine alkoholischen Getränke. Doch konnte man, sobald man das County (Regierungsbezirk) verließ, wiederum Bier usw. konsumieren. Obgleich Camp Fannin zum County gehörte, durfte dort in der Kantine Bier ausgeschenkt werden.

Am 2. Dezember 1943 erhielten vielleicht noch fünfzig weitere Soldaten und ich unsere Einbürgerungspapiere in Tyler. Und weil es eben in Texas geschah, erhielten wir auch noch die texanische Staatsbürgerschaft, die es technisch gar nicht gibt. Aber das sollte man für sich behalten, denn Texaner haben ihre eigenen Ansichten und Vorstellungen. Es gab viele Reden und eine große Party. Außer mir waren noch einige sehr nachdenklich. Ich fühlte mich ausgestoßen und unerwünscht in meiner alten Heimat. Einige Mexikaner hatten es abgelehnt, US-Bürger zu werden. Einer in meiner Company erklärte laut und offen, daß er als Mensch zweiter Klasse behandelt werde und kein Bürger in diesem Lande werden wolle.

Wie bereits erwähnt, betrug die Ausbildungszeit 17 Wochen. Doch zwei bis drei Wochen vorher wurde ich mit einer starken Lungenentzündung

THE UNITED ST

ORIGINAL
TO BE GIVEN TO
THE PERSON NATURALIZED

CERTIFICATE OF

Petition No. 325-M

Personal description of holder as of date of naturalizat
complexion Fair *color of eyes* Brown
weight 140 *pounds; visible distinctive marks* No
Marital status Single
I certify that the description above given is tr

State of Tex
County of Sr
Be it kr

held pursuan
on
Leo B
then residing
intends to rese
Naturalizatio
the applicable
admitted to
admitted as a
In testim
day of
Forty-thre
and Sixty

Seal

It is a violation of the U.S. Code (and
punishable as such) to copy, print, photograph,
or otherwise illegally use this certificate.

Einbürgerungsurkunde

No. 6076065

NATURALIZATION

23 _years; sex_ Male _color_ White
hair Brown _height_ 5 _feet_ 7 _inches:_

former nationality German
that the photograph affixed hereto is a likeness of me.

Bodenstein

(complete and true signature of holder)

$\left.\right\}$ _ss:_

at a term of the District _Court of_
county, Texas
_at_ Camp Fannin, Texas
_er_ 1943 _the Court having found that_

Fannin, Texas
nently in the United States (when so required by the
the United States), had in all other respects complied with
s of such naturalization laws, and was entitled to be
ip, thereupon ordered that such person be and (s)he was
the United States of America;
of the seal of the court is hereunto affixed this 2nd
in the year of our Lord, nineteen hundred and
and of our Independence the one hundred

Clerk of the District _Court._

_By_ _Deputy Clerk._

ins Krankenhaus eingeliefert. Daß es ernst um mich stand, konnte ich daran sehen, daß die Krankenbaracken für ca. 20 Patienten vorgesehen waren, jede hatte ein Einzelzimmer und dort hinein wurde ich gelegt. Penicillin war eine neue Medizin und konnte noch nicht in Millioneneinheiten verabreicht werden, sondern die Spritzen betrugen um die 100.000 Einheiten. Alle Stunde wurde ich im Bett umgedreht und bekam von der Schwester eine Spritze verabreicht. Ich blieb an die sechs Wochen im Hospital und kam dann zurück zu meiner Company, die bereits neue, mir nicht bekannte Rekruten hatte. Da ich mehr oder weniger meine Ausbildung absolviert hatte, durfte ich ein Zimmer mit einem Koporal teilen und half hier und da etwas mit.

Kurz nach meiner Genesung wurde ich ins Hauptquartier bestellt, wo ich von zwei Offizieren und zwei Zivilisten interviewt wurde. Sie befragten mich über alles: Schule, Eltern, Deutschland, Nazis, die Armee, Freunde. Ein Teil dieses Interviews war auch in deutscher Sprache. Zwei Tage später wurde ich wiederum ins Hauptquartier beordert und erhielt dort von einem Offizier meine „Orders". Noch in derselben Nacht fuhr ich nach Washington, D. C.

Sofort nach meiner Ankunft meldete ich mich bei der mir angegebenen Dienststelle. Als erstes erhielt ich einen Wochenendpaß. Ich sollte mich am Montag vormittags wieder melden. Also setzte ich mich sofort in den nächsten Zug nach New York und verbrachte zwei Tage bei meiner Familie. Es war ein wunderbares Wiedersehen. Auf dem Rückweg nach Washington traf ich meinen Onkel Markus, der inzwischen zum Major befördert worden war, auf dem Bahnhof. Er war in Aberdeen, Maryland, stationiert. Ich übernachtete bei ihm und fuhr Montagmorgen weiter nach Washington.

Dort angekommen, wurden zwei weitere Soldaten und ich nach Fort Meade, Maryland, gefahren. Wir blieben an die zwei Wochen da, wurden verhört und befragt. Auch deutsch wurde gesprochen und gelesen. Mappen und Luftaufnahmen mußten erklärt werden. Ich wurde in ein großes Büro geführt, wobei mir zur Auflage gemacht wurde, mich gut umzuschauen. Nach einer Minute in diesem Büro mußte ich alles genau aufschreiben, was ich gesehen hatte. Ob ich etwas gut oder schlecht gemacht habe, weiß ich bis heute nicht.

Doch eines weiß ich, daß ich in den nächsten zwei Jahren doch interessante und verantwortliche Arbeit verrichtete, und zwar für 18 Monate in der Washington D. C.-Fort Meade, Maryland-Area. Vom Juli 1945 an der Westküste in Oregon und nach dem Endsieg der Alliierten über Japan arbeitete ich wiederum an der Ostküste, wo ich dann am 30. Januar 1946 in Washington D. C. aus der Armee verabschiedet wurde.

Der Gedanke kam mir nahe, daß ich aufgrund meiner Deutschkenntnisse einem Dienst zugeteilt wurde, bei dem diese Sprachkenntnisse von Nutzen sein konnten. Dies war nicht der Fall. Die Aufgabe meiner Dienststelle war, für einen reibungslosen Transport der Truppen von den Camps zu den verschiedenen Häfen zu sorgen, und insbesondere auch die Geheimhaltung dieser Transporte. Die Einstellung der amerikanischen Zivilbevölkerung zum Krieg war einmalig und schwer zu beschreiben. Es gab natürlich auch gewisse Rationierungen z.B. von Zukker, Fleisch, Lederwaren und vieles andere. War Bonds wurden gezeichnet, und Soldaten wurden überall eingeladen, waren respektiert und beliebt. Ein Bild, das man überall sah, war ein Aufruf zum War Bonds Drive mit den Bildern der Führer der 3-Achsen-Mächte. Mussolini wurde fett und häßlich dargestellt, Hirohito hatte etwas Affenartiges an sich und Hitler hatte eine verblüffende Ähnlichkeit mit Charly Chaplin.

Die USA hatten Anfang 1944 15 Millionen Soldaten und die Mädels sangen einen populären Schlager:

> They are either too young or too old,
> what is good is in the Army,
> the rest will never harm me etc., etc.

Ich wurde auch sehr bald zum Sergeanten befördert und hatte Gelegenheit, in den USA dienstlich viel zu reisen. Hier und da konnte ich mit deutschen POW sprechen; ich kann es mir bis heute nicht ganz erklären, aber ich suchte den Kontakt. Die deutschen POW waren irgendwie ein Rätsel für mich, das ich bis heute nicht gelöst zu haben glaube.

Nach der Kehrtwendung Italiens, der Verhaftung Mussolinis, wurden die italienischen POW zwar noch in Lagern gehalten, aber kaum noch mit Bewachung. Die Deutschen waren fast alle in Afrika gefangen genommen worden. Sie waren gute Soldaten. Doch gab es einige Zwischenfälle, die auch etwas Licht auf die Einstellung dieser Soldaten warf. Ich weiß von einigen Fällen, wo deutsche POW Schutz bei der US-Armee suchen mußten, weil sie Morddrohungen von Kameraden erhielten. In einem weiteren Fall wurden zwei in der Latrine erhängt aufgefunden. Dies war kein Selbstmord, sondern Mord, wie sich in späteren Untersuchungen herausstellte. Von den eigenen Kameraden erhängt, nicht weil sie etwa am Sieg zweifelten, sondern einfach weil sie Anti-Nazi-Kommentare gaben.

Diese Situation konnte ich nicht verstehen, genauso wenig wie die, daß die deutschen POW kaum Fluchtversuche unternahmen. Selbstverständlich waren die Chancen mit Erfolg zu flüchten gleich null, so war es aber auch für amerikanische und englische Gefangene in Deutschland und trotzdem flüchteten viele. In unserer Rekrutenzeit wurden wir belehrt, daß, wenn Fluchtgefahr besteht, Wachmannschaften verstärkt werden. Bei einer Flucht sind dann viele Soldaten damit beschäftigt, die Flüchtenden wieder einzufangen. Somit beschäftigten wir den Feind und zwangen ihn, weniger Soldaten an die Front zu schicken.

Eine weitere Frage konnte ich mir nicht erklären. Wo immer deutsche Truppen ein Land besetzten, gab es viele Aktionen eines Widerstands. Dies war nicht der Fall, als Deutschland von den Alliieren besetzt wurde. Eine Antwort, die ich evtl. akzeptieren könnte, ist die, daß der deutsche Soldat im inneren wußte, daß er nicht für eine gerechte Sache kämpfte.

Eventuell ist auch folgende Theorie eine Antwort. Nach 1918 verflossen wenige Wochen, bis das ganze deutsche Volk an die Dolchstoßlegende glaubte. Vielleicht war man bereit, nach diesem letzten Krieg die Legende wieder aufleben zu lassen. Noch vor zehn Jahren hätte ich diese Theorie als unmöglich bezeichnet. Heute, 50 Jahre nach dem Kriegsausbruch, kommt diese Legende, wenn auch noch zaghaft, wiederum hoch.

Der Krieg 1944 war ein Krieg, in dem die Alliierten auf dem Weg zum Sieg waren. Langsam verstand ich auch die Mentalität der Amerikaner, die bereits am 7. Dezember 1941, als Japan Pearl Harbor bombardierte, glaubten, den Sieg in der Tasche zu haben. Trotzdem war es ein langer Weg, und noch viele Menschen mußten sterben. Juni 1944 erfolgte die Invasion der Alliierten an der Normandie-Küste, mit erbitterten Kämpfen in Frankreich. Die Alliierten rückten voran, ebenso die Russen. Die Japaner wurden langsam zurückgedrängt, ihre Flotte wurde besiegt. Ein Gegenstoß der Deutschen im Dezember 1944 in den Ardennen war letztlich ohne Erfolg. Die Russen befreiten das restliche Polen, auch Auschwitz. Berichte und Bilder erschütterten die Welt. Man wollte und konnte die Vorkommnisse nicht verstehen. Dachau, Bergen-Belsen, Sachsenhausen und viele andere Konzentrationslager wurden im Frühjahr 1945 befreit. Soldaten weinten, als sie Zeugen des Geschehens wurden. Die SS-Wachmannschaften hoben die Hände und flehten „Kamerad nicht schießen". Jeder deutsche Haushalt flaggte weiß, und selbstverständlich war man verfolgt worden und wußte von nichts. Um den berühmten Maler Max Liebermann zu zitieren: „Man kann nicht soviel essen, wie man kotzen möchte."

Waffenstillstand Mai 1945. Ich war für einige Tage zu Hause. Meine Eltern weinten über die Berichte aus den KZ, über Verwandte, die wohl tot sind, und vielleicht auch über Freunde in der alten Heimat Deutschland. Die Armee bat mich, der Unra beizutreten. Das war eine Organisation, deren Aufgabe es war, den Flüchtlingen in Europa zu helfen. Ich war einverstanden, doch bereits Ende Juni oder Anfang Juli wurde ich nach Oregon transferiert, zum Camp Adair.

Die Reise nahm fast eine Woche in Anspruch. Ich wußte nicht, warum, weshalb und zu welchem Zweck ich sowie viele meiner Kameraden transferiert wurden. Im Camp Adair wurde der Grund bekannt. Wir sollten wiederum für reibungslose Truppentransporte sorgen, nur jetzt an den pazifischen Kriegsschauplatz.

Im Camp Adair fand ein Kamerad einen Kleiderbügel in einer Baracke, in der vorher deutsche POW-Offiziere untergebracht waren. Dieser Bügel hat den Namen meines elterlichen Geschäfts eingeprägt, „Bodenstein Kiel", und ich besitze ihn noch heute. Dies kann ich mir nur so erklären, daß ein Offizier in Afrika, wo sich ja zehntausende deutsche Truppen ergeben mußten, mit seinem ganzen Gepäck in die USA transportiert wurde. Somit nehme ich an, daß dieser Herr Kunde in unserem Geschäft war.

Ich erhielt Marschbefehl, sollte nach Hawai transferiert werden und bekam zehn Tage Urlaub. Zehn Tage hätten in Kriegszeiten nicht für eine Hin- und Rückreise nach New York gereicht, deshalb fuhr ich nach San Francisco. Dort wurde ich von der Bombardierung Hiroshimas und Nagasakis überrascht sowie von dem darauffolgenden Waffenstillstand mit Japan. Wir lernten das Wort „Atombombe" kennen. Aber wir Soldaten und Zivilisten verstanden nicht sehr viel, was dies bedeutete, nur, daß es eine Waffe war, die den Krieg schnell beendete.

Mein Befehl wurde storniert. Im Oktober ging es zurück zur Ostküste. Die US-Soldaten wurden nach einem Punktsystem aus der Armee verabschiedet. Ich konnte mir ausrechnen, daß ich Anfang 1946 entlassen werden sollte.

Amerikanische Kriegsgefangene, die in Deutschland befreit wurden, sind meistens in einigermaßen gutem Gesundheitszustand zurückgekehrt. Doch nach dem Sieg über Japan hatten alle genug Punkte, um entlassen zu werden. Ein Freund von mir, Bob Feller, und ein „um zwei Ecken herum Verwandter", Hermann Grundleger, Juden aus Berlin, waren in deutsche Gefangenschaft geraten. Beide berichteten mir, daß sie von den Deutschen fair behandelt wurden. In vielen Fällen war es auch nicht bekannt, daß es sich um jüdische Gefangene handelte. Trotzdem ist mir ein Fall bekannt, in dem in einer amerikanischen Gefangenengruppe selektiert wurde. Dies war in einer Kaserne in München, wo an die 20 amerikanische Gefangene jüdischen Glaubens nicht in die Luftschutzkeller gehen durften.

Doch nicht alle Amerikaner, die sich mit erhobenen Händen ergaben, wurden als Gefangene behandelt. Hunderte von ihnen wurden in den Dezember-Tagen 1944 in den Ardennen von SS-Truppen massakriert. Der US-Präsident Reagan besuchte viele Jahre später einen Friedhof, nicht sehr viele Meilen von den Ardennen entfernt, und ehrte damit auch diese SS-„Soldaten", die auf dem Friedhof beerdigt wurden.

Amerikanische und englische Flieger, die mit Fallschirmen über deutschem Gebiet abspringen mußten, wurden von deutschen Zivilisten erschlagen. Leider waren es nicht Einzelfälle, es passierte im verstärkten Luftkrieg auch des öfteren. Keiner von diesen Tätern wurde einer gerechten Strafe zugeführt.

Aus Berichten zurückkehrender Soldaten, der Presse und Jahre später aus Büchern der beteiligten Personen wußte ich, daß die von den westlichen Armeen besetzten Gebiete ein Ziel der zivilen deutschen Flüchtlinge sowie der Solaten waren. Alles floh in diese Richtung und zu den Menschen, von denen diese wußten, das dieselben sie menschlich behandeln würden. Alles dies gab mir große Genugtuung und Hoffnung auf ein freies, demokratisches Deutschland der Zukunft.

Doch die Pläne für Deutschland waren bereits in Jalta festgelegt worden. Die Pläne des Herrn Stalin, des Präsidenten Roosevelt und des Premierminister Churchill waren sehr hart. Sicherlich mußten die westlichen Herren Stalin sehr nachgeben. Ganze Nationen wurden den Russen überlassen, und mit der Besetzung eines Drittel Deutschlands durch Rußland war das Land praktisch schon geteilt. Millionen und Abermillionen von Deutschen mußten ihre Heimat und ihren Besitz verlassen. Es gab allerdings noch einen Vorschlag des Herrn Morgenthau. Dieser war kaum in den Staaten bekannt, aber dafür umso mehr in Deutschland.

Er schlug vor, ein Deutschland, und zwar ein ungeteiltes Deutschland, zu schaffen, das Landwirtschaft, Kleinindustrie, Fremdenverkehr betreibt, ein Deutschland ohne Armee, ohne Atomkraftwerke und ohne Großindustrie.

Wenn man heutzutage den Herrn Bastian und Frau Kelly reden hört, sollte man meinen, die grüne Partei hätte den Vorschlag des Herrn Morgenthau ins Parteiprogramm übernommen.

Im Dezember 1945 wurde ich während einer Dienstreise an der Hand leicht verletzt. Obendrein hatte ich eine Erkältung mit etwas Fieber. Dies geschah im Camp Pikett, Virginia, an die 60 Meilen von Washington

D.C. entfernt. Ich wurde gleich im Hospital behalten, und zwar für etwa eine gute Woche. Einige Baracken des Hospitals waren mit deutschen POW belegt. Alle Patienten, ob US-Armeeangehörige oder POW, die gehen konnten, mußten im Speisesaal essen. Selbstverständlich kam man ins Gespräch. Natürlich hatte sich vieles geändert seit Mai 1945. Die Nazis unter den POW waren es entweder nicht mehr oder redeten nicht darüber. Doch in den manchmal stundenlangen Gesprächen mit den Gefangenen hörte ich von deren Angst um die Heimat, Familien und Zukunft. Ein etwas älterer Soldat als ich, so an die 30 Jahre, unverheiratet, aus der Nähe von Flensburg stammend, Deutscher, jedoch der dänischen Minderheit angehörend, erzählte mir von seiner Hoffnung, daß ein Teil Schleswigs Dänemark zugesprochen würde. Mit all denen ich sprach, spürte ich deren Freude, daß es wieder Frieden gibt, keine Trauer über den verlorenen Krieg, doch Trauer und Schmerz für das Vaterland. Wenn sie von Eltern, Frau, Kindern sprachen, wußte ich genau, wie sie fühlten, denn ich hatte doch einst dieselben Gefühle.

Es war auch den POW bekannt, daß die Rückreise nach Deutschland mit Umwegen verbunden war. Tatsächlich mußten die meisten noch Monate und manchmal sogar ein bis zwei Jahre in weiterer Kriegsgefangenschaft, in England oder Frankreich, verbringen.

Am 30. Januar 1946 wurde ich vom Dienst verabschiedet. Mein Cousin Georg kam kurz danach aus Europa wieder nach Hause. Onkel Martin war schon seit Wochen Zivilist, und mein Cousin Jerry wurde im März 1946 verabschiedet. Leider war mein Cousin Leon sehr schwer im Sommer 1945 am Pazifik verwundet worden, inzwischen machte er Genesungsfortschritte.

Am 18. Februar 1946 zog ich noch einmal eine Uniform an. Ich erhielt eine Auszeichnung für „Meritorions Service" von der US-Armee. Wenige Tage später befand ich mich wiederum in Uniform und mit meiner Mutter und meinem Vater auf dem Weg zum „Federal Court" (Bundesgericht), denn mein Vater sollte US-Bürger werden.

Meine Mutter war bereits seit Dezember 1945 Bürgerin der USA. Meine Eltern konnten aufgrund meiner Einbürgerung und meines Armeedienstes zeitlich etwas bevorzugt eingebürgert werden. Dennoch mußte man eine kleine Prüfung bestehen. Englisch sprechen, lesen und schreiben war ein Muß. Weiter sollte man einiges über die Verfassung der Vereinigten Staaten wissen und zwei Zeugen bringen, die den guten Leumund des Antragstellers bestätigen konnten. Meine Mutter und ich waren die Zeugen. Da Vater immer noch auf Kriegsfuß mit der englischen Sprache stand, sollte meine Uniform etwas nachhelfen. Wie auch immer, mein Vater mußte seinen Namen und seine Adresse aufschreiben. Der Richter fragte ihn nach dem Namen „of the present president of the United States". Mein Vater antwortete korrekt mit Harry Truman. Die zweite und letzte Frage lautete: „What was the name of the president during the civil war?" Irgendwie verstand Vater nicht den Ausdruck „civil war", denn seine Antwort lautete George Washington. Der Richter wiederholte die Frage in ziemlich gutem Deutsch, und diesmal hatte Vater die richtige Antwort bereit: Abraham Lincoln.

Ich beschreibe diese Episode so genau und ausführlich, um unsere Gedanken und Gefühle wiederzugeben. Wir waren erst kürzlich vertrieben und verstoßen aus unserer Heimat. In dem großen Land der Vereinigten Staaten waren Behörden freundlich, hilfsbereit und geehrt, uns als Bürger aufzunehmen.

Wir wohnten seinerzeit an der South 8th Street in Brooklyn, einer kleinbürgerlichen Wohngegend, von Juden, Italienern, Irländern und anderen bewohnt. Kurz nach meiner Heimkehr gab es einen Blockparty für die heimkehrenden Veteranen. Die Wärme und Achtung, die alle Nachbarn sich gegenseitig zeigten, ist für mich unvergeßlich.

Im Laufe des Jahres 1946 wurde meiner Familie die Zahl der Namen der Opfer unter unseren Verwandten, Freunden und Mitbürgern in Kiel bewußt. Meine Großmutter, Rachel Ehrmann, ist sicher im Holocaust umgekommen. Meine Mutter als älteste der Geschwister setzte ein Todesdatum fest, so daß die jährliche „Jahrzeit" an diesem Tag gehalten wird. Mein Onkel und meine Tante, Max und Helene Krapp geb. Bodenstein, eine Schwester meines Vaters, wurden aus Hamburg mit vier Kindern in den Osten verschickt und überlebten nicht. Eine weitere Tante, Regina Grünbaum, geb. Ehrmann, eine Schwester meiner Mutter, und ihr Gatte Adolf sowie Tochter Paula waren weitere Opfer der Unmenschen.

Der Kieler Max Nagelberg fand seine Eltern im Herbst 1944 nach der Befreiung in Brüssel wieder, als er in der US-Armee diente. Seine beiden Schwestern wurden nach Auschwitz deportiert. Einige Kieler überlebten in Schanghai, andere sogar in verschiedenen KZ, meist Theresienstadt. Ende 1946, um 18 Monate nach Kriegsende, mußten wir annehmen, daß an die 40 Prozent der jüdischen Kieler Gemeindemitglieder den Holocaust nicht überlebt hatten.

Es soll nicht unerwähnt bleiben, daß sich die Japaner in Schanghai den Deutschen widersetzten und den Juden nichts antaten, obgleich trotz des schwierigen Transportweges die Deutschen den Japanern Giftgas zur Verfügung stellten.

Aus Holland wurden elf Kieler Juden deportiert. Keiner überlebte in Holland. Aus Belgien haben sich 24 Kieler über Frankreich gerettet, meistens in die USA und nach Südamerika. Weitere Kieler entkamen aus Belgien in die Schweiz, darunter eine dreiköpfige Familie. Das zweite Kind wurde in der Schweiz geboren. 16 Kieler Juden wurden aus Belgien deportiert. Zwei Kieler waren in Brüssel untergetaucht und überlebten, ebenso drei junge Mädels eines Kieler Ehepaares, die in einem Kloster versteckt waren. Mit den größten Schwierigkeiten und großem Geldaufwand gelang es, die drei jungen Mädels illegal nach Palästina zu bringen.

Wir wenigen Kieler Juden, die wir noch waren, halfen dort, wo wir es für richtig hielten, wie in dem Falle der Mädels. Unser letzter Kieler Rabbiner Dr. Posner hielt Kontakt mit Kielern. Wir unterstützten die Bibliothek, in der Dr. Posner in Jerusalem arbeitete. Zwei Kieler Geschwister, die nach Schanghai immigrierten, getauft als Kinder und Töchter einer jüdischen Mutter, heirateten später in den USA Juden.

Die Eltern von Max Nagelberg erreichten die USA Anfang 1946 und brachten einige wertvolle Erinnerungen für meine Eltern mit. Es schien, als ob die Nazis, die die Wohnung meiner Eltern in Brüssel versiegelten, sie vergaßen oder sahen, daß es dort wenig zu stehlen gab. Die Nagelbergs erhielten die Erlaubnis nach dem Einmarsch der Alliierten, die Wohnung zu betreten. Sie fanden einige Bilder, Papiere, eine große Porzellanpuppe meiner Schwester, die heute im Besitz von Zitas Enkeltochter ist, sowie ein ziemlich wertvoller Ring meiner Mutter, die immer dachte, daß sie diesen Ring während der Flucht aus Brüssel verloren hatte. Doch befand er sich am Rande des Waschbeckens in der Brüsseler Wohnung.

Der Lift meiner Eltern, der für Übersee bestimmt war und in Antwerpen lagerte, wurde, wie wir später erfuhren, dem deutschen Volksvermögen zugeführt.

In Polen gab es noch nach der Befreiung durch russische Truppen Pogrome. Die wenigen überlebenden Juden flüchteten in das von den US- und englischen Truppen besetzte Deutschland, der beste und kürzeste Weg wäre wohl über den Ostteil Deutschlands gewesen, doch dies war zu gefährlich, tausende und abertausende flohen über die Tschechoslowakei. Die USA nahmen wohl an die 100.000 Juden auf, viele gingen illegal nach Palästina, tausende nach Australien, Kanada und in einige andere Länder.

Die englische Labour-Regierung unter Bevin versuchte krampfhaft an Palästina festzuhalten, denn alle englischen Kolonien wurden selbständig oder deren Selbständigkeit war vorauszusehen. Doch das Mandat Palästina, das die Engländer sich erschlichen hatten, war am Ende doch zuviel, und sie überließen die Entscheidung über die Zukunft Palästinas den Vereinigten Nationen.

Im Frühjahr 1947 veranstalteten die jüdischen Kriegsteilnehmer und auch viele interessierte Veteranen in Washington D.C. einen Protestmarsch, an dem ich teilnahm. Es mußten an die 200.000 Veteranen gewesen sein. Es war wohl unmöglich, daß alle fast 600.000 jüdischen Veteranen erscheinen konnten, doch diese 200.000 hinterließen einen großen politischen Eindruck. Die verschiedenen Delegationen, die das Weiße Haus, den Senat und den Congreß aufsuchten, verlangten den Abzug Englands aus Palästina. Die Marschierenden trugen Banner und riefen folgenden Slogan: „Jewisch State in 48".

Ich war persönlich sehr stark für die zionistischen Ziele engagiert. Als ich wieder nach dem Krieg beruflich Fuß gefaßt hatte, war ich sehr aktiv im New World Club, deren Zeitung, der „Aufbau", uns genaue Informationen lieferte über das Schicksal der überlebenden Juden und Flüchtlinge in dem zerstörten Europa.

Etwa zu dieser Zeit wurden auch die ersten Kontakte mit Freunden bzw. Bekannten in Kiel wiederhergestellt. Es war für uns möglich, einige „Care"-Pakete zu senden, doch allgemeiner Post- und Briefverkehr wurden erst zu einem spätere Zeitpunkt effektiv.

Es gab bereits wieder eine jüdische Gemeinschaft in Kiel, zu welcher der Kontakt aber noch indirekt war. Die meisten Juden waren durch die Kriegswirren in Schleswig-Holstein gelandet. Einige lebten in Kiel, Flensburg, Lübeck und die größte Gruppe von ungefähr 600 Juden in Neustadt/Holstein. Dieser indirekte Kontakt wurde von Flüchtlingen hergestellt, die in Amerika um 1947/48 eine neue Heimat fanden. Eine Familie in Jersey City immigrierte mit zwei Kindern, in Flensburg geboren, sowie ein junges Ehepaar aus Kiel. Ein weiteres Ehepaar hatte Kontakt mit uns. Dieselben hatten in Kiel geheiratet und wohnten jetzt in Montreal. Die Frau war eine Halbjüdin aus einer alten bekannten jüdischen Familie, ihr Mann stammte aus dem Osten.

Eines Tages erhielten wir Post von der englischen Militärverwaltung in Kiel, die über unser Vermögen in Kiel unterrichtet werden wollte. Wie ich später erfuhr, waren alle Akten der vom Regierungspräsidenten verlangten Vermögensangaben vernichtet worden. Meine Familie versuchte mit unserem letzten Rechtsanwalt in Kiel, Dr. Gradenwitz, Kontakt aufzunehmen. Wir wußten nicht, daß Dr. Gradenwitz in Hamburg lebte. Das Kieler Einwohnermeldeamt antwortete nicht. Wir schrieben dann an den uns bekannten Dr. Beyersdorff, der in den nächsten Jahren die Interessen meiner Familie vertrat.

Im November 1947 heiratete meine Schwester Gisela den Hamburger Herbert Freschl. Die sehr schöne und große Hochzeit, die in einem Ballsaal in Brooklyn stattfand, erinnerte uns natürlich sehr an die Hochzeit meiner Schwester Reginchen, die noch in der Kieler Synagoge stattfand. Außer der Familie und unseren Freunden nahmen auch fast alle Kieler teil, die nach New York und Umgebung immigriert waren.

Ich kaufte mir meinen ersten Smoking.

Meine Familie trat 1942 einer Syngogengemeinde bei. Dies war eine kleine Gemeinde, die durch den jüdischen Flüchtlingsstrom zum Wachsen kam. In dieser Gemeinde waren fünf jüdische Kieler Familien Mitglied, aber auch viele Familien aus anderen Städten und Gegenden Deutschlands, wie Essen, Düsseldorf und Köln. In dieser Gemeinde gab es nicht nur ein reges religiöses Leben, sondern sie war auch gesellschaftlich sehr rege. Insbesondere möchte ich die Hilfsbereitschaft der Mitglieder hervorheben. Gelder für sehr viele wohltätige Zwecke wurden gesammelt. Natürlich waren Sammlungen für Flüchtlinge vielleicht als erstes an der Agenda; doch auch für Schulen und Krankenhilfen brauchte man Spenden. Mein Vater war 25 Jahre Präsident dieser Gemeinde.

8. Der Anfang einer beruflichen Karriere

Unter der G. I. Bill auf Rights, das sind die Privilegien eines Veterans, konnte ich für zweieinhalb Jahre studieren oder da ich auch arbeitete, konnten diese zweieinhalb Jahre ausgedehnt werden. Die Regierung zahlte die Kosten des Studiums oder die Ausbildung im Falle eines Studiums, die Kosten der Bücher usw. bis zum Federhalter. Falls man nicht arbeitete, gab es einen Wochenzuschuß von $ 25. Ich besuchte über viele Jahre Kurse, die ich für interessant hielt und mir wichtig erschienen. Doch meine Zeit war limitiert.

Diese Ausbildung und das erworbene Wissen waren sehr wichtig für meine berufliche Karriere.

Ende 1948 habe ich mich in der Pelzbranche selbständig gemacht. Diese Branche war sehr saisonabhängig. Es war sehr schwierig, in ihr vorwärtszukommen. Trotzdem „machte ich ein Leben", um vom Amerikanischen zu übersetzen „I'm making a living". Zu diesem Zeitpunkt war ich mir schon sicher, daß ich zwar im kaufmännischen Beruf bleiben werde, aber in eine andere Richtung gehen muß.

Ich war nicht mehr im Jünglingsalter. Meine Eltern fragten auch schon nach meinen Plänen, ob welche in Richtung Ehe gingen, oder wie man es in englisch so gut ausdrücken kann „plans to settle down". Doch ich fühlte mich als Junggeselle ziemlich wohl. Unsere Mutter, die nach dem Krieg nicht mehr arbeitete, bereitete uns ein komfortables Heim. Meine Freunde und ich gingen am Wochenende des öfteren aus. Wir besuchten Veranstaltungen und Vorträge mit anschließendem Tanz. Auch „Dates", Verabredungen mit jungen Damen hatte ich. Da New York aber eine Riesenstadt ist, war es nicht unwichtig, daß diese „Date" nicht zu weit entfernt wohnte. Sonst wäre es nicht unwahrscheinlich, daß man an die fünf Stunden in der „Subway" verbringen mußte. Seinerzeit war es obligatorisch, daß der Herr die Dame abholen und natürlich auch nach Hause begleiten mußte. Als ich dann ein Auto besaß, waren die Zeiten, die ich sonst auf der Subway verbringen mußte, etwas gekürzt. Außerdem hatte ein Auto noch andere erhebliche Vorteile.

Für größere oder längere Ferien hatte ich kaum Zeit. Doch einmal fuhr ich mit Freunden für einige Tage nach Florida und von Miami nach Havanna auf Cuba. Havanna war eine typische Touristenstadt, aber bereits tiefes Lateinamerika mit einer unbeschreiblich lebendigen Atmosphäre, Lebenslust und Lebensstil. Meistens verreiste ich nur über Feiertage wie den 4. Juli, der amerikanische Unabhängigkeitstag, Labor Day, auf den ersten Montag im September fallend, und anderen. Ein langes Wochenende mit Freunden war nicht nur interessant, sondern auch entspannend.

Meiner Musik- und Theaterliebe konnte ich natürlich in meiner neuen Heimat frönen. Die Auswahl der künstlerischen Angebote kann ich nur schwer beschreiben. Meine Eltern und natürlich auch meine ältere Schwester Reginchen mit Mann und bereits drei Kindern, fuhren im Sommer fast immer für zwei Monate nach Rockerway Beach, direkt am Atlantischen Ozean gelegen, um der New Yorker Hitze zu entfliehen. Als dann wiederum gepackt werden mußte, um nach Hause zu fahren, sagten meine Eltern nicht nur einmal: „Na, morgen geht es wieder zurück nach Kiel." Trotzdem nun in der neuen Heimat alles ganz gut lief, war die alte sehr stark in unserem Unterbewußtsein verankert.

Im Jahre 1948 lief der Marshall-Plan auf Hochtouren. Dieser Plan, der dem amerikanischen Volk höhere Steuern brachte, dem deutschen Volk ein besseres Leben und eine bessere Zukunft, würde von mir und vielen deutschen Freunden öfter diskutiert. Er war auch langfristig eine große Hilfe im Wiederaufbau nicht nur Deutschlands, sondern Europas. Dennoch wurde dieser Plan von deutsch-völkischen und auch von stark links gerichteten Kreisen in Frage gestellt. Selbstverständlich wurde nicht die Hilfe an sich abgelehnt, sondern nur ein Gedanke beseelte diese ablehnenden Kreise, und dieser war für sie die Tatsache, daß dieser Plan von den Amerikanern nur aus Eigennutz und Eigenvorteil aktiviert wurde. Es ist schwer, diesen undemokratischen Kreisen (stark Linke und national völkisch Betonte sind keine Demokraten) zu erklären, daß Eigennutz und -vorteil selbstverständlich eine wichtige Überlegung waren. Doch was allein zählt, sind die Hilfen, die die Menschen erhielten.

1948 war ferner ein Jahr weltpolitischer Bedeutung. Der „Kalte Krieg" die „Berliner Luftbrücke", Währungsreform und die Gründung des Staates Israel, mit all diesen Ereignissen war ich irgendwie verbunden. In der Währungsreform sah ich eine Fundierung der deutschen Wirtschaft sowie einer freien Marktwirtschaft, die sich daraus entwickeln konnte.

Der Kalte Krieg wurde kälter und kälter, und jeder politisch denkende Mensch wußte den Grund und befürchtete auch eventuelle Folgen. Der eiserne Vorhang sollte verstärkt werden. Die Russen versuchten es mit der Berlin-Blockade. Die Amerikaner flogen Tonnen von Lebensmitteln, Kohle und andere lebenswichtige Objekte nach Berlin, trotz mancher Verluste an Menschenleben. Eine mit mir befreundete Familie, Familie Hagen (vom bekannten Bankhaus Louis Hagen), verlor einen Sohn, der als Pilot eines der abgestürzten US-Flugzeuge steuerte. Die Wochenschauen, Zeitungen und Magazine berichteten von der Begeisterung der Berliner Bevölkerung für die Amerikaner, die nicht nur den Hauptteil der Versorgung trugen, sondern auch bereit waren, ihr Leben zu opfern. Leider behaupteten gewisse Kreise in Deutschland wiederum, dieser amerikanische Schritt sei eigennützig. Die Hilfe, die der deutschen Bevölkerung in Berlin zuteil wurde, wurde vollkommen ignoriert. Als ich später wieder in Deutschland wohnte und wirkte sowie bemalte Wände und Mauern entdeckte mit dem bekannten „Ami go home"-Spruch, dachte ich, als auch viele meiner deutschen Freunde, daß die Anzahl der beschmierten Mauern im gleichen Maße wuchs, wie das Übergewicht in Kilos des Durchschnittsbürgers.

Viele dramatische Ereignisse eilten der Gründung des Staates Israel voraus. Nicht allein der Holocaust und die überlebenden Juden machten die Gründung des Staates Israel notwendig. Auch den bereits in Palästina lebenden Juden drohte die Vernichtung durch den noch aktiven Ex-Mufti von Jerusalem, Berater und Gesinnungsgenosse Hitlers. Dieser hatte die Unterstützung vieler arabischen Staaten, und diese wiederum hatten unerbittlichen Nazis Asyl gewährt.

Ein seltenes und besonders in New York bemerkenswertes Ereignis war die Abstimmung der UNO für einen Staat der Juden und später nach der Gründung des Staates Israel die schnelle Anerkennung durch die meisten Nationen, einschließlich der östlich orientierten Länder.

Praktisch sofort nach der Verlesung der Unabhängigkeitserklärung des Staates Israel in Tel Aviv wurde dieses Land mit etwa über einer Million jüdischen Einwohnern, von vier Nachbarstaaten und weiteren, entfernter gelegenen arabischen Staaten angegriffen. Die USA hielten an dem vorher erlassenen Gesetz, das Waffenexport nach Palästina verbot, fest. Es gab zahlreiche Proteste, besonders von der jüdischen Bevölkerung. Doch Geld durfte exportiert werden. Gerade die Länder im Osten, insbesondere die Tschechoslowakei verkauften Waffen an den neuen Staat. Große Unterstützung und Hilfe leistete auch Frankreich. War es ein Sieg der Waffen, der Kämpfer oder ein Wunder Gottes? Wie auch immer, der junge Staat besiegte seine Feinde.

Die Angreifer verlangten und erhielten mit Hilfe der demokratisch und kommunistisch regierten Länder einen Waffenstillstand. Dieser Waffenstillstand wurde in den nächsten Jahren von den arabischen Staaten nicht eingehalten. Man schickte weiterhin Terroristen über die Grenzen nach Israel, um zu morden.

An die 100.000 Araber verließen ihre Heimat, nachdem sie von den angreifenden Staaten dazu aufgefordert wurden. Doch die große Mehrheit verblieb in Israel, wo sie als Bürger des Landes gleiche Rechte genossen. Doch in der nächsten Zeit kamen über eine Million jüdischer Flüchtlinge nach Israel, aus den arabischen Ländern, die für 2.000 Jahre ihre Heimat waren und nun vertrieben wurden.

Die Gründung des Staates Israel gab allen Juden, wo immer sie auch wohnten, innerliche Genugtuung und Stärke.

Meine Eltern und Geschwister sowie ich waren jetzt amerikanische Bürger. Wir waren stolz darauf und wir erfüllten unsere Bürgerpflichten. Und so fühlte die große Mehrheit der jüdisch-amerikanischen Bevölkerung. Doch nicht alle unsere jüdischen Mitbürger waren dieser Meinung. Juden, die Bürger der USA waren, sollten keine Zionisten sein und diesen Staat in keiner Weise politisch unterstützen, meinten manche Juden.

In den zehn Jahren, die ich in Amerika wohnte, hatte ich gerade in dieser Hinsicht bereits viel gesehen und erlebt. Als die Bundisten in New York mit Hakenkreuzfahnen marschierten, waren sicherlich viele Amerikaner deutscher Abstammung nicht davon begeistert, doch keiner fürchtete sich davor, irgendwelche Nachteile davon zu haben, daß manche andere Deutsch-Amerikaner für ein faschistisches und rassistisches

Deutschland demonstrierten. Dies galt ebenso für Chinesen, Japaner, Iren, Polen und viele mehr. Trotzdem verstanden wir Flüchtlinge aus Deutschland die Befürchtungen unserer nichtzionistischen Glaubensbrüder. Nicht zu Unrecht waren dieselben der Meinung, daß ein Jude vielleicht mit anderen Maßstäben beurteilt wird als ein Pole, Ire oder Deutscher.

Wie auch immer. In den USA feiern alle Volksgruppen weiterhin, was sie eben für richtig halten. Die Iren marschieren am St. Patricks-Tag, die Polen am Pilsudski-Tag, die Deutschen am Steuben-Tag, die Juden am Tag der Gründung Israels. Doch wenn man heutzutage genauer hinschaut, sind die heutigen Paraden bereits nicht mehr jüdisch, deutsch oder polnisch, sondern zu einem Völkergemisch geworden. Meinen nichtzionistischen Glaubensbrüdern kann ich nur eins sagen: Wenn die Juden für zionistische Zwecke marschieren, hassen das die Antisemiten. Wenn sie nicht oder nur zu Washingtons Geburtstag marschieren, ist der Haß der Antisemiten unverändert.

Ende der vierziger und Anfang der fünfziger Jahre gab es hier und da einzelne Fälle von Rückwanderungen nach Deutschland. Doch waren es nur wenige und meistens auch stark begründete. Oftmals waren es christlich erzogene Juden, die sich in den USA als Glaubensjuden ausgaben, nicht um irgendeine verbesserte Lebensgrundlage zu erhalten, sondern meistens aus Solidarität. Viele hatten Kinder und Enkel in Deutschland, weshalb natürlich einige Halbjuden zurückgingen, oder um ihren jetzt älteren „arischen" Elternteil zu pflegen. Auch ein Großteil vertriebener, jüdischer Beamter, die jetzt ihre Pension in Deutschland beziehen und auch nur dort davon leben konnten – ein US-Dollar hatte einen Wert von über vier Deutsche Mark – gingen dorthin zurück. Die Bundesrepublik Deutschland war noch nicht in der Lage, zu erlauben, Deutsche Mark auszuführen. Meine Familie hatte zwei Konten auf zwei Banken, ein kleines Sparkonto und einige Tausend Mark, die noch von dem Geschäftsabwickler Kruse deponiert waren. Ich persönlich hatte ein Sparkonto von über 500 Mark. Alle diese Konten schrumpften bei der Währungsreform auf 10 Prozent. Das bedeutete. 1.000 RM ergaben 100 DM.

Leider konnten wir und andere Emigranten nicht über unsere Konten verfügen. Die Banken stellten sich hinter die Vorschriften der britischen Militärregierung, die erstmals nicht sehr genau, auch nicht helfend, eher restriktiv waren. Jahre später hatte ich den Eindruck, daß die guten Engländer in Schleswig-Holstein Till Eulenspiegels Nachfahren als Berater engagiert hatten.

Ich erinnere mich an einen Prozeß in den sechsziger Jahren, bei dem festgestellt wurde, daß die Engländer das Recht hatten, als Besatzungsmacht Konten zu blockieren, genau wie sie Häuser besetzen konnten, solange es feindliches Vermögen war.

Wie auch immer. In späteren Jahren wußte ich, daß man nicht allein den Engländern die Schuld geben konnte. Es gab auch grobe Verletzungen oder vielleicht kam eine „Mein Name ist Hase"-Attitüde bei manchen Banken vor. Ich wiederhole, manche Banken, nicht alle. Denn der Ansprechpartner für die Kontoinhaber der in der Immigration Lebenden war nicht die britische Besatzungsmacht, sondern die Banken. Davon unterließen es einige, die englischen Behörden auf die vorliegenden Gründe und Tatsachen hinzuweisen.

Der Krieg in Korea kam nicht unerwartet, doch auch nicht ganz verständlich. Natürlich wußten wir, daß die Kommunisten irgendwo zuschlagen werden. Doch obgleich der Krieg sehr weit von den USA entfernt war, wurde es ein fast exklusiver amerikanischer Krieg. Selbstverständlich schickten einige Staaten Truppen. Doch in Amerika gab es bereits Fragen, zum Beispiel: Warum sollen wir Amerikaner die Kastanien aus dem Feuer holen? General Mac Arthur machte seine eigene Politik in Korea und gehorchte kaum seiner eigenen Regierung in Washington. Harry S. Truman, ein sehr geschickter und weitblickender Präsident, feuerte ihn schließlich.

In Amerika wurde ein Teil der Armeereservisten eingezogen. Außerdem sollten alle Veteranen, die im Jahre 1920 geboren wurden, einberufen werden. Es gab ein Tauziehen zwischen Militär und Politikern. Am Ende gewannen die Politiker. Der Jahrgang 1920 wurde nicht mobilisiert.

Zu diesem Zeitpunkt war ich mit einer jungen Dame enger befreundet, Berlinerin von Geburt. Weder sie noch ich waren von der Tatsache, daß ich eventuell wieder zum Militär gehen mußte, begeistert, doch am wenigsten ihr Vater. Ich denke, daß sein Einfluß unsere Freundschaft zu einem gewissen Grad beeinträchtigte. Ferner war die Unsicherheit, ob ich nun zum Militärdienst mußte, sicherlich auch meinerseits ein Grund, keine feste Bindung einzugehen.

Rückblickend habe ich wohl eine gute Geschäftsentscheidung getroffen. Ich war selbständig in der Pelzbranche, eine schwierige und stark saisonabhängige Branche. Mein Kapital war knapp, doch konnte ich mit den Banken arbeiten. Der Nachteil war aber der, daß ich auch Kredit geben mußte. Die Gefahr eines finanziellen Verlustes war groß. Mit der Möglichkeit, auch noch zum Militär gehen zu müssen, entschloß ich mich, mein Geschäft aufzulösen. In einer großen Lederfirma, die mir von der Pelzbranche her bekannt war, fand ich einen guten Posten im Außendienst.

Dieser Außendienst war nicht nur interessant, sondern auch ziemlich erfolgreich für mich, nicht nur in finanzieller Hinsicht. Ich hatte mehr Zeit und bedeutend weniger Ärger. Wie es der Zufall wollte, kam ich über diesen neuen Posten zur Wall Street.

Viele Jahre später benutzte ich den Slogan „Wall Street in Germany" in unseren Werbungen. Wall Street ist eigentlich nur eine lokale Beschreibung einer Branche, die in New York an der Wall Street gegründet wurde. Im Gegensatz zu den europäischen Banken ist das amerikanische Banksystem ziemlich genau in drei Sparten geteilt. Erst in den achtziger Jahren wurde die rigorose Beachtung der drei Sparten weniger befolgt. In den USA wurden Sparbanken, kommerzielle Banken und Investmentbanken streng auseinandergehalten. Ganze Bücher wurden über dieses Subjekt geschrieben. Trotzdem möchte ich in wenigen Worten eine kleine Erlärung geben: Wenn zum Beispiel Herr Schulz 100.000 Mark bei einer europäischen Bank auf einem Sparkonto hat, könnte es möglich sein, daß der Kundenberater dem Herrn Schulz vorschlägt, vielleicht die Hälfte der 100.000 Mark in Aktien anzulegen. Und warum auch nicht? Doch im amerikanischen Gesetz wird diese Möglichkeit nicht vorkommen, denn eine Sparbank verkauft keine Aktien.

Alle Gesetze in Hinsicht auf die drei Sparten wurden in den USA von 1930 bis 1980 sehr genau eingehalten und überwacht, die Änderungen waren dann volkswirtschaftlich sehr wichtig und einschneidend.

1952 besuchte ich Israel zum ersten Mal. Auf dem Rückweg verbrachte ich einige Tage in London. Die ganze Reise war kurz, wohl etwas weniger als drei Wochen. Auch brauchte man zur Zeit der Propellerflugzeuge einen vollen Tag zur Reise (an die 24 Stunden). Ich besuchte sehr viele Bekannte und Verwandte, verbrachte Zeit in den Städten und Kibbuzim. In dem letzteren wohnten einige Cousins und viele Kieler. Vielfach lernte ich die Umstände kennen, wie z.B. ein Freund von mir aus der Religionsschule in Kiel, Leo Kufelnitzky, im Freiheitskrieg gefallen war.

Es war ein hartes und schweres Leben in Israel. Eindeutig hatten die deutschen Immigranten in den USA schon einen „grüneren Zweig" erreicht, als diejenigen in Israel. Nicht nur, daß dieses Land jung und im Aufbau begriffen war, so mußte es kurz nach seiner Staatsgründung fast genauso viele Einwanderer aufnehmen wie Einwohner im Lande waren.

Die Kibbuzgesellschaft ist, wie mir erklärt wurde, von den ersten Pionieren aus dem zaristischen Rußland gegründet worden. Die Hauptgründe waren, daß erstens diese stark sozialistisch orientiert waren und zweitens konnte man das Land wiederum nur in Gruppen und gemeinsam fruchtbar machen. Trotz aller guten Seiten dieses Kibbuzlebens hatte ich den Eindruck, daß ein guter Prozentsatz des kleinbürgerlichen Denkens mitübernommen wurde. Lehrer, Krankenschwester, Koch, Bauer, Soldat und noch einige andere, waren Berufe, die man akzeptieren konnte. Kaufmann, Bankier, Großbauer oder Landbesitzer, um nur ein paar zu nennen, waren unmögliche, sogar schädliche Berufe. Ich lernte eine Immigrantin aus Ungarn kennen. Ihre ersten Jahre in Israel verbrachte sie als Mitglied eines Kibbuzes. Als die den Kibbuz verlassen wollte, durfte sie ihre Kleider am Körper behalten und bekam noch einen extra Satz Unterwäsche. Die Armbanduhr wurde ihr aber abgenommen, obgleich diese Uhr bereits in Besitz jener Dame war, als sie dem Kibbuz beitrat.

Der Kibbuz hat dem Land Israel sehr viele große Männer und Frauen gegeben. Er war einer der wichtigsten und stärksten Fundamente auf dem Israel gebaut wurde. Manche Kibbuzim wurden später etwas wohlhabender, denn man baute kibbuzeigene Fabriken, in welche die Arbeiter von außerhalb des Kibbuzes gebracht wurden, deren Arbeitszeit von Stechuhren überwacht wurde und deren Gewerkschaft mit dem Kibbuz verhandeln mußte. Die weitere Entwicklung bis zum heutigen Tag zeigt eine große Abwanderung aus den Kibbuzim und leider auch große finanzielle Rückschläge.

Auf meinem Rückweg nach New York besuchte ich London, eine Stadt, in der ich sehr viel Zeit in meinem späteren Leben verbrachte und die ich gern besuchte. Eine Frage konnte ich mir jedoch nie recht beantworten, und zwar warum ich nicht Kiel besuchte, eine Stadt, die ich liebe und die mir soviel bedeutet. Vielleicht war ich noch nicht so weit, diesen Schritt zu gehen. Zurückblickend glaube ich, es war mein Unterbewußtsein, das mich von einem Besuch in meiner Heimatstadt abhielt. Wenn man mit einem Freund jahrelang nicht geredet hat und zerstritten ist, bedeutet der Wunsch, diesen Freund wiederzusehen, auch den Wunsch zur Versöhnung und Umarmung. Vielleicht war ich noch nicht so weit, und sicherlich befürchtete ich auch die Gegenreaktion.

Auf Wunsch Dr. Posners nahm ich in London Kontakt mit früheren Kielern auf. Dr. Posner wollte viele Kieler für seine Arbeit in einer Bibliothek interessieren. Zwei Kieler Herren, um die fünf Jahre jünger als ich, die ich nur vom Sehen und Namen her kannte, umarmten mich und weinten. Beide waren die einzigen Überlebenden ihrer Familien.

Sie sahen in mir ihren älteren Bruder und fühlten sich nicht mehr so ganz allein für einige Stunden.

Im November 1952 war Präsidentenwahl in den USA. Wie schon sehr oft in der relativ jungen Republik wurde ein volkstümlicher General zum Präsidenten gewählt, Dwight D. Eisenhower, aus einer pazifistischen deutschen Familie stammend. Sein Wahlversprechen bestand aus dem Versprechen, daß er den Krieg in Korea beenden würde, was Präsident Eisenhower auch prompt tat.

Präsident Roosevelt regierte etwas über zwölf Jahre, Präsident Truman etwas unter acht Jahren, zusammen waren das 20 Jahre Herrschaft der Demokraten. Eisenhower war ohne Zweifel ein besserer Feldherr als Staatsoberhaupt, dennoch beliebt und verehrt.

Nach meinen Beobachtungen hatten die Republikaner eine größere Unterstützung durch die Geschäftswelt und Industrie im Vergleich zu den Demokraten, was aber nicht unbedingt eine Verbesserung der Wirtschaftslage des Landes bedeutete. Rezessionen nach dem Krieg gab es unter demokratischen und republikanischen Administrationen.

Präsident Eisenhower überließ die Außenpolitik seinem langjährigen erfahrenen Secretary of State, John Foster Dulles, einem geschickten, konservativen Politiker. Unter der Eisenhower Administration erreichten Senator Mc Carthys Ideen und Taktiken ihre Höhepunkte. Viele Menschen, insbesondere Intellektuelle, wurden von Posten und Jobs vertrieben und verekelt. Es war eine Hexenjagd auf angeblich „Linke" und Kommunisten, der leiseste Verdacht konnte Unglück bedeuten. Irgendeine Rede oder eine Hilfe den im Krieg verbündeten Russen gegenüber, war existenzbedrohend, auch wenn dieses Ereignis vor Jahren stattgefunden hatte.

Den Rosenbergs, die sicherlich Spionage betrieben hatten, wurde der Prozeß gemacht. Sie wurden hingerichtet. Im Vergleich dazu erhielten Landesverräter im Krieg nur Freiheitsstrafen. Senator Mc Carthy beschäftigte zwei jugendliche Anwälte, David Shine und Roy Cohn. Insbesondere erinnere ich mich an eine Reise, die diese Herren im Auftrag des Senators Mc Carthy nach Europa unternahmen. Diese jungen Burschen erregten, verärgerten und verängstigten hohe US-Diplomaten in den Hauptstädten Europas sowie die Befehlshaber der US-Armee in Europa. Als Neuamerikaner mit sicherlich rechtspolitischen Tendenzen befürchte ich, daß diese politischen Verfolgungen und die schwache, abwehrende Haltung der Eisenhower Administration eventuell zu einem Regimewechsel führen könnte. Anzeichen eines Polizeistaates waren bereits gegeben. Doch der gesunde Menschenverstand, die langjährig erprobte Demokratie setzten sich durch und der Spuk verflog genauso schnell wie er gekommen war.

Noch in die erste Eisenhower Administration fiel ein Ereignis, welches noch heute politische Konsequenzen für die freie westliche Welt trägt. Präsident Nasser von Ägypten wollte den Suez-Kanal nicht internationalisiert haben und brach das völkerrechtliche Abkommen, indem er den Kanal beschlagnahmte. Dies geschah im Oktober 1956. England, Frankreich und Israel griffen Ägypten an. Englische und französische Fallschirmjäger landeten in Suez, israelische Gruppen erreichten in einigen Tagen den Suez-Kanal. Dies geschah ohne Absprache oder Benachrichtigung der USA im vierten Jahr der Eisenhower-Administration. Und diese Administration wollte in wenigen Wochen wiedergewählt werden. Die Weltmächte USA und Sowjetunion verlangten den bedingungslosen sofortigen Abzug aller fremden Truppen aus Ägypten. Genau das geschah. Mit Recht wurde dies als Schwäche der westlichen Welt verstanden, und bis zum heutigen Tage ist die westliche Welt Erpressungsversuchungen der Dritten Welt und vieler arabischer Staaten ausgesetzt. Ob es Geiseldramen sind, Flugzeugentführungen und Explosionen, Morde und ökonomische Druckmittel wie Verweigerung von Öl. Alles dies würde nicht geschehen, wenn man seinerzeit Herrn Nasser in die Wüste geschickt hätte.

Welt- und Wirtschaftspolitik und auch der wirtschaftliche und finanzielle Fortschritt des Durchschnittsbürgers kann nur mit Überlegungen, Einschränkungen, Vorausdenken und anderem Erfolg haben. Die Bibel lehrt uns, unser Geburtsrecht nicht für ein Linsengericht zu verkaufen. Trotzdem verkaufen Politiker ihre Rechte und Gerechtigkeit für eine, wie sie erhoffen, friedliche und gute Gegenwart. Diese und andere Gedanken besprachen und diskutierten wir in einer intensiven Diskussionsgruppe, zu der ich durch die New School gestoßen bin.

Im Leben ändert sich an und für sich wenig. Die jüngere Generation ist immer um etliche Nuancen anders als die vorherige Generation, und sicherlich ist es gut so. Der Mensch hat das Recht und sogar die Pflicht, seine Meinung zu äußern, natürlich auch über akzeptierbare Medien wie Diskussionen, Dialoge, Vorträge und vieles andere.

Seit Februar 1953 wohnte ich im New Yorker Stadtteil Washington Heights. Da dieser Stadtteil sehr stark von Flüchtlingen aus Deutschland bevölkert war, erhielt er den Spitznamen „Das Vierte Reich". Im Februar 1953 hatte ich geheiratet. Es war eine Ehe, die leider nach ganz kurzer Zeit annuliert wurde. Rechtlich galt ich dann als „Single", das heißt nicht verheiratet, und nicht als geschieden.

Auf Zitas Hochzeit
mit ihren Schwestern

Ich hatte eine sehr schöne Wohnung in der 163. Straße. Wenn ich den
Kopf weit aus meinem Fenster streckte, konnte ich sogar den Hudson
River erblicken. Diese Wohngegend war stark mit Anhängern des Rabbiner Dr. Joseph Breuer, des Rabbiners der Austrittsgemeinde Frankfurt/
Main, bevölkert. Persönlich war ich weder religiös genug, noch war ich
im Sinne und Denken dieser Austrittsgemeinde erzogen. Ich wurde
Mitglied einer anderen, auch religiös orientierten Gemeinde in Washington Heights. Doch muß ich erwähnen, wie unbeschreiblich rührig und
aufopfernd die Gemeinde des Dr. Breuer das Gute und Liebe in diesen
Stadtteil brachte. Viele erfolgreiche Menschen lebten hier, unter anderem
der spätere Secretary of State Henry Kissinger.

Meine Eltern und auch Geschwister kamen mich des öfteren besuchen.
Ein Park zog sich der Länge nach von der 72. bis zur 190. Straße den
Hudson-Fluß entlang, eine Strecke von ungefähr zehn bis zwölf Kilome-
tern. Das andere Ufer des Hudson Rivers lag in New Jersey. Zu diesem
Zeitpunkt war mein Vater bereits 66 Jahre alt und arbeitete nicht mehr.
Er erhielt eine bescheidene Rente von der Social Security, meine Mutter

erhielt nochmals die Hälfte der Rente meines Vaters. Es war nicht sehr viel, aber wiederum war es eben die Mindestrente. Uns Geschwistern ging es allen einigermaßen gut, und so fehlte unseren Eltern nichts.

1954 heiratete das Nesthäkchen der Familie, Zita. Ich erinnere mich an eine wunderschöne Hochzeit. Viele Kieler und neue Freunde erschienen. Leider war die Familie nicht mehr vollständig; wir hatten unsere Tante Mia, die Gattin meines Onkels Benno, verloren, und auch der Bruder meiner Mutter, Onkel Max, weilte nicht mehr unter uns.

9. Von nun an folgt Examen auf Examen

Beruflich ging ich durch einige, lehrreiche wie auch interessante Etappen. Ich bestand das Examen der NASD („National Association of Security Dealers") und hatte hiermit eine Lizenz zum Verkauf von gewissen, nicht an der Börse gehandelten Wertpapieren, unter anderem auch Investmentfonds.

Ich wurde von einer großen Gesellschaft, First Investors, angestellt mit einem Festgehalt und Provision. Mir gefielen dieser Beruf, die Mitarbeiter, die Kunden und die Atmosphäre. Nicht nur, daß ich gut verdiente, ich sah eine gute Zukunft für mich. In nicht allzu langer Zeit erhielt ich eine Joboferte von einer kleinen, aber sehr bekannten Investmentbank, Sutro Bros, Mitglied aller bekannten und bedeutendsten Börsen, natürlich die größte und wichtigste, die New-York-Stock-Exchange, inbegriffen. Diese Oferte war insbesondere deshalb von großer Wichtigkeit, denn um das New-Yorker-Stock-Exchange-Examen abzulegen, mußte die Person bei einer Mitgliedsfirma der Exchange angestellt sein.

In kurzer Zeit machte ich das Examen und durfte dann alle Aktien für Kunden kaufen und verkaufen, empfehlen oder nicht empfehlen. Für mich war es immer unverständlich, daß ein Angestellter einer Stock-Exchange-Firma mit seiner Karriere immer weitere Examen ablegen mußte. Und zwar gab es das Manager-Examen, Partner-Examen, Gesellschafter-Examen, ferner das Prinzipal-Examen, falls die Firma auch Gold und Silber verkaufte, das Commodity-Examen sowie Option-Examen und einige mehr.

In meiner Karriere habe ich an die zehn bis zwölf Examen ablegen müssen. Das Unverständliche an der Sache für mich bis heute ist, warum, weshalb und aus welchem Grund? Ein Arzt zum Beispiel macht sein Examen im Alter von 27 Jahren und kann, ohne ein weiteres Examen je abzulegen, bis zum Alter von 91 praktizieren oder länger, wenn er noch lebt. Vielleicht ist bei uns in Amerika Geld wichtiger als das Leben und die Gesundheit? Natürlich stimmt diese Vermutung nicht, doch man möchte es annehmen. Ich sollte hinzufügen, daß diese Examen eine selbstgewählte Form der Investmentindustrie zur Selbstkontrolle ist, jede andere Berufsgruppe könnte auch eine ähnliche Selbstkontrolle einrichten.

Um 1954 herum wurde ich auch Mitglied in der Bnai Brith Loge, und zwar ein sehr aktives Mitglied. Diese Loge wurde in der Mitte des letzten Jahrhunderts von einigen deutsch-jüdischen Einwanderern in New York gegründet, um Gleichheit, Brüderlichkeit und Liebe zu verbreiten und zu praktizieren. Im Laufe der Zeit wurden Jugend- sowie Frauengruppen gegründet, gesellschaftliche Ereignisse gefeiert, und nicht zuletzt wurden auch politische Interessen gepflegt und vertreten. Das letztere ist in einer größeren Organisation in Amerika unvermeidlich, aber auch wünschenswert.

Das gesellschaftliche Leben war nicht nur sehr interessant, sondern auch ereignisvoll. Im Clubhaus gab es eine gute Bibliothek. Mitglieder kamen aus vielen Gesellschaftsschichten. Man titulierte sich mit „Bruder", und wenn man deutsch sprach, duzte man sich.

Ich erinnere mich sehr genau an einen Vortragsabend. Der Redner war ein Überlebender des Gettoaufstands in Warschau. Thema war der jüdische Widerstand. Aufgrund der so interessanten und erregten sowie auch hitzigen Diskussion der anschließenden Lektüre wurden für viele Monate Diskussionsabende oft mit Augenzeugen abgehalten.

Über dieses Thema sind später Bücher, Artikel und Doktorarbeiten geschrieben worden. Es gab sehr viele Versionen und manche unverständlichen Gedanken und Stellungnahmen. Ein Teilnehmer in der Diskussionsgruppe war ein bereits in den USA geborener Jude, der die Überlebenden des Holocaust als „Survivors" (Überlebende) bezeichnete. Es war nicht schwierig, diesen Bruder davon zu überzeugen, daß auch er ein „Survivor" ist wie alle anderen, weil die Alliierten zweifellos den Krieg gewonnen haben. Die Reichsregierung hatte durch ihren Führer und Reichskanzler in der offiziellen Kriegserklärung an die USA im Reichstag auch die Vernichtung des Weltjudentums als Kriegsziel erklärt.

Widerstand gegen eine mörderische Diktatur ist selbstmörderisch. Trotzdem wurde Widerstand geleistet. Widerstand in größerem Umfang gab es in Jugoslawien und in Rußland. Widerstandskämpfer in den besetzten Gebieten wurden schärfstens verfolgt mit unbeschreiblicher Härte und ohne Gnade, inbegriffen Frauen und Kinder. Widerstand in Deutschland gab es kaum. Erst als der Krieg verloren schien, gab es in Deutschland einen kleinen, schlecht organisierten Widerstand der Militärs.

1.400.000 Juden kämpften in den Alliierten Streitkräften und eine große Anzahl als Partisanen. Ein großer Aufstand im Getto von Warschau im April 1943 wurde erst nach einem Monat niedergeschlagen. Man kann nicht umhin zu erwähnen, daß viele Länder, einschließlich Polen, fast einen Monat Widerstand leisteten, bevor sie die Waffen streckten. Es gab auch Widerstand in einigen polnischen Lagern, Maidanik und Sobibor. In Auschwitz wurde ein Krematorium sabotiert und untauglich gemacht. Judenräte verweigerten Befehle, obgleich die sofortige Erhängung folgte. Väter und Mütter trösteten ihre Kinder bei den Erschießungen; eine Großmutter lachte und spielte mit ihrem Enkelkind kurz vor dem Todesschuß. Ein Mädchen, das nackt an den Unmenschen vorbei zum Erschießungsplatz ging und sagte, „ich bin erst 20 Jahre alt", all das war Widerstand.

Dieses Thema beschäftigte uns alle, nicht nur in unserer Loge in New York, sondern die ganze zivilisierte Welt. Es muß die Welt weiterhin beschäftigen, und Maßnahmen müssen verstärkt werden, um diese Verbrechen für alle Zukunft zu verhindern.

Es gelang mir, Geschäftsbeziehungen zu Dänemark herzustellen, und zwar mit einer größeren Bank, die für ihre Kunden in den USA investierte. In Dänemark wurde viel Englisch gesprochen und verstanden. Unsere volkswirtschaftlichen Berichte und Empfehlungen konnten die Dänen in original englisch lesen. Auch deutsche Geldinstitute zeigten Interesse, doch Geschäfte an amerikanischen Börsen wurden meistens über Schweizer Banken abgewickelt.

Ein Partner in meiner Firma, Mr. Florsheim, erneuerte Kontakte mit einigen Banken in Frankfurt, der Stadt, die sich allmählich zum deutschen Finanzzentrum entwickelte. Ich wurde gebeten, nach Europa zu reisen. Im Mai 1955 flog ich nach Kopenhagen und besuchte einige mir bereits bekannte Bankiers. Ich wurde zu einigen Clubs geladen und dehnte meine Geschäftsbeziehungen bedeutend aus.

In Malmö besuchte ich einen Cousin zweiten Grades. Sein Vater und meine Mutter waren Cousins. Hermann Bauer, von uns allen „Bäuerle" genannt, nur etwas älter als ich, machte noch im Jahre 1938 in Hamburg sein Abitur am Talmud-Tora-Gymnasium und ging zur Hachschara nach Dänemark. Dieselbe wurde aber 1941 von der deutschen Besatzungsmacht aufgelöst. Hermann ging nach Kopenhagen und wurde an der Universität als Student angenommen. Er flüchtete im Herbst 1943 nach Schweden. Zu diesem Zeitpunkt flüchteten an die 8.000 dänischen Juden innerhalb kurzer Zeit nach Schweden. Es war die Absicht der Gestapo, alle Juden am jüdischen Neujahrsfest zu verhaften. Doch die Juden wurden vorgewarnt, wie man sagt, von dem deutschen Stadtkommandanten. Dr. Melchior, der Rabbiner der Kopenhagener Gemeinde, und andere warnten alle Juden, die für einige Nächte Unterschlupf bei Nachbarn und Freunden sowie in Kirchen und Hospitälern fanden.

Innerhalb kurzer Zeit wurden die dänischen Juden über den Sund nach Schweden in Sicherheit gebracht, bis auf knapp 100 Menschen, die in einem Hotel in Nordseeland versteckt waren. Sie wurden von der Gestapo verhaftet und deportiert. Ferner wurden mehr als 300 weitere Juden, die sich aus vielen Gründen nicht retten konnten, nach Theresienstadt deportiert. Die dänischen Juden wurden vom Dänischen Roten Kreuz betreut und schrieben regelmäßig nach Hause. Einige starben in Theresienstadt, doch die meisten Deportierten wurden sofort nach dem Waffenstillstand wieder nach Kopenhagen gesandt.

Mein Cousin ist einige Tage vor der großen Massenflucht mit einem weiteren Flüchtling von einem dänischen Fischer nach Schweden gebracht worden. Nicht allen gelang die Flucht auf diese Weise, an die 20 bis 30 Juden schafften es nicht lebend nach Schweden. Diese Opfer sind auf einem kleinen Friedhof in der Nähe von Malmö zur letzten Ruhe gebettet.

Inzwischen ist mein Cousin verstorben. Er war mit einer Schwedin verheiratet und hatte zwei Kinder. Von Beruf war er Mathematiklehrer. Mit dem Sohn meines Cousins bin ich noch bis heute in Kontakt. Er wohnt in Stockholm und arbeitet in einem der Ministerien. Vor einigen Jahren wurde dessen Sohn auf den Namen Aaron getauft. Er erklärte mir auf meine Frage „warum Aaron?", daß der Großvater des Kindes ein Kohen war (aus einem priesterlichen Geschlecht stammend). Diese Priester waren alle Nachkommen von Aaron, des Bruders von Moses. Er wollte damit voll Stolz auf seine Abstammung hinweisen.

Auf der Rückreise von Malmö nach Kopenhagen, seinerzeit noch eine zweistündige Schiffsreise, machte ich die Bekanntschaft eines jungen deutschen Touristen, einige Jahre jünger als ich. Dieser verbrachte einige Tage in Malmö, weil er sich in Kopenhagen als Deutscher nicht wohlfühlte. Das glaubte ich gern, denn wann immer ich vorgestellt wurde, in Dänemark wurde betont, daß ich aus Deutschland geflüchtet war.

In Kopenhagen wohnte Herr Isaac aus Kiel, jetzt bereits mit Familie. Er war einer der zwei jüdischen Lehrer, die ab 1937 in Kiel in der städtischen, jüdischen Volksschule unterrichteten. Herr Isaac wurde nach der Pogromnacht in Kiel in Sachsenhausen inhaftiert. Nach seiner Freilassung emmigrierte er nach Dänemark. Ich sprach mit ihm über den jungen deutschen Touristen, dem ich auf dem Schiff begegnete. Herr Isaac bestätigte mir, daß der Haß der Dänen doch noch sehr stark gegen die Deutschen trotz zehnjährigen Friedens sei. Herr Isaac meinte, es wäre kein tatsächlicher Haß, aber ein deutscher Geschäftsmann sowie Touristen spüren das höfliche kalte Desinteresse, daß ihnen entgegengebracht wird.

Ich erzählte, daß ich nach Frankfurt reisen werde. Herr Isaac, der in der Lederbranche tätig war, hatte bereits einige Male die Lederstadt Offenbach am Main besucht und auch noch seine Heimat, ein Städtchen im Hessischen. Nach seiner Auffassung war es gut und lehrreich, die Heimat zu besuchen. In meinem Unterbewußtsein glaube ich, hatte ich die Absicht, meine Heimatstadt zu besuchen, aber keine Pläne gemacht. Also flog ich anstatt nach Frankfurt nach Hamburg.

Als ich aus dem Bus, der uns zum Flughafengebäude brachte, stieg, sah ich einige deutsche Zollbeamte in grüner Uniform, Schaftstiefel sowie militärischer Mütze. Ich hatte Herzklopfen und ein Gefühl, das ich schwer beschreiben kann.

10. Begegnung mit der alten Heimat

Selbstverständlich hatte ich meinen Eltern erzählt, daß ich für zirka vier Wochen nach Europa reisen werde. Kopenhagen – Frankfurt – Paris und mit dem Schiff zurück nach New York. Als ich nach der Reise meine Eltern aufsuchte, sagte mir meine Mutter: „Ich wußte, daß Du Kiel besuchen wirst. Nur wollte ich nicht mit Dir darüber reden, denn es war sicherlich schwierig für Dich."

Jetzt saß ich in einem Taxi, das mich über die alte mir bekannte Landstraße nach Kiel brachte. Der Taxifahrer, wesentlich älter als ich, fragte mich, ob ich geschäftlich nach Kiel führe, was ich verneinte. „Ich besuche meine Heimatstadt nach langer Zeit". So kamen wir ins Gespräch. Dieser Fahrer war ein aufrichtiger Mann, offen erzählte er mir von seinem Leben, Krieg und kurzer Gefangenschaft in Frankreich. Ich war sehr froh, daß mein erster Gesprächspartner in Deutschland ein Mensch war, der mich an manche andere frühere Bekannte erinnerte.

Da ich kein Hotel in Kiel gebucht hatte, weder das Hansa noch das Conti standen noch, logierte ich mich im Conti-Hansa-Hotel am Ziegelteich, Ecke Holstenstraße ein. Als erstes ging ich zu Blumen-Muth, um meinen Schulfreund Günter Muth zu begrüßen. Die Straßen kamen mir fremd vor und trotzdem bekannt. Es war ein freudiges Wiedersehen. Günter erzählte mir, daß er mit Aki Herzberg, einem gemeinsamen Freund, der in Tel Aviv wohnte, auch Kontakt hat.

In den letzten Jahren hatten meine Eltern bzw. ich Kontakt mit einigen Bekannten in Kiel hergestellt. Wir waren aber nicht in der Lage, Kontakt zu Frau Hertha Paul, geb. Gans, zu bekommen. Auch jetzt zeigte sich das Einwohneramt, noch im Polizeipräsidium gelegen, zwar sehr hilfsbereit, doch nicht erfolgreich. Ich wußte nur den Mädchennamen von Frau Paul, ferner den Namen ihres Bruders Harold Gans und des Vaters Wilhelm Gans. Somit konnte ich im Meldeamt nichts Hilfreiches erfahren.

Weiterhin suchte ich Fräulein Druschke, die auch an die zehn Jahre im elterlichen Geschäft gearbeitet hatte. Fräulein Druschke hatte geheiratet und wurde, wie mir vom Amt mitgeteilt wurde, bei einem Bombenangriff auf Kiel getötet. Ich hatte die letzte Adresse von Fräulein Druschke, und durch Nachbarn in der Mittelstraße erhielt ich Hertha Pauls neuen Namen und Adresse.

Es war bereits gegen 9.00 Uhr abends, aber ich bin noch am selben Abend hingefahren. Ich klingelte. Hertha machte die Tür auf. Ich sagte: „Erkennst Du mich, Hertha?" Hertha schaute und erkannte mich. Die Kinder, elfjährige Zwillinge, beides Mädchen, und ein 14jähriger Junge, waren bereits im Bett. Sie wurden von Hertha aus den Betten geholt. Alle Kinder wußten, daß ich nach Amerika ausgewandert war, und kannten die Geschichte meiner Familie. Hertha fragte nach meiner Schwester Reginchen, und ich erzählte ihr, daß Reginchen vier Kinder hat und ganz in der Nähe meiner Eltern in Brooklyn wohnt. Im Laufe der Unterhaltung stellte sich heraus, daß Hertha seinerzeit gehört hatte, daß mein Vater beim Grenzübertritt nach Belgien umgekommen sei, und der Rest der Familie in Brüssel wohnte. Nachdem ich erklärt hatte, daß alle, inbegriffen mein Vater, sich bei bester Gesundheit befinden, war die Freude sehr groß.

Am nächsten Tag war ich mit Herthas Familie zusammen, ihrem Bruder Harold, ihrer Schwester Wilma und Mann sowie ihrer Mutter, Frau Gans. Herr Gans ist kurz nach Kriegsende gestorben. Die Familie war im Krieg in der Nähe von Schleswig evakuiert. Sie sind erst einige Jahre nach Kriegsende nach Kiel zurückgekehrt. Herthas Gatten, Herrn Alwin Paul, lernte ich erst auf einer späteren Reise nach Kiel kennen. Er war Seemann und viel unterwegs.

Seit diesem ersten Wiedersehen besteht eine lange und tiefe Freundschaft zwischen den Bodensteins, Herthas Kindern und Kindeskindern bis auf den heutigen Tag.

Herr Dr. Beyersdorf, unser Anwalt in Kiel, und ich hatten eine längere Besprechung. Wir verstanden uns gut. In den nächsten Jahren entwikkelte sich eine freundschaftliche Beziehung zwischen Herrn Dr. Beyersdorf und mir. Bei diesem ersten Zusammentreffen mit unserem Anwalt beschlossen wir, daß meine Eltern nach Kiel reisen sollten, um unsere Rückerstattungsforderung durchzusetzen.

In einem Kieler Zigarrengeschäft traf ich einen weiteren Klassenkameraden. Er war kein Zufallstreffen. Dieses Geschäft gehörte dem Vater des ehemaligen Mitschülers. Durch ihn erfuhr ich etwas über die Schicksale weiterer Mitschüler. Viele haben leider den Krieg nicht überlebt. Gerade vor einigen Wochen hatte dieser einen einstigen Mitschüler in Bad Segeberg getroffen, einen Arzt. Beide hatten sich gefragt, was wohl aus Leo Bodenstein und Max Berger geworden ist. Leider hatte ich wenig Zeit während meiner ersten Reise, doch traf ich noch einige Mitschüler bei späteren Kiel-Besuchen.

Über einen meiner früheren Klassenkameraden hörte ich allerdings folgendes: Er war zu dem Zeitpunkt im Gefängnis wegen unerlaubter kommunistischer Tätigkeit. Natürlich war ich verwundert, denn er entstammte einer gutbürgerlichen Geschäftsfamilie. Ich wäre noch erstaunter gewesen, wenn ich im Mai 1955 gewußt hätte, was ich erst später erfuhr: Daß Schleswig-Holstein ein Unterschlupfland von Nazis war, die hier kaum verfolgt wurden. Einige wenige, die ins Gefängnis mußten, wurden sehr schnell begnadigt, auch wenn es überführte Mörder waren.

Natürlich besuchte ich auch die Humbold-Schule. Der Neubau an der Klopstockstraße war im Krieg schwer beschädigt, das alte Gebäude am Knooper Weg war weniger beschädigt worden. Es stand recht stattlich da, mit herrlichen Bäumen, die zum Hauptportal führten, einen Eingang, den wir Schüler nicht benutzen durften. Wir gingen damals durch einen jetzt verbauten Eingang am Knooper Weg/Ecke Humbold-Straße direkt neben dem Findling in das Gebäude hinein. Ich ging über den Schulhof, es war gerade Pause, in das alte Gebäude. Es war von innen wie außen genauso wie ich mich erinnerte, und klopfte an die Tür des Lehrerzimmers. Sofort erkannte ich meinen alten Mathematiklehrer, Herrn Dr. Otto, den ich am nächsten Tag noch einmal traf, als er mehr Zeit hatte. Wir plauderten über die Schule, Schüler, Lehrer und Erinnerungen.

Mein Weg durch die Stadt führte mich auch zu unserer früheren Wohnung am Ziegelteich. Das schöne Haus mußte allerdings dem Hertie-Neubau weichen. Das Haus Lerchenstraße 2, in dem wir zuvor gewohnt hatten, stand auch noch, mußte aber später dem Sophienhof weichen. Die Ringstraße 98, wo für viele Jahre das elterliche Geschäft lag, war noch im guten Zustand, mußte aber später der Autobahn Platz machen. Mein Geburtshaus in der Metzstraße sowie unsere Wohnung in der Gellertstraße sind noch heute bewohnt.

Danach ging ich am Hafen spazieren zum Hindenburgufer, fuhr mit dem Schiff bis Schilksee und zurück zur Seegartenbrücke. Ich traf Bekannte in Kitzeberg, atmete Kieler Luft und fühlte mich wohl und wie zu Hause.

Auch besuchte ich den jüdischen Friedhof und Gräber von Verwandten und Bekannten. Der Friedhof wurde, wie mir berichtet wurde, im Krieg etwas zerstört. Doch hatte Herr Salomon denselben sofort nach dem Krieg mit Hilfe der Militärregierung wiederherstellen können. Herr Salomon leitete die kleine jüdische Gemeinde oder, vielleicht besser gesagt, die Wohlfahrtsgemeinschaft der Juden in Schleswig-Holstein. Er und seine Gattin wohnte viele Jahre in Kiel und wurde nach dem Krieg Leiter, Helfer und Ratgeber der Juden, die überlebt hatten oder durch Kriegswirren nach Kiel verschlagen wurden.

Herr Salomon half bei den Behörden mit Rückerstattungsanträgen und bei vielem anderen. Die Kieler Synagoge war, wie ich wußte, bereits abgerissen, trotzdem besuchte ich den leeren Platz. Doch er war nicht leer. Hühner gackerten und liefen auf dem Platz, der eingezäunt war, herum. Vom Nachbarhaus kamen die Hühner durch eine kleine Öffnung in einer Trennwand aus Holz. Ich suchte einen Weg, um in den Hof des Nachbarhauses zu kommen, wo ich den Hühnerstall vermutete. Mit einmal stand ein Mann vor mir und fragte, was ich hier zu suchen habe. Ich fragte ihn, ob er der Besitzer der Hühner sei. Als der Herr dies bejahte, erklärte ich, er wisse sicherlich nicht, daß auf diesem Grundstück ein Gotteshaus gestanden und daß ich und viele andere in diesem Haus gebetet haben und die Hühner doch nicht unbedingt auf diesem Flecken Erde herumlaufen sollten. Hühner wären auch Kinder Gottes, meinte der Herr. Meine nächste Frage war, ob er Besitzer dieses Grundstücks wäre. Das gehe mich nichts an, meinte er. Da ich wußte, daß die Stadt Kiel Eigentümer dieses Grundstücks ist, wünschte ich dem Herrn einen guten Tag und entfernte mich.

Ich sprach mit einigen Kieler Juden über mein Erlebnis. Alle meinten, es wäre wohl angebracht, sich bei der Stadt zu beschweren, und es würde sicherlich einen tieferen Eindruck hinterlassen, wenn ich als Besucher und US-Staatsbürger dies tue.

Am nächsten Tag war ich im Rathaus und sprach mit einigen Beamten, die sich alle für nicht zuständig erklärten. Sie waren alle älter als ich, und trotzdem verstanden sie mich nicht oder wollten es nicht. „Ja, ich hörte wohl, daß es in Kiel eine Synagoge gab, aber ich bin nicht aus Kiel. Sie meinen, eine Synagoge wurde tatsächlich verbrannt und verwüstet?" Diese und ähnliche Antworten bekam ich zu hören.

Ich befand mich sicherlich nicht auf der falschen Dienststelle, da ich beim Bauamt und auch bei der Grundstücksverwaltung vorstellig wurde. Ich hatte den Eindruck, meine Gesprächspartner hatten die Gnade der Vergeßlichkeit, in Anbetracht ihres Alters, nicht aber „die Gnade der späten Geburt" wie sich Jahrzehnte später Bundeskanzler Kohl ausdrückte. Aber man brauchte eben erfahrene Leute, denn auch Kanzler Adenauer konnte im Jahre 1955 und später Hans Globke nicht entbehren.

Ich suchte daraufhin den Oberbürgermeister auf. Bereits im Vorzimmer wurde mir, sicherlich mit Recht, erklärt, so einfach wäre es nicht, den Herrn Oberbürgermeister zu sprechen. Aber vielleicht könnte man mir helfen, und „worum geht es denn?" Als ich das „Worum es geht" erklärte, konnte ich am Gesicht meines Gesprächspartners erkennen, daß er bereits bereute, mir diese Frage gestellt zu haben. Vielleicht wäre es mir möglich wiederzukommen, meinte der Herr im Vorzimmer. Leider ist dies nicht möglich, erwiderte ich, und ich wäre dankbar, wenn ich den Herrn Oberbürgermeister noch heute kurz sprechen könnte.

Oberbürgermeister Dr. Müthling kam zu diesem Zeitpunkt aus seinem Büro, stellte sich vor und bat mich in sein Büro, nachdem er mit dem Vorzimmersekretär einige Worte gewechselt hatte. Ich hatte die Vermutung, daß Dr. Müthling bereits über meinen Besuch und mein Anliegen unterrichtet war. Mein Gespräch mit dem Oberbürgermeister war anregend und dauerte etwa eine viertel Stunde. Ich erklärte meinen Wunsch und den Grund, warum ich ihn persönlich aufsuchte. Dr. Müthling meinte, diese Beschwerde sollte doch von seinen jüdischen Mitbürgern gestellt werden. Auch diese haben dieselben Beschwerden und Wünsche, erwiderte ich darauf, im übrigen sei ich meines Erachtens immer noch Bürger dieser Stadt, wenn auch nicht Einwohner. Ferner berichtete ich, daß dieser erste Besuch in meiner Heimatstadt mir und auch meinen Kieler Freunden und Bekannten große Freude bereitete. Dr. Müthling versprach, die Angelegenheit zu prüfen, und bat mich, im Vorzimmer meine Adresse zu hinterlassen. Ich würde von ihm hören.

Nach kurzer Zeit wurde mir sehr trocken und im Dienstdeutsch mitgeteilt, daß die Hühner entfernt worden sind und in absehbarer Zeit das Grundstück bebaut werde. Selbstverständlich war ich sehr froh darüber, aber Inhalt, Stil und Grußformel in diesem Brief sagten mir, daß mich Dr. Müthling trotz seiner Mühe nicht verstanden hatte. 1987 erzählte ich dieses Ereignis dem heutigen Kieler Oberbürgermeister, Karl-Heinz Luckardt. Er kommentierte, daß Dr. Müthling zwar Sozialdemokrat, aber trotzdem „braun" war.

Nachdem ich eine gute Woche in Kiel verbracht hatte, fuhr ich über Hamburg-Altona nach Frankfurt/Main. In Altona besuchte ich Herrn

STADT KIEL
DER OBERBÜRGERMEISTER

Herrn
Leo B o d e n s t e i n

671 West 162 Straße
New York 32

New York

Kiel, den 12 Juli 1955.

Sehr geehrter Herr Bodenstein!

Ihr Einwand über das frühere Synagogengrundstück an der
Humboldtstraße in Kiel ist geprüft worden. Das Grundstück
ist eingefriedigt und mit Gras besät. Es wird darüber
gewacht, daß es sich ständig in einem ordentlichen Zustand
befindet und Hühner ferngehalten werden. Die Stadtverwaltung
beabsichtigt, das Grundstück in absehbarer Zeit der Bebauung
zuzuführen.

Mit vorzüglicher Hochachtung

Brief vom 12. Juli 1955

Berghoff, der ein bekanntes und gutgehendes Schuhgeschäft besaß, das noch heute in Kiel existiert. Er erzählte mir, daß er als kleines Kind nach Altona kam, später nach Kiel. Er war in Rumänien geboren und noch bei der Machtergreifung der Nazis rumänischer Staatsbürger. Die Gestapo wußte nicht, was sie mit dem Staatsbürger eines Landes, mit welchem Deutschland verbunden war, anfangen sollte. Im Sommer 1943 starb seine Frau im israelitischen Krankenhaus in Hamburg. Die Gestapo zwang ihn nun, seine Wohnung aufzugeben und gab ihm den Auftrag, auf dem jüdischen Friedhof in Kiel die Grabsteine zu zählen und zu messen sowie die Steinart zu beschreiben. So verbrachte er einige Wochen auf dem jüdischen Friedhof. Ich bin stolz auf einige Kieler Bürger, die von ihren am Friedhof gelegenen Wohnungen Herrn Berghoff beobachten konnten und ihm fast täglich etwas Eßbares an eine zugängliche Stelle an der Friedhofsmauer legten.

Einige Monate später wurde er nach Rumänien deportiert. Zu diesem Zeitpunkt war Rumänien bereits interessiert, Frieden zu schließen. Herr Berghoff überlebte den Krieg in Rumänien, emigrierte dann nach Palästina und kehrte 1954 nach Deutschland zurück. Seine einzige Tochter und sein Schwiegersohn wurden nach Riga deportiert, lebten noch, als die Russen das Lager befreiten, und starben leider einige Tage darauf aufgrund der erlittenen Not.

Herr Salomon und Herr Berghoff erzählten mir von Frau Else Jonas, der Gattin des beliebten und geschätzten letzten Vorsitzenden der israelitischen Gemeinde zu Kiel. Nachdem ihr Mann sehr krank wurde, übernahm sie seine Arbeit und setzte dieselbe nach seinem Tod fort. Else Jonas vertrat die Kieler Juden gegenüber der Gestapo mit großer Würde und Stärke. Herr Salomon sagte mir, daß der Judenreferent bei der Gestapo sich immer durch eine Hintertür aus seinem Amtszimmer entfernte, wenn Frau Jonas in der Düppelstraße erschien. Später wurde sie aber deportiert, überlebte und kehrte nach kurzer Zeit in Palästina nach Kiel zurück, wo sie im Jahre 1954 starb. Eine mutige Frau, die ihre Gemeinde und Heimat mit ihrem Mut und ihren Taten geehrt hat.

In Frankfurt wohnte ich im Frankfurter Hof, einem sehr exklusiven, gut geleiteten Hotel. Da ich eine zeitlang als Schüler in Frankfurt gewohnt hatte und besonders die Innenstadt gut kannte, konnte ich sehen, daß Frankfurt weit mehr als Kiel im Krieg zerstört worden war. Meine Schule und mein Internat standen noch, und auch die Synagoge in der Steinstraße. Da ich nur einige Tage in Frankfurt weilte, waren meine Kontakte nur geschäftlich. Doch am Freitagabend ging ich in die Synagoge, die gut besucht war, und anschließend in ein koscheres Restaurant. Ich spürte, daß wieder jüdisches Leben in Frankfurt existierte.

Einige Tage später fuhr ich nach Basel zu einer Privatbank, dessen Besitzer, ursprünglich aus Karlsruhe stammend, in den dreißiger Jahren in die Schweiz emigriert war. In unserer Branche war es natürlich schon damals sehr wichtig, Kauf- und Investmentempfehlungen mit in Details ausgearbeiteten volkswirtschaftlichen Berichten zu ergänzen. Aus diesem Grund war für die deutschsprachigen Banken, ein deutschsprachiger Geschäftspartner von Bedeutung. Ich glaube, daß ich ganz gut informiert war und auch die Persönlichkeit und Begabung besaß, um das Vertrauen meiner Kunden zu gewinnen.

Danach plante ich, eine Woche in Paris zu verbringen. Leider hatte ich aber nur zwei Tage zur Verfügung, bis ich mich wieder einschiffen mußte. Ich verbrachte einen vollen Tag im Louvre. Am Abend sollte es dann natürlich zu den bekannten Touristenattraktionen gehen. Doch unerwartet erhielt ich durch den Concierge meines Hotels ein Einzelbillet für die Oper. Es wurde Carmen vorgeführt. Ich war das erste Mal in der Pariser Oper und stark begeistert und beeindruckt.

Die Rückreise auf der „Ile de France" im Juni 1955 bei sommerlichem Wetter war erholsam. Die Passagiere setzten sich aus Touristen, Armeeangehörigen, Studenten und Geschäftsreisenden zusammen. An die 80 Prozent waren US-Bürger, der Rest Europäer und eurpäische Auswanderer.

Bis zum heutigen Tag ist der Anteil der amerikanischen Überseereisenden sehr hoch, wenn auch nicht mehr so wie in den fünfziger und sechziger Jahren. Sicherlich war der Lebensstandard der Amerikaner ca. zehn Jahre nach dem Krieg höher als der der Europäer, und das erklärte vieles. Aus meinen Geschäftserfahrungen lernte ich den Grund kennen, warum so viele US-Bürger reisen. Leider sparen die Amerikaner nur zwei bis drei Prozent ihres Einkommens. In Frankreich liegt dieser Prozentsatz fast bei 20 Prozent, in Deutschland höher als 10 Prozent.

Die Tatsache, daß ein Großteil der Europäer doch in der Lage war, einen Teil seines Einkommens zu sparen, war eine meiner Überlegungen, mein Geschäft auf Europa auszudehnen. Als „Account Executive" in der Firma, in der ich angestellt war, führte ich die Konten der Kunden, die ich der Bank zuführte. Mein Angestelltenverhältnis sicherte mir ein Festgehalt, aber auch gute Provisionen zu.

Seit 1955 reiste ich sehr viel in Europa herum und war auch ziemlich erfolgreich, so manche Banken und auch Unternehmen anderer Art als Kunden zu werben. Auf täglicher Basis per Telex erhielten meine Klienten Kurse der Aktien und Renten, die in New York gehandelt wurden, außerdem einen wöchentlichen Bericht in deutscher Sprache über unsere

Empfehlungen und wirtschaftliche Berichte, die ich anfangs persönlich übersetzte. Zu einem späteren Zeitpunkt wurden deutsche Übersetzungen von einer Mitarbeiterin gemacht, die auch Aufträge von in- und ausländischen Kunden entgegennahm, Klienten über Preisentwicklungen informierte und anderes. So hatte ich Zeit, meinen europäischen Kundenstamm zu erweitern.

Die Seereise auf der „Ile de France" tat mir gut. Erholt und braungebrannt betrat ich wieder amerikanischen Boden. Das nächste Wochenende verbrachte ich bei meinen Eltern in Brooklyn, wo auch meine drei verheirateten Schwestern ganz in der Nähe meiner Eltern wohnten. Reginchen hatte bereits ihr viertes Kind, Gisela zwei und Zita erwartete ihr erstes Kind. Natürlich hatten meine Eltern sehr viel Freude an ihren Enkelkindern.

Ausführlich berichtete ich ihnen über den geschäftlichen Aspekt meiner Reise, von Kopenhagen und Hamburg. Doch meine Eltern und Geschwister waren am meisten an meinem Kiel-Besuch interessiert. Ich wurde gefragt und gefragt und hatte auch viel zu erzählen und zu berichten von der Stadt, von Freunden und Bekannten.

Auch in meiner Firma mußte ich genau Bericht erstatten über Geschäftsmöglichkeiten und über die wirtschaftliche Lage. Die war besonders in Deutschland sehr gut. Erste Anzeichen des Wirtschaftswunders machten sich bemerkbar. In der Firma gab es geteilte Meinungen über Deutschland, insbesondere ob man dorthin Geschäftsbeziehungen aufnehmen und unterhalten sollte. Zu diesem Zeitpunkt hatten die größeren amerikanischen Investmentbanken bereits Filialen in London, Paris, Amsterdam, Zürich, Genf, Mailand und Rom, erst seit den sechziger Jahren in Deutschland. Dann gab es sie jedoch in allen wichtigen Städten Deutschlands im Gegensatz zu den anderen Ländern, wo sich immer nur eine einzige Filiale in den Hauptstädten befand, mit Ausnahme von Italien, wo Mailand eben die Finanzhauptstadt war.

Ich wurde gebeten, einen Vortrag in meiner Loge über meine Eindrücke in Deutschland zu halten. Meine Logenbrüder waren sehr geteilter Meinung. Nicht nur, ob man in Deutschland überhaupt geschäftliche Interessen wahren sollte, sondern auch, ob man Deutschland überhaupt bereisen sollte. Doch die meisten meiner Freunde bzw. Logenbrüder, die auch aus Deutschland emigriert waren, sprachen sich unbedingt dafür aus, wirtschaftliche Beziehungen mit Deutschland zu unterhalten und auch persönliche Besuche zu machen. Andere allerdings meinten, sie würden niemals wieder deutschen Boden betreten. Im Laufe der Zeit besuchten so manche dann doch ihre alte Heimat. Wie auch immer, ich kenne einige, die zwar nach Europa reisten, aber Deutschland nicht besuchten, was ich zwar nicht verstehe, deren Haltung ich aber wiederum respektiere.

Zur Zeit meines ersten Deutschlandbesuchs bestellte die Lufthansa bei der Boing-Gesellschaft in Seattle, Washington, einige größere Maschinen. Sie waren für den Transatlantikverkehr bestimmt, trotz Opposition von Kreisen, die nicht glaubten, daß die Lufthansa je eine Landeerlaubnis in den USA erhalten werde. Ich erinnere mich an eine Karikatur in einer deutschen linksgerichteten Zeitschrift, in der sich Onkel Sam die Hände reibt über das gute Geschäft und sich zur selben Zeit fragt: „Wohin wollen die eigentlich fliegen?"

In einigen anderen linken Zeitungen spürte man bereits eine antiamerikanische Stimmung, zwar noch nicht sehr stark, denn die mit amerikanischer Hilfe gewonnene Demokratie trug noch Babyschuhe. Diese Stimmung nahm an Stärke zu, als es um die Wiedereinführung der Wehrpflicht ging.

Persönlich hatte ich sehr gemischte Gefühle, als die westlichen Siegermächte die Adenauer-Regierung mit der Wiederbewaffnung als gleichberechtigte Verbündete betrachtete. Es sei aber auch zu bemerken, daß die Alliierten gemischte Gefühle hegten, denn Rüstung und Waffenarten wurden in der neu erschaffenen Bundeswehr limitiert.

Die Wiederbewaffnung Deutschlands und die Mitgliedschaft in der NATO waren wichtige Schritte zur Friedenserhaltung in Europa. Da der Kalte Krieg weiter kalt blieb, bot sie sicherlich Deutschland und dem deutschen Volk die Garantie, sich gleichberechtigt und anerkannt zu wissen.

Im Frühling 1956 folgte meine Mutter dem Rat unseres Rechtsanwalts, Herrn Dr. Beyersdorf, und buchte eine Passage nach Europa. Mein Vater wollte nicht fahren. Jedoch nicht, weil er nicht Kiel oder Deutschland besuchen wollte, Vater war einfach noch nicht soweit, diesen Schritt zu unternehmen, der besonders schwierig für ihn war, wegen der streng koscheren Verpflegung und dem Sabbath-Gottesdienst, auf den er in Kiel hätte verzichten müssen. Mutter konnte dagegen sehr gut mit Brot, Käse, Eiern, Obst, Salaten usw. auskommen. Im Jahre 1957 begleitete Vater dann allerdings meine Mutter nach Deutschland.

Sie wollte nicht fliegen, auf dem Schiff mochte sie nicht mit einer fremden Dame eine Kabine teilen, geschweige allein eine Kabine buchen. Aus diesem Grunde konnte sie niemals allein in einem Hotel schlafen. Ich hatte zwar die Absicht, während Mutters Aufenthalt in Kiel hier und da einige Tage mit ihr zu verbringen und ihr behilflich zu sein. Aber ich hätte es vorgezogen, sie auf dem Flugwege zu begleiten.

So fuhren wir im Mai 1956 auf der „Isle de France" nach Europa. Da ich mit ihr eine Kabine teilen mußte, konnten wir weder auf einem englischen noch einem amerikanischen Schiff reisen, denn Kabinen konnten nur Eheleute auf diesen Schiffen teilen. Den Franzosen war das egal.

Die Überreise war sehr interessant, insbesondere für meine Mutter, da der Zufall es wollte, daß einige Bekannte, die früher in Hamburg wohnten, auch als Passagiere auf dem Schiff fuhren.

Auf dem Schiff lernte ich eine Lehrerin aus New Jersey kennen, die sich auf dem Wege nach Barcelona befand. Spanien war seinerzeit weder ein Touristenparadies noch im allgemeinen ein Reiseziel. Diese junge Dame erzählte mir, daß um 1880 ihr Großvater und dessen Bruder aus Rußland auswanderten, ihre finanziellen Mittel sie aber nur bis Manchester in England brachten. Der Großvater fuhr einige Jahre darauf nach New York, sein Bruder nach Spanien. Dort heiratete er eine katholische Dame und ließ sich taufen. Ein Sohn dieses Ehepaares war ein Anhänger Francos, wußte aber von seiner Abstammung und war sehr aktiv, Flüchtlingen zu helfen, die in Spanien Zuflucht suchten.

Ich wußte von dieser inoffiziellen Flüchtlingshilfe aus vielen Beschreibungen und natürlich auch von meinen Eltern, denen diese Hilfe in Spanien zugute kam.

In Southampton verließen wir das Schiff und fuhren nach London, wo wir von Verwandten abgeholt wurden. In London besuchten wir einmal das Theater und trafen uns mit einigen Kielern, unter anderem auch dem letzten Kantor in Kiel, Herrn Domowitz, der jetzt einen Posten als Kantor in London innehatte.

Herr Domowitz war nach dem Novemberpogrom von Kiel 1938 ins KZ Sachsenhausen eingewiesen worden, wo er viele Wochen als Häftling verbringen mußte. Er sprach nicht über seine Haft, doch weiß ich von anderen, wie er gelitten hatte.

Herr Domowitz erzählte mir, daß er und der Vorsitzende der Israelitischen Gemeinde, Herr Jonas, kurz nach seiner Entlassung die Erlaubnis erhielten, die geschändete Synagoge in der Goethestraße zu betreten. Die Verwüstung war unbeschreiblich. Zerrissene Torarollen und Gebetsbücher, wertvolle Kultgegenstände waren verschwunden.

Da Leo Domowitz als ehemaliger Kantor mit vielen Kielern in Verbindung war, wußte er bereits von meiner „Hühnervertreibung". Doch meinte er, daß diese Tat wohl nicht im besten Interesse der noch in Kiel lebenden Juden gewesen sei. Obgleich ich von Herrn Salomon in mei-

Leo mit seiner Mutter
1957 in London

nem Entschluß, das Rathaus aufzusuchen, unterstützt wurde, wäre es wohl angebrachter und klüger für einen nicht mehr in Kiel wohnenden Bürger gewesen, sich nur einer passiven Haltung zu bedienen.

Während der nächsten 30 Jahre weilte ich jedes Jahr einige Male in Kiel. Ich habe zwar sehr viele Gespräche über das jüdische Leben in Kiel geführt auch über das Verhalten von Behörden und Bürgern, jedoch habe ich in diesen Jahren niemals Kontakt mit städtischen Kieler Behörden oder Landesbehörden gehabt oder gesucht.

Mein erster behördlicher Kontakt mit der Stadt Kiel fand im November 1986 statt, nachdem die Gedenktafel der Synagoge geschändet wurde. Diesen Kontakt habe ich dann auf das Land Schleswig-Holstein erweitert. Denn Kiel war inzwischen, praktisch gesehen, eine Landeshauptstadt ohne Juden. So manche Bürger, auch ich, tun ihr Bestes, daß die Deutschen jüdischen Glaubens, die der Stadt soviel in Kunst, Wissenschaft und Wirtschaft gegeben haben, nicht in Vergessenheit geraten.

Nach einigen Tagen in London fuhren meine Mutter und ich über Holland nach Hamburg, wo wir in Altona in der Königstraße das Grab des Vorahnen meiner Mutter, Rabbi Jakob Emden, aufsuchten. Dort legte meine Mutter einen Zettel, wie sie es bei ihrem Vater gesehen hatte, auf den Grabstein. Auf diesen Zettel wurde wiederum ein kleiner Stein gelegt.

Wir besuchten auch Herrn Berghoff in Altona, der sich sehr freute, meine Mutter wiederzusehen. Nicht allzulange danach ist er dann leider gestorben.

In Kiel angekommen, wohnten wir in dem damals noch stehenden Hotel „Flensburger Hof". Die fast 90jährige Besitzerin des Hotels erinnerte sich sogar noch an meine Mutter. Mutter war sehr aufgeregt und von Gefühlen, genau wie ich bei meinem ersten Besuch, überwältigt.

Ihr erster Besuch galt natürlich Hertha Paul und ihrer Familie. Die Wiedersehensfreude war sehr groß, dennoch getrübt, da eine der Zwillingstöchter, Raina, kurz vorher erkrankt war, nicht mehr gehen und leider nicht geheilt werden konnte. Sie ist bis zum heutigen Tag auf den Rollstuhl angewiesen.

Schon in den vorangegangenen Jahren hatte meine Familie Pakete mit Kleidung an Familie Paul geschickt. Wir brachten jetzt viele praktische Sachen mit, da wir mit dem Schiff gefahren waren und nicht auf das Gewicht achten mußten.

Da ich nur sehr begrenzt Zeit hatte und Kiel nur für jeweils einige Tage besuchen konnte, war es wichtig, für meine Mutter eine Unterkunft zu finden, die wir dann auch bei einer Nachbarin von Pauls fanden.

Herr Salomon, der sich an meine Mutter noch von früher erinnerte, seine Frau auch seine Sekretärin, Sonia Bauer, eine reizende junge Dame, waren sehr hilfsbereit. Wir trafen ferner Herrn und Frau Pietsch sowie Herrn und Frau Jonas. Beide Ehepaare wohnten inzwischen wieder in Kiel und haben ihre Geschäfte wiedereröffnet.

Während meiner Abwesenheit fuhr Mutter des öfteren mit den Salomons zum Timmendorfer Strand und besuchte Bekannte und Jugendfreundinnen.

Eines Tages gingen wir zur Theaterkasse, um Karten zu kaufen. Die Dame an der Kasse, wohl in Mutters Alter, erkannte Mutter, rief abwechselnd „Fräulein Ehrmann" und „Frau Bodenstein", kam aus der Kasse hervor, umarmte sie und weinte vor Freude.

Bei der ersten Besprechung mit unserem Anwalt, Dr. Beyersdorf, war ich anwesend. Wir unterhielten uns sehr angeregt. Er war jüdischer Abstammung. In seinem Büro befand sich ein Bild seines Großvaters, eines jüdischen Gelehrten.

Dr. Beyersdorf wurde Anfang des Jahrhunderts in der Kaiserlichen Marine Seekadett und im Ersten Weltkrieg Offizier in der Marine. Er erlebte die Skagerrak-Schlacht mit. Mit Hilfe von Tintenfässern, Bleistiften, Federhaltern wurde uns sehr genau auf dem Schreibtisch der Verlauf dieser Schlacht vorgeführt.

Wir besprachen dann im Detail unseren Antrag auf Rückerstattung. Mit Absicht benutze ich das Wort „Wiedergutmachung" nicht, denn dieses Wort ist irreführend. Es gab und gibt keine „Wiedergutmachung", dieses populäre Wort vermittelte der deutschen Bevölkerung den falschen Eindruck, daß von ihren Steuern und Abgaben ein furchtbares Geschehen wiedergutgemacht würde.

Diese Rückerstattung war für viele, besonders bereits ältere Leute, eine wertvolle Hilfe, für manche ein zusätzliches Einkommen im Alter, für andere das einzige Einkommen. Wie groß diese Hilfe war, wurde von den Wohnorten der einzelnen bestimmt. In Israel konnte ein Ehepaar mit 500 bis 600 Mark im Monat schlecht aber recht leben. In den USA konnte man damit gerade die Miete bezahlen. In Südamerika konnten mein Onkel und meine Tante leicht von dieser Summe leben, insbesondere da deren Einkommen in den 20 Jahren der Immigration praktisch null gewesen war.

Rückerstattungen von Überlebenden mit früherem Wohnsitz in Deutschland bestanden aus Schulschaden, einer Pauschalsumme von 5.000 DM, eine kleine Vermögensrückerstattung, bei gewissem Alter eine Rente und in wenigen Fällen Gesundheitsschaden. Schulschaden wurde denen bezahlt, die die Schulausbildung unterbrechen oder abbrechen mußten.

Nach dem Krieg wurde das erblose jüdische Vermögen in Deutschland auf 12 Milliarden DM geschätzt, es dürfte sich aber eher um 20 bis 25 Milliarden DM bewegt haben. Wenn man den offiziellen Zahlen der Nazis nach der Vermögenserfassung im Jahre 1938 glauben will, würde diese Summe sich noch verdreifachen. Dazu kommen die Milliarden Mark an Strafen, die den Juden im November 1938 auferlegt wurden plus die Versicherungssummen der Schäden aus der Pogromnacht, die der Staat kassierte.

Beraubte Geschäfte, Wohnungen, nicht ausgeliefertes Umzugsgut, Abgaben bzw. Fluchtgelder der ersten Auswanderer kommen außerdem dazu. Die später im Krieg nach Osten Deportierten mußten ihr letztes Handtuch abliefern. Alles dies wurde dem deutschen Volksvermögen zugeführt.

Da die meisten Zahlungen erst Mitte und Ende der fünfziger Jahre begannen und sich auf viele Jahre erstreckten, insbesondere bei den Renten, ist anzunehmen, daß die Zinsen, Einkünfte und Wertsteigerungen dieser beschlagnahmten Vermögenswerte wohl die ausgezahlten Entschädigungssummen mehr als gedeckt haben.

Sicherlich wurden Mittel im Etat für diese Rückerstattungszwecke zur Verfügung gestellt. Diese Summen aber befanden sich aufgrund ungesetzlicher Handlungen und verbrecherischer Taten bereits viele Jahre im Volksvermögen.

Außer den aus Deutschland stammenden Juden erhielten die wenigen Überlebenden aus den Ostgebieten kleinere Entschädigungszahlungen oder Renten für Lagerhaft, Zwangsarbeit, Gesundheitsschaden und anderes. Da diese Juden Ausländer waren und in den im Krieg von Deutschland besetzten Gebieten ihren Wohnsitz hatten, sollten diese Zahlungen besser als Kriegsreparationen bezeichnet werden.

Doch wie immer auch die Zahlungen genannt werden, diese ausgezahlten Summen befanden sich bereits seit vielen Jahren aufgrund schlimmster verbrecherischer Handlungen im deutschen Volksvermögen.

Die Millionen Opfer wurden von den Unmenschen bis aufs Unterhemd ausgeraubt, nach ihrem Tod auch noch der Haare und Goldzähne, welche der Reichsbank zugeführt wurden. Nachdem aus dem Warschauer Getto im Sommer 1942 an die 300.000 Juden nach Treblinka ihrem Tode zugeführt worden waren, setzten die deutschen Behörden in Warschau eine offizielle „Werterfassungs"-Behörde ein, die die Möbel und andere Habe der unglücklichen Opfer verwertete. Dies geschah nicht nur in Warschau, sondern überall im Osten, in Dörfern und Städten.

Auch der Staat Irael erhielt Zahlungen aus Deutschland, welche sehr wichtig und lebenserhaltend für diesen jungen Staat waren. Daraus entwickelten sich dauerhafte und fruchtbare Wirtschafts- und Handelsbeziehungen. Aber auch diese Zahlungen sollen als Reparation bezeichnet werden, denn der Staat Israel übernahm die Pflicht, für frühere Bürger Deutschlands und Europas aufzukommen, die aus Deutschland vertrieben worden waren.

Ich bitte um das Verständnis des Lesers, daß ich in den vorangehenden Sätzen Tatsachen zu beschreiben versuchte, die äußerst schwierig sind. Doch diese Sätze sind mir sehr wichtig.

Auch kann dieses Thema nicht abgeschlossen werden, ohne den Lastenausgleich zu erwähnen, und ich muß voller Neid eingestehen, die Vertriebenen aus Polen, dem Sudetenland, Pommern und Ostpreußen erhielten eine weit bessere und höhere Entschädigung als die Deutschen, die zehn Jahre früher von den eigenen Landsleuten vertrieben worden waren. Den Grund verstehe ich vollkommen, denn einige Millionen wahlberechtigte Neubürger müssen fair behandelt werden. Nein, mein Neid ist über das Wort „Lastenausgleich" entstanden, die amtliche Beschreibung klingt fair, gerecht und ist sicherlich auch dem Steuerzahler genehm, dessen Gelder ja für diesen Ausgleich sorgten.

Obgleich diese Vertriebenen all ihr Hab und Gut zurücklassen mußten, wurden sie meist mit offenen Armen empfangen und lebten sich gut in der neuen Heimat ein. Sie leisteten ihren vollen Anteil am Wiederaufbau Deutschlands. Natürlich gab es auch unter den alteingesessenen Bürgern einen Anteil von Nörglern, die die neuangekommenen mit Rittergutbesitzer und anderen Namen titulierten.

Da meine Familie ziemlich groß ist, insbesondere wenn ich Cousins zweiten und dritten Grades sowie angeheiratete Verwandte, die aus Ungarn, Rumänien, der Tschechoslowakei und anderen Gegenden stammten, mitzähle, habe ich eine gute Übersicht über die finanziellen Leistungen, die den Opfern des verbrecherischen Regimes zu Teil wurden. Ferner berichtete die Zeitung „Aufbau" in New York ziemlich ausführlich über dieses Thema.

Als erstes hatte ich nun feststellen müssen, daß die Beweispflicht den Antragstellern oblag. Im Fall meiner Eltern war ich zu einigen Terminen in den Jahren 1956 und 1957 anwesend. Aufgrund dieser einseitigen Beweispflicht mußten die meisten Antragsteller Anwälte beauftragen, was natürlich teuer und langwierig wurde.

Beim ersten Termin in der Gartenstraße in Kiel ging es darum, wieviel in der Pogromnacht vom 9. auf den 10. November 1938 aus ihrem Geschäft entwendet worden und wieviel zurückgebracht worden war. Zeugen waren Ladenbesitzer in der Nachbarschaft, Frau Paul und meine Mutter. In unserem Rückerstattungsverfahren ging es darum, wer diese Waren abgeholt hatte. Ob es offizielle NS-Stellen oder eine spontane Plünderung von der Bevölkerung ausgehend war.

In den Jahren 1956 und 1957 wurde tatsächlich noch amtlich die Propagandalüge Goebbels in Erwähnung gezogen. Ich hielt dies für eine Beleidigung der Kieler Bevölkerung, die zwar passiv zusah, auch zum Teil die Verfolgung ihrer Mitbürger begrüßte, sich aber nicht an den Plünderungen beteiligt hatte. Ich muß auch die unzähligen Ausrufe und anderen Bezeugungen des Entsetzens, die meine Eltern von manchen Mitbürgern erhielten, erwähnen.

Erst viele Jahre später erfuhr ich, was damals weder unserem Anwalt noch uns bekannt war, daß bereits im Jahr 1954 amtlich festgestellt wurde, daß die Waren aus den jüdischen Geschäften von NS-Lastwagen abgeholt und in Kiel-Gaarden gelagert wurden. Vielleicht wußten es auch die Behörden im Amt in der Gartenstraße nicht, aber wie auch immer, die Beweispflicht unterlag den Antragstellern.

Ich ging zu den „Kieler Nachrichten", denn meine Mutter erinnerte sich, daß die „Kieler Neueste Nachrichten" von der Pogromnacht berichtet sowie Namen der zerstörten und beraubten Geschäfte erwähnt hatten. Leider wären keine Unterlagen mehr vorhanden, wurde mir mitgeteilt. Doch Jahre später mußten Unterlagen gefunden worden sein, denn die KN berichtete am 11.11.1988, daß auch das Geschäft Bodenstein in der Lerchenstraße ein Opfer des „Volkszorns" wurde.

Das Finanzamt in Kiel hatte keine Unterlagen. Trotzdem erhielt unser Anwalt, Herr Dr. Beyersdorf, die Kopie eines Briefes zugesteckt. Der Absender war unbekannt. In diesem Brief forderte das Finanzamt in Kiel den Abwickler des Geschäfts, Herrn Kruse, auf, 5.000 RM aus dem Vermögen der Juden Bernhardt und Rosa Bodenstein zu überweisen, da sie als Juden ihr Einkommen sicherlich nicht wahrheitsgemäß angegeben hätten.

Da meine Eltern nicht beweisen konnten, daß Herr Kruse diese Summe gezahlt hatte, wurde diese nicht zurückerstattet. Meine Eltern erhielten für die Sachschäden im Geschäft, den beschlagnahmten Lift in Antwerpen und „Goodwill" eine Entschädigung, die meines Erachtens sehr gering war und dann noch durch die Währungsumstellung von 1948 auf 10 Prozent abgewertet wurde.

Ich erinnere mich nicht an den Betrag, doch konnten davon nicht einmal die Reisespesen für eine Person von den USA nach Deutschland bezahlt werden. Dazu erhielten meine Eltern noch eine Rente, die für beide zusammen an die 650 DM monatlich betrug. In dieser Rente aber sah ich, wenn auch vom Amt in der Gartenstraße erarbeitet und bestätigt, weder eine Rückerstattung noch Wiedergutmachung irgendeiner Art. Meine Eltern hatten für eine Altersversorgung gesorgt, leider wurden ihnen im Vergleich mit den deutschen Flüchtlingen aus Polen und dem Sudetenland die Jahre im Ausland nicht angerechnet.

Da beide Eltern bereits fünf Jahre über das gesetzliche Rentenalter hinaus waren, erhielten sie eine Nachzahlung für diese Jahre. Da mein Vater eine kleine Rente in den USA erhielt und meine Mutter automatisch nochmals die Hälfte der Rente meines Vaters, hatten beide zwar eine gesicherte, doch auch sehr bescheidene Altersversorgung.

Meine Geschwister und ich hatten im Gegensatz zu manchen anderen keine Schwierigkeiten mit der Schulentschädigung. „Es war noch nicht nötig, die Schule zu verlassen. Sie verließen die Schule, weil Sie ausgewandert sind" solche und ähnliche Argumente hörte so manch einer. Doch wenn darauf bestanden wurde, erhielten sie ihre Entschädigung. Andere verfolgten es nicht mit Nachdruck und blieben somit ohne einen Pfennig, was wohl auch der Zweck der Übung war.

Ich betone das aus meinen Erfahrungen, daß die zuständigen Behörden eben genau die Buchstaben des Gesetzes verfolgten, und wenn einer leer ausging, war es wohl immer die Schuld des Antragstellers, der weder genügend Zeugen noch Beweise brachte.

Einige unserer Bekannten stellten überhaupt keine Anträge. Auch dafür hatte ich Verständnis. Wie ein Kieler Jude, der aus Holland mit Frau und vier Kindern deportiert wurde. Er überlebte, doch seine Frau und Kinder wurden getötet. Dieser Herr wollte keine Korrespondenz mit den „Mördern" seiner Familie führen, ein in meinen Augen unrichtiger Standpunkt, doch verständlich.

Aus dem Familien- und Bekanntenkreis wurden mehr oder weniger alle Emigranten aus dem Dritten Reich auf gleiche Art entschädigt. Die meisten waren sehr dankbar, denn somit hatten sie das erste Mal seit Jahren eine knappe, doch ausreichende Lebensgrundlage.

Abgesehen vom Lastenausgleich wurden politisch Verfolgte und religiös Verfolgte wie Zeugen Jehovahs, Homosexuelle, gemeine Verbrecher, die in KZ eingeliefert wurden, und Zigeuner auch nach dem Bundesentschädigungsgesetz entschädigt.

Das Gesetz über Lagerhaft in KZ und dessen Entschädigung machte einen Unterschied zwischen zwei Arten von Lagern. Das sind einmal Lager, in denen offiziell getötet wurde, und andere Lager, die nicht den Tötungszwecken dienten. Das schließt aber nicht aus, daß man in diesen letzteren Lagern zu Tode kommen konnte. Wer zum Beispiel bei Hungerration nicht genügend arbeiten konnte, wurde zu Tode geschlagen. Manche Insassen überlebten auch den Appell im Winter ohne warme Kleidung und barfuß oder anderen Schikanen nicht.

Überlebende der Tötungslager erhielten eine Abfindung, die im übrigen nur 150 DM pro Monat KZ-Haft betrug. In den sechziger Jahren wurden tatsächlich Zigeuner in Schleswig-Holstein bestraft, weil sie absichtlich ein falsches Lager genannt hatten, um eine höhere Entschädigung zu erhalten.

Zwangs- und Sklavenarbeiter, von denen nur wenige überlebten, erhielten 5 Mark Entschädigung pro Tag.

Das Bundesentschädigungsgesetz war präzise ausgearbeitet worden, mit nicht allzuviel Novellen ergänzt, so daß es der Antragsteller bedeutend leichter hatte. Aber, wie bereits erwähnt, dafür gab es gute Gründe.

Die Sachbearbeiter im Entschädigungsamt waren hilfsbereite Herren, meist Angestellte und wenige Beamte. Ein Antrag zog sich allerdings oft über zwei Jahre hin. Insbesondere gab es einen bemerkbaren Raummangel. In einem Fall, bei dem ich anwesend war und einige Zeugen geladen waren, fand die Verhandlung in einem ungepflegten, schmutzigen Kellerraum statt. Der Sachbearbeiter entschuldigte sich, daß nicht ausgekehrt worden war. Mit seinem ihm eigenen spitzen Humor meinte Dr. Beyersdorf: „Sie meinen wohl, es wurde vergessen zu harken."

Meine Mutter blieb wohl an die zwei bis drei Monate in Kiel und fuhr dann allein auf der „United States" von Bremerhaven nach New York zurück. Frau Paul begleitete meine Mutter nach Bremerhaven.

1957, im Mai, fuhren meine Eltern dann gemeinsam nach Kiel, wo sie für einige Monate eine kleine Wohnung mieteten und ihre Anträge zum Abschluß brachten. Auch bearbeiteten meine Eltern die Rückerstattung von Herrn und Frau Locker aus Argentinien. Frieda Locker war eine Schwester meiner Mutter. Josef Locker war kriegserblindet. Beide konnten aus finanziellen und gesundheitlichen Gründen nicht nach Deutschland reisen.

Meine Eltern blieben ein knappes halbes Jahr in Kiel und erneuerten und pflegten alte Freund- und Bekanntschaften. Mein Vater wurde auch nicht nur einmal von früheren Kunden auf der Straße erkannt. Für einige Tage besuchte ich meine Eltern in Kiel. Dabei stellte mir mein Vater einen alten Freund, einen Polizeibeamten, vor, der noch immer in seinem alten Polizeirevier arbeitete.

Während diesem Aufenthalt erhielt ich auch die Erklärung, wieso ich im Vorjahr nicht die Adresse von Frau Paul und von anderen im Einwohnermeldeamt erhalten hatte. Frau Paul, deren Mädchenname und letzte Adresse ich wußte, sowie ihr Bruder Harold und ihr Vater Wilhelm Gans, letzterer in Kiel verstorben, sollten dem Einwohnermeldeamt bekannt sein. Es lag auf der Hand, daß mir keine Information erteilt wurde, da leider in Schleswig-Holstein viele ehemalige Nazis untergeschlüpft waren, vielleicht inbegriffen eines kleinkarierten Nazis im Einwohnermeldeamt. Daß dies eine sehr naheliegende Vermutung ist, resultiert daher, daß ein Fehler passieren kann, aber drei …!?

Mein Vater besuchte mit mir auch Schlachtermeister August Rieken am Sophienblatt. Herr Rieken, ein sehr wohlhabender Herr, gehörte damals einer berittenen NS-Gruppe an. Obgleich eine rege Bekanntschaft zwischen meinem Vater und Herrn Rieken seit Jahren bestand, schlief dieselbe in den späteren dreißiger Jahren ein. Mein Vater hatte dafür Verständnis. Ich war weniger tolerant, aber wohl auch viel jünger als mein Vater.

Bei ihrer ersten Begrüßung umarmten sich Herr Rieken und mein Vater. Ich erinnere mich auch, daß Herr Rieken zu Vater sagte: „Ich freue mich, daß Du Deinen Sohn hast. Meiner ist leider gefallen." Beide Herren trafen sich noch einige Male in Kiel und hielten weiteren Kontakt.

Ein Schulfreund von mir, ich sage mit Absicht, nicht Klassenkamerad, wurde im Krieg sehr schwer verletzt und verlor beide Beine. Dieser Freund hatte, wie mir Klassenkameraden berichteten, später der Waffen-SS angehört. Mir wurde geraten, ihn nicht aufzusuchen, er wohnte auch nicht in Kiel. Durch Zufall erkannten mich seine Eltern, als ich mit meinem Vater die Ringstraße entlangging und sie, einen Blockwagen ziehend, aus ihrem Schrebergarten kamen.

Die Mutter meines Jugendfreundes sagte, ich sollte ihn unbedingt besuchen, und daß er sich sicherlich freuen würde. Ich wollte sowieso nach Sylt fahren und mietete mir ein Auto. Auf dem Weg nach Sylt fuhr ich bei meinem alten Freund vorbei. Leider war es kein behagliches Zusammensein. Ich glaube, daß seine Zugehörigkeit zur Waffen-SS, die ja sicherlich auch ehrenhaft sein konnte, uns beide bedrückte.

Während ihres Aufenthalts in Kiel fuhren meine Eltern für einige Wochen nach Israel. Meine Mutter hatte dort einen Bruder und mein Vater eine Schwester. Sie bestiegen in Marseilles ein ziemlich neues Schiff der Israeli Zim Line, „Theodor Herzl". Die Verwandten und ich erwarteten meine Eltern im Hafen von Haifa.

Während meine Eltern das Schiff verließen, unterhielt sich Vater mit einem Herrn, der mir sehr bekannt vorkam. Vater stellte mich ihm vor. Es war Moshe Shartock, der erste Außenminister des Staates Israel. Wie Vater mir später berichtete hatte die „Theodor Herzl" eine kleine Synagoge, doch fand er nicht die nötigen zehn Männer, die bei einem gemeinsamen Gottesdienst zumindest anwesend sein mußten. So schnappte er sich auch den Herrn Shartock, um die Mindestzahl zusammenzubekommen.

Herr Moshe Shartock fragte mich, ob ich bereits lange Zeit im Land weilte. Ich erwiderte: „Nein, gestern war ich noch in Beirut und bin über das ‚Mandelbaumgate' in Jerusalem eingereist." Ich sollte ihn doch anrufen und, wenn ich möchte, mich mit ihm treffen und über meine Eindrücke berichten.

Einige Tage später trafen wir einen Cousin meiner Mutter, Dr. Siegmund Briefer. Ich erinnerte mich an ihn, denn er studierte einige Jahre in Kiel. Jetzt arbeitete er im Außenministerium und war bereits über meine Reise unterrichtet. Interessiert hörte er sich meine Eindrücke von Beirut und über meine Reise an.

In Beirut hatte ich ein Taxi genommen, daß mich über Transjordanien nach Ost-Jerusalem brachte. Am „Mandelbaumgate" ließen mich die Jordanier und die Israelis aufgrund meines amerikanischen Passes passieren. Dieser Übergang wurde im allgemeinen wenig benutzt, insbesondere weil die Jordanier einen nur heraus-, aber nicht hineinließen.

Ich blieb jetzt nur wenige Tage in Israel. In Jerusalem besuchten wir Dr. Posner, den letzten Rabbiner in Kiel. Er erzählte uns von seiner Arbeit, über die jüdische Gemeinde, Familien, die er nach Kiel geschickt hat, und deren jüdisches Leben in Kiel. Er erhoffte Publikationen und auch, eventuell einmal Vorträge über dieses Thema in Kiel halten zu können.

Einige Wochen später besuchte ich meine Eltern, die wieder in Kiel weilten. Wir hatten Gelegenheit, mit Herrn Salomon, dem Leiter der jüdischen Gemeinschaft, zu sprechen. Ich erinnerte mich allerdings, daß es zwischen Dr. Posner und Herrn Salomon Meinungsverschiedenheiten gab. So zeigte Herr Salomon kein Interesse daran, daß die Arbeit von Dr. Posner gedruckt und verbreitet wird. Noch weniger Interesse hatte er daran, daß Dr. Posner eine Einladung zuteil wird, um über die Geschichte der Juden in Kiel zu sprechen.

Die Gründe des Herrn Salomon hatten sicherlich eine gewisse Berechtigung im Jahr 1957. Sie wurden aber nur von wenigen Holocaust-Überlebenden geteilt. Seine Gründe waren: ein ruhiges, diskussionsfreies, nicht politisches Leben zu führen.

An meine Erfahrungen von 1955 im Rathaus denkend, habe ich zu diesem Zeitpunkt keine eigene Meinung geäußert und nur den Standpunkt von Herrn Salomon später an Dr. Posner vermittelt sowie zu erklären versucht. Nachträglich erkläre ich meine Reaktion damit, daß meine Eltern sich sehr mit dem Ehepaar Salomon während ihres halbjährigen Aufenthaltes in Kiel angefreundet hatten.

Die vortreffliche Arbeit von Dr. Posner zur Kieler Zeitgeschichte gibt mir bis zum heutigen Tage ein ungeklärtes Rätsel auf. Dr. Posner sprach mit mir und weiteren Zeitgenossen darüber, daß er diese Arbeit 1957 nach Kiel sandte. Meine Vermutung war, daß Dr. Posner mit Kiel die Stadt meinte. Doch kann ich nicht ausschließen, daß dieses Manuskript eventuell auch an die jüdische Gemeinschaft, das Land Schleswig-Holstein oder vielleicht an die Universität gesandt wurde.

Einen offiziellen Hinweis auf das Manuskript von Dr. Posner erhielt ich erst im Band 59, Heft 11/12, der „Mitteilungen der Gesellschaft für Kieler Stadtgeschichte". In diesem Band wurde ein Teil dieser Arbeit von Dr. Posner veröffentlicht mit einem Vorwort von einem J.J.-Gezeichneten. Unter diesem J.J. vermute ich Dr. Jürgen Jensen, Archivdirektor in Kiel. J.J. erklärt in seinem Vorwort, daß aufgrund der in Kiel stattgefundenen Ausstellung im Jahre 1974 „Jüdisches Leben in Kiel. Brauchtum und Kultur" Frau Rachel Posner, die Witwe des Rabbiners, Dr. Arthur Posner, das Manuskript ihres Mannes „Zur Geschichte der jüdischen Gemeinden und Familien in Kiel" zur Verfügung gestellt hatte.

Ich bedauere, daß dieses wertvolle Stück Zeitgeschichte erst so spät und nicht vollständig veröffentlicht wurde. Auch hätte ich gern darüber mit dem Leiter des Kieler Stadtarchivs, Dr. Jensen, gesprochen. Doch dieser gab mir leider die Möglichkeit dazu nicht.

Meine Eltern verließen Kiel im Spätherbst 1957 um wieder in ihre neue Heimat und zu ihren Kindern und Enkelkindern zurückzukehren. Viele Freunde und Bekannte begleiteten sie zum Bahnhof, wo sie mit Tränen in den Augen Abschied von ihren Freunden nahmen.

Trotz ihres fortgeschrittenen Alters machten meine Eltern noch einige Male in späteren Jahren Station in Kiel. Auch mich zog es immer wieder nach Kiel. Meine Schwestern Gisela und Reginchen haben Kiel mindestens fünf- bis sechsmal besucht. Nur meine jüngste Schwester Zita zeigt kein Interesse, ihre Geburtsstadt zu besuchen. Allerdings reist sie bis heute nicht gern.

Über einige Jahre habe ich Kontakt zu Dr. Beyersdorff gepflegt. Wenn immer ich in Kiel war, besuchte ich ihn. Wir speisten des öfteren gemeinsam im alten Ratskeller. Ich erwähnte bereits seinen wunderbaren Humor. Eines Tages gingen wir am Hochhaus der Landesbank am Kleinen Kiel vorbei. „Hier arbeiten Bankbeamte, die sicherlich schwindelfrei sind," sagte er ironisch.

Dr. Beyersdorff erzählte mir von seiner Seekadettenzeit, und von seinem von den Nazis ermordeten Sozius, Dr. Spiegel. Ein Ereignis, das den Bruder seines Sozius, den Kinderarzt Dr. Spiegel, betraf, der in der Nazizeit in die USA emigrieren konnte, war folgendes:

Noch vor Ausbruch des Zweiten Weltkrieges erhielten die Juden in Deutschland einen zusätzlichen Vornamen, Israel für Männer, Sarah für Frauen. Dr. Beyersdorff berichtete, daß Dr. Spiegel vom Rückerstattungsamt in Kiel Post erhielt, in der er noch mit dem Vornamen „Israel" tituliert wurde. Dr. Beyersdorff hatte seine Kameraden im Marineoffiziersclub wissen lassen, daß, falls er irgendwann verhaftet werden würde, er sich mit seinem Revolver wehren würde. Er wurde nicht verhaftet. Er meinte, eine Erklärung dafür könnte sein, daß er in den letzten

Monaten einige NS-Funktionäre vor Gericht verteidigte, die der Schiebungen von Dänemark nach Deutschland bezichtigt worden waren.

Erst in den letzten Wochen des Krieges wurde Dr. Beyersdorff als Hilfsarbeiter der Reederei „Sartori & Berger" zugeteilt.

Es ist bemerkenswert, daß sich NS-Funktionäre von Anwälten verteidigen ließen, die teilweise jüdischer Abstammung waren. Wie ich später hörte, war dies oft der Fall.

Ende der fünfziger Jahre besuchte ich Kiel einige Male, meistens auf dem Weg nach Sylt, wo ich jährlich Urlaub machte. Traf Freunde und Bekannte, machte meine Beobachtungen und stellte so manche traurige Tatsache fest.

Es lag auf der Hand, daß sich in Kiel und Schleswig-Holstein keine jüdische Gemeinde mehr entwickeln konnte. Die Gründe waren offensichtlich, einige möchte ich nennen:

Die Stadt Kiel sowie das Land Schleswig-Holstein förderten in keiner Weise eine Neubildung von jüdischen Gemeinden. Die zahlreichen durch Kriegswirren nach Schleswig-Holstein verschlagenen Juden konnten sich nicht halten, dies schließt immerhin eine Gruppe von 600 Juden ein, die sich 1945 in Neustadt/Holstein befanden.

Einige rassisch verfolgte Familien erhielten nach dem Krieg und überstandener KZ-Zeit die Wohnungen von Nazibonzen zugewiesen. Nach einigen Jahren wurden sie zum Teil wieder aus diesen Wohnungen herausgeholt, denn die Nazis wurden inzwischen in eine niedrigere Stufe des Nazi-Seins eingestuft. Dies passierte in einem Fall einer mir bekannten Familie in Kiel.

Frühere jüdische Besitzer von ariesierten Geschäften konnten hier und da von den Besitzern eine zusätzliche kleine Leistung erhalten. Der Verkauf wurde jedoch rechtlich anerkannt und konnte nicht rückgängig gemacht werden, im Gegensatz zu einem Mietverhältnis.

Einige jüdische Geschäftsleute, manche mir und meinen Eltern bekannt, konnten in Kiel und Schleswig-Holstein trotz großer Investitionen an Geld, Zeit und gutem Willen nicht Fuß fassen. Dies stand im Gegensatz zu den anderen Ländern in der Bundesrepublik.

Ferner sollte man auch die Stellung der jüdischen Gemeinschaft nicht vergessen. Ohne weiteres war dieselbe hier schwach im Gegensatz zu anderen Städten und Ländern in der Bundesrepublik, wo neue Gemeinden Synagogen und Gemeindezentren mit Hilfe der Behörden wieder erstehen ließen. Daß die jüdische Gemeinschaft in Kiel keine Neugründung einer Gemeinde oder Restaurierung des Gotteshauses wünschten, entspricht nicht den Tatsachen. Dies erfuhr ich aus Gesprächen, die ich mit Herrn Salomon und anderen jüdischen Bürgern aus Kiel in den Nachkriegsjahren führte. Es ist aber bedauerlich, daß die jüdische Gemeinschaft ihrem Wunsch nicht genügend Nachdruck verlieh.

Dr. Posner versicherte mir, daß er in einem Briefwechsel mit dem Oberbürgermeister Andreas Gayk über städtische Hilfe bei einer eventuellen Neugründung einer jüdischen Gemeinde und Errichtung einer Gedenkstätte bzw. einer Synagoge, einen Gedankenaustausch hatte. Dieser Sachverhalt wurde mir später sowohl von privaten als auch behördlichen Stellen mitgeteilt. Bürgermeister Andreas Gayk hatte Dr. Posner versprochen, auf dem früheren Synagogenplatz eine Gedenktafel zu errichten. Dies entsprach sicherlich den Tatsachen, aber nicht dem Wunsch des früheren Rabbiners, noch der meisten damals lebenden und heute noch lebenden jüdischen Kieler Bürger.

Diese früheren Bürger verdienten und erwarteten etwas mehr Verständnis von der Stadt. Bürger, die in einem so großen Umfang am Aufbau dieser von uns so geliebten Stadt über viele Hunderte von Jahren beteiligt waren, und dieser Stadt unter anderem auch zwei Nobelpreise einbrachten.

11. Im Auftrage der Bache-Bank in Europa

1959 verbrachte ich wohl mehr Zeit in Europa, meistens in der Schweiz und in Deutschland, als in den USA. Ende 1959 beriet ich die Firma Bache & Co., seinerzeit die zweitgrößte Investmentbank an der Wall Street, betreffend ihrer Pläne, wiederum in Deutschland zu eröffnen. Vor dem Krieg unterhielt diese 1876 gegründete Firma eine Filiale in Berlin und wollte nun wiederum eine in Deutschland eröffnen.

Noch 1959 mietete die Firma Räume im „Frankfurter Hof" in Frankfurt am Main und 1960 am Roßmarkt. Zu diesem Zeitpunkt trat ich der Firma Bache & Co. bei und verlegte im Sommer 1960 meinen Wohnsitz nach Frankfurt am Main.

Ich lernte Harold Bache, den geschäftsführenden Partner der Firma Bache & Co. während eines Luncheon in New York kennen. Er sagte mir, ich sollte in seiner Firma arbeiten, insbesondere da er wußte, daß ich bereits einen großen Kundenstamm von deutschen bzw. europäischen Banken berate. Bache & Co. würde in Kürze in Frankfurt eine Filiale errichten, und ich würde als Mitarbeiter dort sehr willkommen sein, meinte Mr. Bache.

Mit Werner Karmarsky, der als Manager für die Frankfurter Filiale vorgesehen war, sprach ich insbesondere über den „Service", den Bache & Co. ihren Kunden geben würden. Das letzte war für mich einer der wichtigsten Punkte. Nur dieser konnte meine Entscheidung beeinflussen.

Mr. Karmarsky war mir bereits bekannt; ich hatte einmal die Gelegenheit, die Gemäldesammlung seines Vaters zu besichtigen, alles alte Meister. Die Karmarskys immigrierten in der Nazi-Zeit aus Lübeck über Amsterdam nach New York.

Mr. Bache unterhielt 1959 bereits Filialen in London, Paris, Amsterdam, Genf, Mailand und Rom. Den Manager des Büros in Rom, Ferdinand Pecci-Blunt, hatte ich auch schon kennengelernt. Der Manager des Pariser Büros, Hans Czernin, war mir bereits aus meiner Armeezeit bekannt.

Also entschloß ich mich, das Angebot Mr. Baches anzunehmen. Nachdem ich eine Weile bei Bache in New York tätig war, fuhr ich im Sommer 1960 nach Europa mit der „Niew Amsterdam", dem Flaggschiff der Holland America Line, denn ich hatte viel Gepäck, das von Amerika nach Frankfurt verfrachtet wurde.

Selbstverständlich besprach ich diesen wichtigen Schritt auch mit meinen Eltern. Ich glaube, obgleich sie mich wohl lieber in ihrer Nähe in New York gehabt hätten, wurde mein Entschluß von Ihnen unterstützt und gutgeheißen. So manche Freunde, Bekannte sowie auch Familienangehörige hielten dagegen diese Entscheidung für unüberlegt und mißbilligten den Schritt. Es ginge nicht darum, wurde ich belehrt, was mir gefiele oder ich für gut hielte. Sondern es ginge darum, was den Leuten in meiner „neuen-alten" Heimat gefiele und sie für gut hielten. Man konnte diesem Argument nicht die Logik nehmen und ganz, ganz sicher war ich mir nicht, ob ich den richtigen Schritt tat.

Doch meine Überlegung und Entscheidung war richtig, wie sich bald herausstellte. Richtig war es in dem Sinne, daß in vielen Orten und Ländern der Bundesrepublik Deutschland die neue jüdische Gemeinschaft voll anerkannt wurde. Sie leistete einen großen Teil für den Wiederaufbau und schuf, trotz ihrer winzigen Anzahl in vielen Sparten des Lebens und der Gesellschaft Beachtliches.

Ein langjähriger Freund, Jerry Belfert, der nur wenige Meter entfernt von mir in Florida wohnte, brachte mich mit seinem Wagen nach Hoboken, New Jersey, zur „Niew Amsterdam". Diese Reise war natürlich etwas anderes als meine vorherigen Reisen. Es war ein Abschied von Amerika, obgleich ich anfangs mindestens vier oder fünfmal jährlich die USA besuchte, und in späteren Jahren vielleicht zehnmal im Jahr.

v.l.: Tuli Greenbaum und seine Großeltern Rosa und Bernhardt Bodenstein auf seiner Bar Mizwa

Vor meiner Abreise erkundigte ich mich beim deutschen Konsulat. „Brauche ich ein Visa oder eine Erlaubnis, die mir gestattet, mich in Deutschland aufzuhalten?" „Das wird alles in Deutschland erledigt werden", war die Antwort der Beamten.

Der Herr auf dem Konsulat hatte Recht. Es wurde alles in Frankfurt erledigt, doch auf Kosten eines unbeschreiblichen Papierkrieges. „Selbstverständlich können Sie eine Aufenthaltsgenehmigung erhalten; aber wie und wovon werden Sie leben?" wurde ich gefragt. Auf die Antwort „Ich habe Arbeit" wurde eine Arbeitserlaubnisbescheinigung verlangt.

Ohne weiteres würde die Arbeitserlaubnis erteilt, doch dafür wäre die einzige Bedingung eine Aufenthaltserlaubnis, „... ohne diese Erlaubnis können Sie nicht arbeiten". Ich übergab die Angelegenheit dem Anwalt unserer Firma in Frankfurt. Nach einigen Monaten erhielt ich eine auf sechs Monate befristete Aufenthaltserlaubnis und eine Arbeitserlaubnis für ein volles Jahr als Bankangestellter.

Mein Anwalt bestand ebenfalls darauf, Arbeits- und Aufenthaltserlaubnis unbefristet für mich zu erwirken, und mir ferner auch die freie Berufswahl zu geben. Im übrigen bestand der Anwalt nur auf dem, was mir zustand.

Ich möchte betonen, daß dies keine behördliche Schikane war, denn die Behörden waren überfordert. Unmengen von Ausländern, Italiener, Jugoslawen und Spanier standen Schlage in den diversen Dienststellen.

Auf Anhieb verstand ich mich mit Werner Karmarsky, dem Direktor der Frankfurter Niederlassung, bei der ich nun der Associate Director war. Außer uns zwei beschäftigten wir zu diesem Zeitpunkt noch vier Account Executive (Kundenberater). Einer von ihnen war mir bereits aus New York bekannt, wo er sein Training und Examen ablegte. Ein sehr netter junger Mann, Mitte 20, Österreicher namens Felix Pereira-Arnstein. Zwei weitere Amerikaner, die kürzlich ihre 20- oder 30jährige Dienstzeit als Offiziere in der US-Armee beendet hatten und fließend deutsch sprachen sowie ein weiterer Amerikaner, auch wohl Mitte 20, sich aber mit der deutschen Sprache schwer tat, waren dabei.

Telexoperator sowie Sekretärinnen sprachen und schrieben alle fließend englisch. Herr Karmarsky bestand darauf, daß in der Bank nur englisch gesprochen wurde. – Werner Karmarsky hatte kürzlich geheiratet. Seine Gattin Sally war die Tochter Dorothy Schiffs, Besitzerin und Herausgeberin der New Yorker Tageszeitung „The Post".

Die Schiffs, Baches, Guggenheims, Straußs (Macys), Loeb (Banking), um einige Familien zu nennen, waren alle Nachkommen der um die Mitte des letzten Jahrhunderts in die USA eingewanderten deutschen Juden. Wie es so schön und wahrheitsgetreu in dem Buche „Our Crowd" von Steven Birmingham, das auch in deutscher Sprache erschien, beschrieben wurde. Diese und weitere Familien pflegten ihr Deutschtum, ihre deutsche Kultur und Sprache für viele Generationen, insbesondere Jakob Schiff, ein bekannter Bankier und Philantropist. Ihm wurde seine Sympathie für Deutschland und den Kaiser im Ersten Weltkrieg von vielen Amerikanern übelgenommen.

Werner, doch insbesondere Sally Karmarsky, waren jedoch nicht sehr glücklich in Frankfurt. Sally verbrachte viel Zeit in Paris, wo auch das erste Kind geboren wurde. Werner verließ Frankfurt nach ca. einem Jahr, um weiterhin bei Bache in New York in der internationalen Abteilung zu wirken. Er blieb aber nicht bei Bache. Ihn zog es zur Politik. Einige Jahre später saß er auf dem Associate des Bürgermeistersessels der Stadt New York.

Im November 1960 wurde nicht nur in den Vereinigten Staaten zwischen Nixon und Kennedy der Wahlkampf ausgefochten, sondern auch in Frankfurt in der deutsch-amerikanischen Handelskammer. Die Aufgabe der Kammer war es, Handel und Gewerbe zu fördern. Unter den Mitgliedern gab es, wenn auch freundliche, so doch hitzige Diskussionen über die bevorstehende Wahl. Die deutsch-amerikanische Handelskammer wurde um die Jahrhundertwende in Berlin gegründet und behielt ihren Hauptsitz absichtlich weiterhin in Berlin. Die jährliche Hauptversammlung fand immer in Berlin statt.

Der Hauptkontakt der Frankfurter Bankfiliale mit New York und Vice Versa fand über Telex statt. Aufträge wurden von Frankfurt über eine viertel Telexverbindung (viertel Geschwindigkeit) durchgegeben. New York sandte Bestätigungen, Preise und volkswirtschaftliche Berichte per Telex, doch eine viertel Verbindung war etwas zu mühsam und langwierig. Eine meiner ersten Aufgaben war es, mit Baches weiteren Filialen in Europa Kontakt aufzunehmen, um ein „Full Speed"-Telexsystem zu arrangieren mit ein oder zwei Sammelpunkten in Europa. Das neue System war bereits nach einigen Monaten betriebsbereit, schneller und dennoch sparsamer.

Auf dieser ersten Kontaktreise lernte ich Kollegen kennen, mit denen ich künftig viele Jahre zusammenarbeitete, gesellschaftlich verkehrte und zum Teil auch heute noch sehr freundschaftlichen Kontakt pflege.

Einen möchte ich erwähnen, der mir schon vor dieser Reise bekannt war, vielleicht deshalb, weil wir ein ähnliches Schicksal teilten. Hans Czernin, Manager in Paris, und seine Gattin Gerda waren mir bereits von New York bekannt. Dino, wie wir ihn nannten, entstammte der jüdischen Bankiersfamilie Blumenthal aus Frankfurt und der römischen Familie Recci, aus welcher auch ein Papst entstammte. Dino hatte excellente Beziehungen in die USA. Er studierte an der Harvard-Univerisät mit John F. Kennedy zusammen und verbrachte die Kriegsjahre in New York.

In Frankfurt mietete ich zuerst eine möblierte Wohnung. Später kaufte ich mir eine und dann ein Auto, das ich aber nicht sehr oft benutzte, da ich leicht zu Fuß ins Büro gehen konnte. Frankfurt beherbergte viele Amerikaner, die wie ich für amerikanische Firmen oder selbständig arbeiteten. Fast keiner von uns besaß einen deutschen Führerschein. Nur ein Freund von mir, Eric Steinberg, während der Nazizeit aus Frankfurt immigriert und derzeit Chef der Metro Goldwyn-Mayer Filmgesellschaft, erhielt seinen Führerschein wieder zurück, nachdem er ihn in der Nazizeit hatte abgeben müssen.

Die deutschen Behörden bestanden darauf, daß die Amerikaner eine schriftliche Prüfung für den Führerschein ablegen mußten.

Sie hatten dafür einen Fragebogen mit 25 Fragen in englischer Sprache bereit. Ich legte die Prüfung mit vielleicht 20 anderen Herren und Damen zusammen ab. Ein Beamter saß auf einem Podium und überwachte den

Vorgang. Es waren leichte Fragen, doch in einem schlechten Englisch oder, besser gesagt, in einem Englisch, das noch die original deutsche Satzstellung enthielt. Einige Fragen konnte nicht einmal der Beamte übersetzen und reden durften wir natürlich nicht. Mit einem Mal sangen einige Damen amerikanische Lieder, deren Texte Antworten auf die gestellten Fragen gaben. Nein, singen dürften wir nicht, meinte der Beamte, der keine Englischkenntnisse hatte. In Amerika sängen wir immer bei Prüfungen, meinten wir. Und somit wurde das Singen gestattet.

An die 30 Jahre später brauchte ich einen Führerschein in Florida. Den alten mußte man vorher abgeben. Als ich meinen deutschen Führerschein vorlegte, der im Gegensatz zu den amerikanischen nicht befristet ist, wußte die junge schwarze Beamtin nichts damit anzufangen und rief ihren Supervisor. Jener Herr betrachtete den deutschen Führerschein und gab sein „Okey", daß mir die Fahrerlaubnis für den Staat Florida gegeben wird. Er vergaß jedoch, diesen deutschen Führerschein zu seinen Akten zu legen. Und so besitze ich diesen Führerschein noch heute.

Allerdings mußte ich wieder vorher eine schriftliche Prüfung ablegen, diesmal ohne musikalische Hilfe. 40 Fragen wurden gestellt. Bei mehr als fünf falschen Antworten mußte man den Test wiederholen. Ich rasselte durch. Die Erklärung ist einfach: An die zehn Fragen waren aus den Bereichen Rauschgift und Alkohol. Zum Beispiel: Wieviel Jahre Gefängnis erwarten Sie, wenn Sie im betrunkenen Zustand Auto fahren? Oder: Wieviel Jahre Gefängnis bekommen Sie, wenn dies ein zweites Mal der Fall ist? Weitere Fragen beinhalten Rauschgiftbeförderung, die Strafen usw. Ich mußte das Strafgesetzbuch studieren, um nicht wiederum bei der Prüfung durchzufallen.

Im Cafe Kranzler in Frankfurt hatte eine Gruppe von 25 bis 30 amerikanischen Geschäftsleuten jeden Mittag einen Stammtisch. Der Stammtisch wurde jedoch täglich nur von fünf bis zehn Personen aufgesucht. Viele von uns verreisten des öfteren und hatten Termine. Wer immer aber kommen konnte, erschien mittags im Kranzler. Ein Freund von mir, David Zaretzky, erst kürzlich aus der US-Armee entlassen, wo er im Provost Marshall's Office (juristische Abteilung) gearbeitet hatte, benutzte das Kranzler-Cafe praktisch als sein Büro. Er beriet viele im amerikanischen Recht, die Garderobenfrau übernahm Nachrichten für David persönlich oder über das Telefon. Später wurde David mein Anwalt in New York.

Amerikaner, die in Frankfurt wohnten, hielten sehr zusammen. Geschäftlich und privat waren sie stark in die restliche Bevölkerung integriert.

Viele traten trotzdem keinen deutschen Kirchen bzw. Synagogen bei, sondern besuchten meist die Gottesdienste der US-Armee, die viele Kapläne für alle Religionen in Frankfurt stationiert hatten.

Ich persönlich hatte aber Kontakt mit der deutsch-jüdischen Bevölkerung, beteiligte mich wiederum zionistisch und beobachtete mit Freude das Heranwachsen einer neuen, wenn auch einer etwas veralteten jüdischen Gemeinschaft.

Amerikaner, die nicht Mitglied der US-Streitkräfte waren, konnten trotzdem Mitglied in US-Officers-Clubs werden. Der Offiziersclub hatte des öfteren gesellschaftliche Höhepunkte. Er bot eine Unterhaltung, die so mancher von uns Nichtmilitärs nicht entbehren wollte. Doch nach einigen Jahren machte uns der deutsche Zoll einen Strich durch die Rechnung.

Wir waren zu dem Zeitpunkt genau 18 zivile Mitglieder, darunter der amerikanische Chef der Opel-Werke, deren Muttergesellschaft General Motors in Detroit, Michigan, war. Ich glaube, wir alle steuerten in hohem Maße zum deutschen Wiederaufbau, Wohlstand, Völkerverständnis und zur Versöhnung bei. Alles dies wußte der Zoll. Dessen Argument aber war, daß zwar diese 18 Amis im Club essen oder sogar tanzen durften, doch keine unverzollte Getränke erwerben. Schließlich wurde der ausgeschenkte Wein oder Whiskey zollfrei importiert. Wenn alle 18 Nicht-Militärs nur einmal die Woche den Club besuchen und vielleicht drei Drinks zu sich nehmen, würde der Zoll dadurch einige Mark weniger einnehmen, als ihm zustand.

Dies berichte ich nur, um Erfahrungen und Tatsachen wiederzugeben, wie sie eben waren. So manche unüberlegte Handlung wie sie wohl sicherlich bei deutschen und auch amerikanischen Behörden vorgekommen war, wird einen etwas bitteren Nachgeschmack hinterlassen haben. Trotz des Hin und Her ging alles weiterhin seinen gewohnten Gang. Da jeder Außenstehende Gast im Club sein konnte und auch Alkohol verzehren durfte, waren wir dann in Zukunft Gäste und keine Mitglieder und zahlten unsere Rechnung jeden Abend anstatt monatlich.

Ich glaube, daß eine Erinnerung und Beschreibung Deutschlands in den späten fünfziger und frühen sechziger Jahren nicht komplett sein würde, wenn ich nicht auf Themen einginge, die so viel in Zeitungen, Magazinen und Gesprächen diskutiert wurden wie das Wirtschaftswunder und das sogenannte „Fräulein-Wunder". Das zuerst erwähnte Wunder wurde von der deutschen sowie europäischen Presse, besonders viel auch in der Presse in den USA erwähnt. Das zweite Wunder war für lange Zeit ein

Thema, das in seriösen Zeitungen und Zeitschriften in den Vereinigten Staaten abgehandelt wurde.

Meiner Meinung nach waren beide keine Wunder, sondern Tatsachen. Meine Einschätzung zum Wirtschaftswunder basiert auf meinen Beobachtungen und Gesprächen über viele Jahre. Die Gründe dafür sind beispielsweise:

Der erste und wichtigste Grund ist wohl der ungeheure Fleiß des deutschen Volkes und die Opferbereitschaft der harten Arbeit im Wiederaufbau von den Top-Echelons bis zur Trümmerfrau.

Zweitens halfen viele Millionen Flüchtlinge, Akademiker, Handwerker, Beamte, Bauern und Facharbeiter in einem neuen kleineren Raum einem Volk und Staat wiederum auf die Füße.

Drittens halfen die westlichen Alliierten mit Rat und Tat, außerdem verzichteten sie auf Reparationen.

Viertens hatten die Industrie, Behörden und Bevölkerung schon „Kriegserfahrung":

a) In der Industrie gab es das „know how" in der Führerschicht, unter den Angestellten und Arbeitern, wenn auch leider diese Tatsache dadurch entstand, daß der Industrie Millionen von Fremd- und Sklavenarbeitern in den Kriegsjahren zur Verfügung standen.

b) Die Behörden hatten gelernt, größere Menschenmassen zu erfassen und richtig einzusetzen, unterzubringen und zu betreuen.

c) Die Kirchen, die sich in den Nazijahren zum Teil als schwach erwiesen haben, zeigten nun Stärke. Das Volk fand Glauben und Zuversicht.

d) Die Bevölkerung hielt in den schweren Nachkriegsjahren eine gute Disziplin.

e) Ausländische Kredite wurden erteilt, die hohen Zahlungen an die Vertriebenen halfen der Wirtschaft.

f) Trotz der großen Zerstörung in Deutschland war das Land nicht arm, denn Wohlstand sind auch Bildung, Berufe und Wissenschaft.

Weiterhin beobachtete ich, und dies wurde mir auch von anderer Seite öfter bestätigt, daß leider eine große Anzahl Deutscher in den Jahren des Aufbaus eine „Ohne mich"-Attitüde hatten. Dies geschah sicherlich aufgrund der Geschehnisse während der Diktatur und aus einer vielleicht verständlichen Angst, sich zu engagieren. Wie auch immer, die „Ohne mich"-Bevölkerung arbeitete auch sehr zäh und hart, um wirtschaftlich wieder Fuß zu fassen.

Da so viele amerikanische Zeitungen und Zeitschriften über das Thema „Fräulein Wunder" berichteten und dieses die Amerikaner sehr beschäftigte, sollte ich es auch erwähnen. Nun, was war das Wunder? Wenn ich als Jüngling in Deutschland mit einer jungen Dame ins Gespräch kam oder eine Dame mich freundlich anlächelte, war das wohl eine selbstverständliche Sache und sicherlich kein Wunder. Dies passierte genauso in New York wie in London oder sonst irgendwo.

Doch es gab einen Unterschied zwischen den deutschen und nichtdeutschen Damen. Die Frauen in Deutschland waren ja im 1000jährigen Reich, das leider 14 Jahre zu lange weilte, um viele Jahre zurückversetzt worden. Die Aufgaben beschränkten sich fast nur auf Küche, Heim und Kinder, trotz ihrer beachtlichen Leistungen im Krieg.

Viele Amerikaner konnten nicht umhin, zu vermerken, daß die deutsche Frau bzw. das Fräulein sich ihrer neuen rechtlich gesicherten gesellschaftlichen Stellung und Gleichberechtigung vollkommen bewußt war. Dennoch zeigte sie irgendwie in ihrem Wesen und im Umgang mit dem männlichen Geschlecht, dem Mann mehr Achtung als ihre nichtdeutschen Geschlechtsgenossinnen. Dies sah und bemerkte die ausländische Berichterstattung.

Der Chef der Internationalen Abteilung Baches in New York, Gustavo Ajó, war ein gebürtiger Römer, der Anfang des letzten Kriegs nach New York emigrierte und in wenigen Jahren ein „Partner" in der Firma Bache & Co. geworden war. Gustavo entstammte einer alten und bekannten jüdisch-sephardischen Familie, seit Jahrhunderten in Italien ansässig, doch wie der Name Ajó suggestriert, aus Portugal stammend. Mein Verhältnis zu Gustavo war gut, doch auch etwas reserviert. Aber Gustavos Verhältnis war, wie ich in den späteren Jahren bemerkte, zu vielen Kollegen in der Firma etwas gespannt.

Als ich in Frankfurt tätig war, besuchte uns Gustavo Ajó eines Tages. Wir suchten zu diesem Zeitpunkt einige größere Büroräume. Gustavo, wohl merkend, daß die Umsätze in der Frankfurter Niederlassung sehr zufriedenstellend waren, erlaubte eine größere Expansion. Bei diesem Besuch wurde er von seinem Protegé begleitet, Prinz Victor-Emanuel von Savoy, Sohn des letzten Königs von Italien.

Victor-Emanuel war ein großgewachsener junger Mann anfang 20, den ich bereits bei einem Besuch in Genf kennenlernte, wo er bei Bache & Co. sozusagen den „Job" erlernte. Gustavo, der mit seiner Familie seit Jahren befreundet war, wollte aus Victor-Emanuel einen „Account Executive" machen, einen Beruf, den Gustavo wohl als den zweitbesten gleich nach dem Beruf des Kronprinzen betrachtete.

Felix Pereira und ich nahmen uns Victor-Emanuels an, der zwar etwas schüchtern wirkte, aber doch sehr schnell auftaute. Wir besuchten die Äppelweinkneipen in Sachsenhausen, auf der Südseite des Mains gelegen, sowie einen Jazzkeller in der Freßgasse, in dem erstaunlich guter Jazz gespielt wurde.

Ich unterhielt mich gerne mit Victor-Emanuel, der, wenn auch noch sehr jung, ein wichtiger Zeitzeuge großer geschichtlicher Ereignisse war. Obgleich er zurückhaltend war, ließ er mich spüren, wie er unter dem Verbot litt, seine Heimat nicht betreten zu dürfen.

Zu einem späteren Zeitpunkt verließ Victor-Emanuel unsere Bank in Genf, versuchte es bei einigen Industrieunternehmen. Dann heiratete er eine entzückende junge Dame, nachdem er viele Schwierigkeiten, die ihm sein Vater, Ex-König Umberto, machte, beiseite geschoben hatte.

Die Familiengeschichte meines Kollegen Felix Pereira faszinierte mich sehr. Felix Urahnen stammten aus Portugal und waren Sephardim. Ein Vorfahre von Felix wohnte bereits im 17. Jahrhundert in Wien. Dessen Nachkomme heiratete eine Dame namens Henrietta Arnstein. Deren Schwester Fanny Arnstein unterhielt in Wien einen sehr bekannten und gutbesuchten Salon zur Zeit Napoleons und des Wiener Kongresses. Metternich, Talleyrand und viele andere waren ihre Gäste.

Felix Pereira war ein Nachkommen von Henrietta und Fanny Arnstein, da deren Nachkommen sich miteinander verheirateten. Henrietta heiratete Heinrich Pereira und hatte ihre Kinder taufen lassen. Henrietta und Heinrich Pereira selbst wurden in späteren Jahren getauft. Henriettas Vater Nathan Adam Arnstein bestimmte in seinem Testament, daß der Name Arnstein dem Familiennamen Pereira beigefügt wurde.

Felix erzählte sehr viel über seine Familiengeschichte und über das Schicksal der österreichischen Familie Pereira-Arnstein im Zweiten Weltkrieg, die nicht ohne Schwierigkeiten verlief. Im übrigen war Felix sehr religiös veranlagt und ein sehr observanter Katholik.

Die Kunden unserer Firma Bache & Co. in Frankfurt waren zumeist Banken in Deutschland, doch auch in einigen anderen Ländern. Ein „Gentlemen Agreement", welches unsere Firma mit ihnen hatte, erlaubte uns zwar, amerikanische Zivilisten sowie Militärs als Clientel zu haben, aber alle deutschen Kunden den deutschen Banken zuzuführen.

Die deutschen Banken kauften nur wenige amerikanische Aktien und Renten für ihr eigenes Portefeuille zu diesem Zeitpunkt, meistens nur auf Kundenauftrag. Da viele von diesen Kunden aus verschiedenen Gründen direkt zu uns kamen, um die doppelte Provision zu sparen, lag es auf der Hand, daß dieses „Gentlemen Agreement" irgendwann nicht mehr beachtet werden wird oder ein neues Agreement ausgearbeitet werden mußte.

Weihnachten 1960 war ich in New York und kehrte erst nach Neujahr 1961 wieder nach Frankfurt zurück. Die neuen Jetmaschinen waren bereits in Betrieb. Der Flug Frankfurt – New York betrug um die acht Stunden, der Rückflug nur an die sieben Stunden.

In New York gab es Familienparties und Zusammentreffen. Auch in der Firma gab es Weihnachtsparties. Ich wurde zu einigen Cocktails und Dinner von Bache-Partnern geladen und fühlte mich in meiner neuen Firma sehr wohl und akzeptiert.

Im Frühling fuhren Felix Pereira und ich zur Messe nach Hannover. Wir hatten kein Quartier bekommen und wohnten in Bad Harzburg. Anschließend fuhren wir zur jährlichen Tagung der deutsch-amerikanischen Handelskammer nach Berlin. Ein Redner auf der Tagung war der regierende Bürgermeister Berlins, Willi Brandt. Einige Monate später bauten die Kommunisten die Mauer in Berlin.

In Berlin eröffnete Merril Lynch die größte Investmentbank der Welt, Ende 1960 eine Filiale. Ich besuchte den Manager dieser Filiale. Während unseres Gesprächs erhielt ich den Eindruck, daß die Filiale nicht richtig eingeschlagen hatte. Dies bestätigte sich, als Merril Lynch noch 1961 die Filiale in Berlin auflöste und kurze Zeit danach in Frankfurt eine eröffnete.

Auf Wunsch meines Schwagers Ira Greenbaum besuchte ich in Berlin den jüdischen Friedhof Weißenfelde in Ost-Berlin, auf dem sein Vater und seine Mutter begraben sind. Der Friedhof sowie die Gräber befanden sich in einem einigermaßen guten Zustand, und auch nach dem Mauerbau wurde dieser Friedhof erhalten und gepflegt. Ein Friedhofbesuch war jedoch schwieriger und komplizierter geworden.

Ein entfernter Verwandter von mir, Martin Feldmann, und seine Frau Inge wohnten zu diesem Zeitpunkt in Berlin. Beide waren Berliner von Geburt und hatten sich entschlossen, von New York nach Berlin zurückzukehren, um den bereits älteren Vater von Inge zu betreuen und zu pflegen. Dieser ältere Herr war der arische Ehepartner aus der Ehe von Inges Eltern, die beide den Krieg in Berlin überlebt hatten.

Wann immer ich in Berlin bin besuche ich sie. Erst kürzlich besuchte mich Martin in Florida, wohin er eine Reisegruppe aus Berlin brachte, denn Martin arbeitet als Reiseleiter in einem Berliner Reisebüro.

Wie bereits erwähnt, kehrten von den in der Nazizeit aus rassischen Gründen Vertriebenen einige aus verschiedenen Gründen nach Deutschland zurück, im Ganzen nur wenige tausend. Seit der Gründung der DDR bis zum Mauerbau flüchteten an die zweieinhalb Millionen aus der DDR in die Bundesrepublik, dazu kamen noch viele Volksdeutsche.

Alle oben erwähnten „Heimkehrer" erhielten Soforthilfe vom Staat. Doch in Fällen von rassisch-verfolgten Deutschen wurde diese Hilfe nicht sofort geleistet, sondern erst nach sechs Monaten Wohnsitz in der Bundesrepublik.

Eine Anfrage jüdischer Organisationen an die Behörden ergab keine präzise Erklärung. Es schien, daß aufgrund von Anweisungen „niedriger Ausführungsorgane" den rassisch-verfolgten Heimkehrern erst nach einer geraumen Zeit „Soforthilfe" gewährt wurde, da angeblich einige von ihnen, nachdem sie die „Soforthilfe" erhalten hatten, wieder ihre Koffer packten. Eine Anzahl von Flüchtlingen zog wieder in die DDR zurück, einige wenige über Umwege durch westdeutsche Gefängnisse, nachdem sie eine Strafe für Spionage verbüßt hatten.

Diese unerfreulichen Tatsachen werfen einen Blick auf das Denken von einigen Beamten, die wohl nicht in der Lage waren, fair und demokratisch zu handeln. Viele hatten einfach kein Verständnis für die Wünsche ihrer Mitmenschen. Sie verstanden einfach nicht, daß ein in der Nazizeit rassisch-verfolgter Deutscher, nachdem er in seine Heimat zurückkehrte, das Recht hat, seine Meinung und Entscheidung zu ändern. Leider geschah dies fast immer aus gutem Grund. Manche erhofften, ihre Posten, Geschäfte oder Wohnungen wiederzuerhalten, und wurden enttäuscht.

Bache & Co. in Frankfurt siedelte vom Roßmarkt in größere Räume zur Taunusanlage um, schräg gegenüber der alten zu jener Zeit noch nicht restaurierten Oper. Ich erlebte eine persönliche Enttäuschung, als Werner Karmarsky nach New York zurückkehrte und Frederic Weymar, ein Kunde unserer Firma und Angestellter einer Bank in Frankfurt, zum Manager von Bache & Co. in Frankfurt ernannt wurde.

Er hatte nur sehr wenig Erfahrungen in unserer Branche und mußte für einige Monate nach New York zum Hauptsitz der Firma fahren, um die Branche zu erlernen und das Examen der New-York-Exchange abzulegen.

Für diese Zeit habe ich dann die Filiale in Frankfurt geleitet, bis Herr Weymar von New York zurückkehrte. Herr Weymar war mit der einzigen Tochter von Dr. Paul verheiratet, dem Besitzer von vielen größeren Brauereien. Herr Weymar war durch seinen Schwiegervater in der Lage, eine sehr große Summe in die Firma Bache zu investieren. Er wurde auch einige Monate später Partner unserer Firma.

Ich verstand mich mit Herrn Weymar und seiner Gattin außerordentlich gut. Wir wohnten privat nur einige Häuser entfernt voneinander und waren befreundet. Wie auch immer, ich blieb weiterhin der Associate Manager der Frankfurter Filiale. Jedoch war ich entschlossen, bei einer sich irgendwann bietenden Gelegenheit, die Firma Bache in Frankfurt zu verlassen. Diese Gelegenheit bot sich auch wenige Jahre später innerhalb der Firma Bache.

Ich wurde von der Firma nach New York eingeladen, erhielt ein höheres Festgeld sowie auch überraschenderweise eine nicht unbeachtliche Umsatzbeteiligung. Während ich in New York weilte, wurde die Bar-Mizwa des jüngsten Sohnes meiner Schwester Reginchen, Irving Greenbaum, gefeiert. Es war eine herrliche Feier, am Samstag in der Synagoge und Sonntag in einem Ballsaal. Meine Tante Frieda Locker und ihre Tochter Lotti reisten aus Buenos Aires an. Es wurde ein wunderbares Wiedersehen und Zusammentreffen von Familie, Kielern und neuen Freunden.

Im Sommer 1961 errichteten die kommunistischen Handlanger in Berlin die Mauer. Diese Mauer war nicht vorfabriziert, nein, sie wurde Stein für Stein vor den Augen der Alliierten in Berlin gebaut, die nichts unternahmen. Warum nichts geschah und unternommen wurde, weiß ich nicht. Die Vorwürfe an die Besatzungsmächte über die nächsten Jahre waren und sind sicherlich, soweit man es beurteilen kann, gerechtfertigt. Doch sollte man nicht allein auf die Besatzungsmächte mit den Fingern zeigen, es sollte nicht vergessen werden, daß die Millionen von Berlinern in Ost und West auch nichts unternahmen.

In den nächsten Jahren flog ich unzählige Male nach Berlin. Je nach politischer Lage flogen die Flugzeuge ungestört oder auch nicht. Ich erinnere mich an einige Fälle, in denen die Russen mit ihren Migs die Passagierflugzeuge nach Berlin mit Flugmanövern im Luftkorridor zu verjagen versuchten. Es ist ein verdammt schlechtes Gefühl, wenn man mit bloßen Augen den Piloten in der Mig sehen kann.

Die Nachricht über den Mauerbau in Berlin erreichte mich auf Sylt, wo ich Urlaub machte. Ein ungewöhnlich großer Teil der Urlauber auf Sylt waren Berliner. Ich glaube, anfangs haben wir alle vielleicht gar nicht sehr bewußt die Folgen und das Ausmaß dieser physischen Teilung Deutschlands verstanden.

Auf Sylt wohnte ich viele Jahre immer regelmäßig in Keitum in einem sehr kleinen, aber bequemen Hotel, deren Besitzer die Familie Paegler ist, in deren Besitz sich auch das bekannte Restaurant „Fisch-Fiete" in Keitum befindet. Ich bin von der Landschaft auf Sylt seit Jahrzehnten begeistert und fasziniert, und verbrachte auch so manchen Wintertag dort.

Wann immer ich in meiner neuen Heimat in Florida Besuch aus Deutschland, besonders aus Kiel, erhielt, fuhr ich mit ihm an die südlichste Spitze der USA nach „Key West" in Florida. Jedesmal, wenn ich meine Besucher fragte, ob diese amerikanische Landschaft sie an etwas erinnert, hörte ich dieselbe Antwort: Sylt.

In Keitum erholte ich mich immer gut, bei Wattwanderungen, beim Schwimmen im Schwimmbad oder am Ellenbogen, dem nördlichsten Teil Sylts. Ich traf Freunde im „Gogärtchen" in Kampen, im „Pony" und im „Ziegenstall". Es gab ein reges Leben und Treiben und sehr oft gute Kunstausstellungen. Manche Bilder in meiner Sammlung erstand ich auf Sylt.

Die Bar im Gogärtchen wurde von „Karlchen" gemanagt, einem Mann, der sehr beliebt und auch ein vortrefflicher Künstler war, besonders in Federzeichnungen. An die 20 Jahre oder mehr bis zu seinem Tode betrieb Karl Rosenzweig seine eigene Bar und sein Restaurant namens „Karlchen". Wiederum interessierte ich mich für seine persönliche Geschichte, denn er erzählte mir, daß sein Großvater, der bekannte Verleger von hebräischen Büchern, wie das Pentateuch, die Bibel und, woran ich mich besonders erinnere, die Gebetbücher, war. Karlchen entsproß einer Mischehe und war nach den Nürnberger Gesetzen „Mischling ersten Grades". Er wurde zum Militär eingezogen, diente auf Sylt, wurde aber später als „Halbjude" vom Militär ausgestoßen. Glücklicherweise überlebte Karlchen, was leider nicht immer der Fall bei Halbjuden war.

Hitler gestattete Mischlingen zweiten Grades, das waren Vierteljuden, weiterhin beim Militär zu dienen, nicht als Offiziere und auch erst, nachdem diesen „Mischlingen zweiten Grades" in besonderen Einheiten „die sicherlich noch bestehende Feigheit" (aufgrund ihrer Abstammung) herausgeschunden wurde.

Einer der Stammgäste in Karlchens Bar und Restaurant war Werner Höfer, der vom Frühschoppen her sehr bekannte Journalist. Werner Höfer und Karl Rosenzweig waren, wie ich es einschätzte, eng befreundet. Als vor einigen Jahren Karlchen starb, hielt Herr Höfer die Trauerrede. Kurz danach verließ Höfer seinen Posten aufgrund seiner jounalistischen Tätigkeit in der Nazizeit. Da ich keine deutschen Zeitungen über diesen Fall gelesen hatte, wußte ich nur aus verschiedenen Berichten, was seinerzeit passiert sein mußte.

Ich hatte immer sehr gern den Frühschoppen eingeschaltet und bewunderte das journalistische Können Werner Höfers. Auch einige Unterhaltungen, die wir in „Karlchens Bar" führten, zeigten mir, was für ein schöpferischer Mensch er war. Leider sind viele von uns Opfer dieser furchtbaren Zeit geworden, manche früher, manche später und manche durch eigene Schuld.

Im geschäftlichen Bereich gab es viele neue Entwicklungen. Drei weitere amerikanische Investmentbanken eröffneten Filialen in Frankfurt: Oppenheimer, eine kleinere, aber sehr finanzstarke und hochangesehene Firma, Dupont, eine mittelgroße, sehr bekannte Firma sowie Merril Lynch, die größte unter den US-Investmentbanken.

Obgleich die deutschen Banken immer höhere Umsätze mit den amerikanischen Investmentbanken tätigten, wurde auch in immer größerem Maße der individuelle Kunde von den amerikanischen Banken geworben, und zwar mit außerordentlichem Erfolg. Der Grund dafür ist einfach.

Bis 1975 durften die US-Investmentbanken laut Gesetz großen oder kleinen Kunden nur genau dieselbe Provision und denselben Zinssatz berechnen. Da die amerikanischen Investmentbanken im Ausland nun als Filialen tätig waren, und das eigentliche Geschäft und die Abwicklung in den USA getätigt wurden, unterlagen die ausländischen Filialen auch den US-Gesetzen.

Der Manager von Dupont in Frankfurt, Rudi Fugger, war ein Sprößling der Augsburger Fuggerfamilie. Obgleich Graf Fugger einer alten Bankiersfamilie entstammte, war ich trotzdem verwundert, wie viele Adlige nicht nur in Deutschland, sondern auch in anderen Ländern Europas in unserer Branche tätig waren. Dies war auch in den USA der Fall, weniger innerhalb der US-Investmentbanken, aber doch sehr stark bei den Europäischen Banken, die sich besonders in den sechziger und siebziger Jahren in den großen Städten in den USA verbreiteten.

Ich traf Rudi Fugger in den siebziger Jahren auf einer Party in New York wieder. Er war inzwischen Manager der Internationalen Abteilung einer US-Bank geworden, doch er nannte sich nicht mehr Graf, sondern Prinz Fugger. Wie mir Rudi lächelnd mitteilte, war ihm dieser Titel erst kürzlich vererbt worden.

Einmal, manchmal zweimal jährlich trafen sich die Bache-Manager in Europa oder in New York. An eine Tagung in Paris erinnere ich mich besonders, da ich, obgleich ich nur Associate Manager war und zum ersten Mal teilnahm, als gleichwertig aufgenommen wurde. Ich lernte, daß man, wenn man Umsätze bringt, entsprechend mitreden, das heißt, auch Entscheidungen treffen kann.

Die größten Schwierigkeiten ergaben sich bei uns, unser Informations- und Nachrichtennetz stärker auszubauen. In den europäischen Ländern mußte alles über die Postbehörden gehen, was langwierig und schwierig war. Hans Czernin, der Bache-Manager in Paris, hatte mit einer weiteren Schwierigkeit zu kämpfen. Die Büroräume von Bache Paris lagen in der Rue Royale, vis-a-vis von Maxim. Diese Räume standen unter Denkmalschutz, denn dies war das Apartment von Mdm. du Stael. Somit mußte jede Telefonleitung behördlich genehmigt werden.

Ich persönlich war davon überzeugt, daß unsere schnellen Kommunikationen und Informationen der Grund unseres sichtbaren Erfolges waren. Der Kunde wollte diese Art des ihm bisher nicht zugänglichen Services.

Während einer meiner Besuche in New York traf ich Peter Hagen, einen Freund, und seinen Vater Louis. Louis Hagen war bereits an die 70 Jahre alt. Dennoch beschloß er, sein schon vor dem Krieg in Berlin bestehendes Bankhaus wieder zu eröffnen, jetzt allerdings in München. Peter traf gerade Vorbereitungen, nach Frankfurt überzusiedeln um einige Monate in einer Frankfurter Bank zu arbeiten um dann mit seiner Familie nach München zu ziehen.

Natürlich freute ich mich, Peter in Frankfurt zu sehen. Ich dachte genauso wie er und sein Vater, daß München zwar nicht die finanzielle Hauptstadt Deutschlands war, aber eine Stadt, in der man gut leben konnte.

Ich hatte bereits einen großen Kundenstamm in München erworben, besuchte die Stadt sehr oft und war natürlich von dem künstlerischen Angebot dieser Stadt überwältigt. München hatte ein Flair, den es eben in Frankfurt nicht gab.

Zu diesem Zeitpunkt hatten wir Kieler Immigranten in New York ein Treffen mit unserem früheren Rabbiner Dr. Arthur Posner aus Jerusalem. Es war ein großes, freudiges Treffen im Hotel Beacon in New York, aber auch mit traurigen Erinnerungen gemischt. Dr. Posner war voller Genugtuung, daß die früheren Mitglieder seiner Gemeinde sich gut in der neuen Heimat eingelebt sowie wirtschaftlich Fuß gefaßt hatten. Ein wichtiger Aspekt Dr. Posners war, daß seine „Kieler" doch bewußte Juden geblieben sind und ihre Kinder diesbezüglich erzogen. Für mich war bemerkenswert, wie er in seiner Rede und in Gesprächen seine Liebe zu seiner alten Gemeinde und der Stadt Kiel betonte.

Eines Tages erschien mein Cousin Jerry Nagelberg in Frankfurt und sagte, daß er seinen Bruder Alfred und dessen Frau Käthe erwartete.

v.l.: Rabbiner Dr. Arthur Posner, Dr. Leo Nagelberg, Bernhardt Bodenstein, Benno Ehrmann, 1962 in New York

Gemeinsam wollten sie dann von hier aus nach New York fliegen. Seit Jahrzehnten hatten sich die Brüder nicht gesehen. Jerry hatte eine riesige Party in New York arrangiert. Natürlich waren wiederum alle Kieler dabei. Ein weiterer Bruder, Dr. Leo Nagelberg, hielt die Rede, die zwar den freudigen Anlaß dieses Empfangs würdigte, aber auch sehr bewußt freudige und traurige Erinnerungen aus Kiel hervorhob. Eine Rede mit der er seiner Mutter, seines Stiefvaters und seiner Schwester gedachte, die Opfer der Unmenschen wurden.

Alfred und Käthe wohnten mit bereits drei erwachsenen Söhnen in einem Kibbuz in Israel. Käthe war eine Halbjüdin, die mit ihren Eltern und der Zwillingsschwester 1934 von Bremen nach Palästina ausgewandert war. Ihr Vater ist nicht zum Judentum konvertiert, doch verließ er mit Frau und Kindern Deutschland. Ich lernte Käthes Vater in Israel kennen. Er war Tischler von Beruf und arbeitete in der Kibbuz-Tischlerei. Er hatte für sich schon einen Sarg gezimmert, denn er wollte nicht, wie in Israel üblich, ohne festen Sarg beerdigt werden.

Also flog ich mit meinen Cousins an einem Donnerstag nach New York. Die Party war an einem Sonnabend und ein riesiger Erfolg. Allerdings kehrte ich bereits am Sonntag nach Frankfurt zurück. Zwei Wochen später erschien ich wiederum in New York zur Hochzeit meiner Nichte Pearl Greenbaum, die in einem Ballsaal in Brooklyn stattfand. Pearl war das erste Enkelkind meiner Eltern, das heiratete. Ihr Gatte, Seymour Benenfeld, hatte nach langem Studium den Rabbinertitel erworben, praktizierte aber nicht als Geistlicher. Er entstammte einer sehr großen, seit zwei Generationen in Amerika ansässigen Familie.

In New York hatte ich meistens eine Limousine zur Verfügung. Auf dem Weg zur Feier holte ich meine Eltern ab. Die Limousine parkte mit dem Chauffeur, denn in Brooklyn war es klüger, ein teures Auto nicht unbewacht zu lassen. Als ich später einen Kellner beauftragte, dem Chauffeur etwas zu essen zu bringen, wurde mir gesagt, daß meine Mutter dies bereits getan hatte. Das war typisch für Mutter, die niemals vergaß, das Richtige zu tun.

Louis Hagen und sein Sohn Peter eröffneten inzwischen ihre Bank „Louis Hagen & Sohn" in München. Obgleich ich noch in Frankfurt wohnte und in Baches Frankfurter Filiale weiter wirkte, verbrachte doch sehr viel Zeit in München, einer Stadt, die mir, wie gesagt, sehr gefiel.

Durch die Hagens erweiterte ich nicht nur meine geschäftlichen Kontakte, sondern auch gesellschaftliche. Ich erklärte meiner Firma Bache & Co., daß ich nach München übersiedeln möchte, und schlug vor, daß die Firma eine neue Filiale in München eröffnen und mich als Manager ernennen sollte. Natürlich würde dieser Schritt, jedenfalls am Anfang, den Umsatz in der Frankfurter Filiale verringern. Die größte Unterstützung fand mein Plan bei Fred Weymar, dem Manager der Frankfurter Filiale.

Weniger Verständnis fand ich bei manchen Bache-Partnern in New York. Doch ich bekam die Unterstützung von Harold Bache, dem Seniorpartner. Es wurde errechnet, daß eine neue Filiale in München an die 200.000 DM kosten würde, um die 50.000 Dollar zu jener Zeit. Diese 50.000 Dollar würden nur Büroeinrichtungen, Telefone, Telexgeräte usw. bestreiten, doch konnte ich beweisen, daß die bereits bestehenden Umsätze in München, die laufenden Unkosten mehr als decken würden. Ich machte meiner Firma den Vorschlag, daß ich sowie Bache je 25.000 Dollar investieren sollten, und daß ich dann selbstverständlich ein 50prozentiger Partner in der Münchener Firma sein müßte.

Eröffnung des Bache-Büros in München; 2. v.l. Leo

Dieser Vorschlag war natürlich unannehmbar für Bache, doch machte ich diese Offerte, um zu zeigen bzw. zu beweisen, daß ich die Ablehnung der Firma aufgrund finanzieller Gründe als Ausrede betrachtete.

Bache & Co. entschlossen sich darauf, eine Filiale in München zu eröffnen und boten mir den Managerposten an. Ich verbrachte noch mehr Zeit in München und suchte geeignete Büroräume.

Im November 1963 wurde der amerikanische Präsident Kennedy in Dallas, Texas, erschossen. Ich weilte an diesem Tag in München. Der Portier im Bayerischen Hof übergab mir diese furchtbare Nachricht, als ich um meine Zimmerschlüssel bat. Ich rief sofort meine Eltern in New York an, in der Hoffnung, daß sie mir Näheres mitteilen würden. Mein Vater sagte mir, daß vor einigen Minuten gemeldet wurde, daß Präsident Kennedy seinen Wunden erlegen sei. Meine Mutter kam ans Telefon und weinte.

Dieser Mord war ein Schock für Amerika, und die ganze freie Welt trauerte aufrichtig. Ich habe in den folgenden Jahren bemerkt, daß wohl jede größere Stadt in Europa eine Straße oder einen Platz mit dem Namen Kennedys bedachte. Es gab viele Untersuchungen und Theorien über diesen Mord, doch leider ohne Ergebnis.

In Deutschland spürte ich, wie das Volk einen Freund und Verbündeten betrauerte, und dies trotz der bereits einsetzenden antiamerikanischen Tendenz in linken wie rechten Kreisen. Ohne Zweifel, das deutsche Volk, wie auch die restliche freie Welt war erschüttert und befürchtete wohl auch eine politische Änderung in Amerika, die Gott sei Dank nicht eintrat.

Herr Weymar hatte in unserem Büro in Frankfurt Herrn Peter von Mühlen eingestellt, der meinen Posten in Frankfurt übernehmen sollte. Peter und ich verstanden uns sofort bei der ersten Begegnung. Wir sind bis zum heutigen Tag befreundet.

Peter wanderte sofort nach dem Krieg als junger Bursche von Bern, Schweiz, in die USA aus. Sein Onkel war ein Mitarbeiter des FBI und ermöglichte Peters Ausreise. Peters Vater war ein Diplomat an der Deutschen Botschaft in Bern, und seine Mutter entstammte einer alten Hamburger Familie.

Nachdem ich für ca. ein Jahr die neue Münchener Filiale leitete, entschied sich die Firma Bache, auch in Hamburg eine Filiale zu eröffnen. Sie wurde dann im Jahr 1966 unter Peters Leitung eröffnet.

Der Entschluß, die Hamburger Filiale zu eröffnen, geschah aufgrund der guten Umsätze und des Profits der Münchener Filiale. Schon nach zwei bis drei Jahren waren die Umsätze in Müchen die besten aller Bache-Filialen in Europa, inbegriffen der bereits seit langer Zeit etablierten Filialen in Amsterdam, Paris, London und Genf. Obgleich man wohl nicht zu Unrecht behaupten kann, daß ich ein geschickter und fleißiger Manager war, waren die guten Umsätze auch im übrigen Deutschland aufgrund der wirtschaftlichen Lage zu erklären. Den Deutschen ging es wirtschaftlich besser als den Bürgern anderer europäischer Länder. Außerdem war Deutschland der einzige Staat (außer der Schweiz), der seinen Bürgern erlaubte, die Deutsche Mark in allen Währungen frei zu konvertieren.

Wir mieteten von Herrn Hartlaub, einem bekannten Münchener Bauherrn und Architekten, in einem Neubau, im alten Stil erbaut, in der Ludwigstraße 8 Büroräume mit der Option, uns räumlich zu vergrößern.

Herr Hartlaub hatte auch das Preysing Palais nach dem Krieg wiedererbaut. Es stand direkt hinter der Feldherrnhalle und dem Ausweichgasserl. Da ich an die elf Jahre in München meinen Wohnsitz hatte, wurde ich praktisch Wahlmünchner und interessierte mich, viel über diese alte, schöne Stadt zu erfahren.

Die Feldherrnhalle war ein sehr imposanter Bau mit den Statuen der zwei bayerischen Feldherren. Wie der Volksmund sagte, war einer von den Feldherren kein Bayer, der andere kein Feldherr. Von diesem Platz aus schossen die Münchner Polizei sowie die Reichswehr auf die marschierenden Nazis während des versuchten Putsches im Jahre 1923.

In der Nazizeit standen an der Feldherrnhalle SS-Männer Ehrenwache für die gefallenen Putschisten, die weniger Glück hatten als Hitler, der wohl schnell flüchten konnte. Jeder vorübergehende Passant mußte an diesem „Ehrenmal und Wache" den Hitler-Gruß entrichten. Er konnte diesem Gruß aber entgehen, wenn er die kleine Gasse direkt hinter der Feldherrnhalle benutzte. Daher erhielt sie den volkstümlichen Namen „Ausweichgasserl".

Der Zufall wollte es, daß ich bei meiner privaten Wohnungssuche eine bekannte und erfolgreiche Innenarchitektin, Frau Elisabeth Böhm, kennenlernte. Ein weiterer Zufall war, daß ich Frau Böhm bei einem Empfang zu Ehren ihres Schwiegervaters, dem Dirigenten Karl-Heinz Böhm, wiederum traf. Zu diesem Zeitpunkt bat ich Frau Böhm, die Ausgestaltung und Einrichtung der Bache-Filiale in München zu übernehmen. Elisabeth Böhm, meine Bekannte und spätere Gattin Elisabeth Springer sowie ich wurden gute Freunde. Frau Böhm war nicht nur eine gute Architektin, ihre Ideen und Ausführungen waren einmalig und gar nicht einmal sehr kostspielig.

Die offizielle Eröffnung der Münchner Bache-Filiale fand im Sommer 1965 statt. Da ich viele Freunde in der Firma hatte, war dies ein wohlbesuchter Anlaß. Ferner hatte ich bereits viele neue Bekannte und Freunde in München kennengelernt, die auch teilweise an den Festlichkeiten teilnahmen.

Zu diesem Zeitpunkt änderte sich der Status der Investmentbank Bache & Co. in New York. Die Firma wurde „incorperated", das heißt, es wurde eine Art GmbH, und die Partner (Mitinhaber der Firma) wurden Gesellschafter. Falls diese Aktionäre in der Firma tätig waren, wurden sie Direktoren, in den USA „Vice Presidents" genannt.

Nur diese Vice Presidents konnten Aktien der Firma Bache kaufen und nur innerhalb der Firma auch wieder verkaufen. 1965 wurde auch ich zum Vice President der Mutterfirma in New York ernannt und durfte damit die Bache-Aktien kaufen, was ich auch tat. Hiermit wurde ich Allied Member der New Yorker und vieler anderer Börsen und mußte auch innerhalkb kurzer Zeit wiederum ein Examen ablegen.

In der kleinen Privatbank meines Freundes Peter und seines Vaters Louis Hagen in München am Odeonsplatz eröffnete ich ein Konto der Firma

Bache für unsere laufenden Kosten. Zahlungen, die wir von Kunden aufgrund von Aktienkäufen und anderer Transaktionen erhielten, deponierten wir in der Bank of America.

Diese wurden unsere Nachbarn in der Ludwigstraße, nachdem ich ihnen die Bankräume vermittelt hatte. Über 25 Jahre besteht nunmehr eine gute und erfolgreiche Geschäftsverbindung zwischen beiden Firmen.

Da ich in Frankfurt meine Eigentumswohnung möbliert vermietete und nur einige Bilder, Teppiche und andere Objekte nach München brachte, mietete ich zuerst eine sehr schön eingerichtete kleinere Wohnung in München-Schwabing in einem Neubau in der Zittelstraße. Diese Wohnung war von Frau Böhm geschmackvoll eingerichtet worden. Ich fühlte mich dort sehr wohl. Doch war es meine Absicht, irgendwann ein Haus zu mieten und einzurichten.

In meiner Frankfurter Zeit war ich mit einer jungen Dame lange Zeit befreundet. Doch nach meinem Wechsel nach München sahen wir uns weniger, aber bis zum heutigen Tag schreiben wir uns Geburtstagskarten. In München wohnte und arbeitete eine Bekannte, die ich in Kiel kennengelernt hatte. Sie ging in Kiel zur Schule, studierte in Hamburg und wohnte bereits in München, als ich nach München gezogen bin. Vera und ich waren und blieben sehr gute Freunde für viele, viele Jahre. In München haben wir gemeinsam einen Kieler Club gegründet. Wir waren an die 20 bis 30 Kieler, die sich einmal im Monat trafen.

Dieser Club hatte einige sehr praktische Funktionen. Außer der Gemeinsamkeit, daß man aus Kiel stammt, neu in München war und sich mit Rat und Tat half, hatten hiermit viele Kieler Gelegenheit, ihre Familien zu besuchen. Denn wenn einer nach Kiel fuhr war das Auto voller Insassen.

12. Meine Frau Elisabeth

Weihnachten und Neujahr verbrachte ich immer in New York. Alle hatten dann mehr Zeit. Meine Familie, Kollegen und ich blieben meistens über meinen Geburtstag, dem 3. Januar in New York. Doch mußte ich vor Weihnachten 1964 aus geschäftlichen Gründen in Brüssel Station machen. In Brüssel besuchte ich auch einen Freund, der kurz vorher von Frankfurt nach Belgien versetzt worden war, um das Büro der American Express Bank zu leiten. In Frankfurt wurde meinem Freund und seiner Gattin ein Mädel geboren. Wie üblich in der amerikanischen Gesellschaft, sollte das Mädchen einen biblischen Namen tragen, die Eltern wählten den Namen „Sarah".

Vor dem Münchener
Standesamt 1966,
Hochzeit Leos und Elisabeth

Im Standesamt wurde der Name anstandslos akzeptiert, doch meinte der katholische Priester meinen Bekannten gegenüber, daß der Name doch wohl zu sehr jüdisch klingt. Diese Ansicht äußerte der Priester auch bei dem Empfang nach der Taufe, bei der er anwesend war. Ich sagte dem Priester, daß er nach meiner Meinung im Gegensatz zu vielen seiner Kollegen mit seinen Gedanken nicht zur deutsch-jüdischen Versöhnung beitrüge.

Was dem Geistlichen ohne Zweifel bekannt war, aber nicht meinem Freund, daß im Jahre 1939 das Naziregime ein Gesetz erließ, in dem die Juden einen weiteren Vornamen erhielten, und zwar die Namen „Israel" für Männer und „Sarah" für Frauen.

Diese Gesetzgeber wußten natürlich, daß viele bekannte und benutzte Vornamen in Deutschland hebräischen Ursprungs waren, genau wie die Bibel und die christlichen Religionen. Namen wie Elisabeth, Joseph, Maria, David, Hans, Johannes, nur um einige zu nennen, waren natürlich den Nazis ein Dorn in den Augen.

Als ich meinen Freund in seinem Büro in Brüssel aufsuchte, wurde ich zuerst von seiner Sekretärin begrüßt, eine charmante junge Dame, die französisch mit einem deutschen Akzent sprach und die um ihren Hals eine Goldkette mit einem Mogen David trug. Das Schild Davids ist ein jüdisches und religiöses Emblem.

Diese junge Dame namens Elisabeth Springer stammte aus München, wo ihre Eltern und Zwillingsschwester wohnten. Wir trafen uns später in Brüssel und München. Sie kehrte nach München zurück, und wir heirateten in München im April 1966 im Standesamt in der Mandlstraße. Eine Freundin Elisabeths sowie mein Freund Peter Hagen waren die Trauzeugen. Anschließend gaben wir einen Empfang im Hotel „Vier Jahreszeiten". Die nötigen Papiere für die standesamtliche Trauung zu besorgen, nahm Monate in Anspruch. Als Ausländer mußte ich vom amerikanischen Konsulat ein „Ehefähigkeitszeugnis" beibringen. Als erstes meinte ich, daß ich den Beamten mißverstanden hatte. Doch die Behörden wollten eine Bescheinigung der Amerikaner, daß ich nicht verheiratet und somit „ehefähig" war.

Im Konsulat, erklärte mir der Standesbeamte, gäbe man keine derartigen Erklärungen. „Aber Sie bekommen von Ihrem Konsul eine Erklärung, daß die US-Behörden diese Erklärung nicht geben". Und eben diese Erklärung brauchten wir. Dies war Routine. Da sehr viele US-Bürger hier heirateten, waren wir darüber informiert. Auf meine Frage: „Wenn Sie also bereits wissen, daß die US-Behörden dieses Ehefähigkeitszeugnis nicht erteilen, warum wollen Sie das wiederum bestätigt haben?" wußte der Standesbeamte keine Antwort.

Nach der standesamtlichen fand am nächsten Tag die religiöse Trauung in der Münchener Synagoge statt mit anschließendem Empfang und einer Feier im Gemeindesaal der jüdischen Gemeinde. Meine Eltern sowie Geschwister hatten Elisabeth bereits kennengelernt, da wir sie in dem vorausgegangenen Jahr einige Male in New York besuchten. Einige Tage nach unserer Hochzeit flogen wir nach New York und verbrachten das Passahfest mit meiner Familie und beide Sederabende im Hause meiner Eltern.

Da ich bereits 46 Jahre alt war und Elisabeth ganze 26 Jahre, hatten meine Eltern sowie Geschwister gewisse Bedenken aufgrund des großen Altersunterschieds. Diese Bedenken hatte ich, und ich nehme mit Sicherheit an, Elisabeth und ihre Eltern auch. Aber wir waren glücklich. Elisabeth wurde liebevoll in meiner Familie aufgenommen wie ich auch in ihrer.

Harold Bache, mein Chef, und seine reizende Gattin, Alice Bache, gaben einen Empfang für uns, zu dem viele meiner Kollegen und ihre Gattinnen geladen waren. Elisabeth war bereits mit vielen bekannt. Doch ich weiß, daß es nicht leicht für Elisabeth war, denn die Gattinnen meiner Kollegen waren doch bedeutend älter als sie, aber ihre charmante Art und die Tatsache, daß Elisabeth fließend englisch sprach, halfen natürlich. Mein

Flughafen München. Unsere Hochzeitsreise 1966.

Onkel Markus und meine Tante Rita hatten uns nach Bevery Hills, Kalifornien, eingeladen. Meine Frau und ich waren das erste Mal an der Westküste der USA.

Die Cousin's Herbert und Sanford waren zu der Zeit als Anwälte in Los Angelos tätig. Auch hatte meine Frau zwei entfernte Verwandte in Los Angelos wohnen. Mein Onkel gab eine kleine Party, zu der außer Verwandten noch einige Kieler, die nach Los Angelos immigrierten, geladen waren. Ich wiederum lud den Manager der lokalen Bache-Filiale, Hans Klein, ein, der mir noch aus New York bekannt war.

In Los Angelos traf ich Shimon Winzelberg, einige Jahre jünger als ich, der mir aus Kiel bekannt war. Shimon war seinerzeit bereits ein bekannter Schriftsteller in der Filmbranche in Hollywood. Die amerikanische Filmindustrie konnte zweifellos einen Teil ihres Erfolgs darauf zurückführen, daß so viele Künstler, Regisseure usw. Europa den Rücken kehrten.

Wir wurden an einem Wochenende nach Hyde Park, New York, dem Besitz der Roosevelts, eingeladen. John Roosevelt, der jüngste Sohn des amerikanischen Präsidenten Franklin D. Roosevelt, und seine Gattin Irene waren mit uns befreundet. John war ein Kollege von mir in der Bache-Bank.

John war in zweiter Ehe mit einer auch sehr viel jüngeren Frau verheiratet. Die Roosevelts waren bereits 1965 für einige Tage meine Gäste in München, auf ihre Hochzeitsreise nach Venedig. Auf meinen Rat hin hatten sie sich ein Auto gemietet, um über die Alpen nach Venedig zu reisen. Leider gab es unerwartet Schnee und erst nach vielen Unannehmlichkeiten erreichten sie Venedig, wo Elisabeth und ich sie an Wochenenden trafen.

In Venedig machten uns die Roosevelts mit Peggy Guggenheim bekannt, eine wunderbare, geistreiche Dame, die sehr viel für die Welt der Kunst leistete. Peggy Guggenheim war ein Nachkomme der „Our Crowd"-Schilderung und des Buches von Stephan Birmingham. In Venedig erzählte uns John Roosevelt eine interessante Begebenheit. Im Jahre 1935 besuchten er und einige Freunde Italien und fuhren mit ihrem Auto in eine Kolonne marschierender Soldaten. John und seine Freunde wurden verhaftet aber sehr schnell wieder entlassen, als die Behörden erkannten, daß John der Sohn des amtierenden US-Präsidenten war.

Die Roosevelts waren ebenfalls von der Stadt München und ihren Leuten vollauf begeistert. Während eines „Dinners" im Vierjahrenzeiten mit den Roosevelts und einigen weiteren Freunden, saß in unserer Nähe Dr. Hjalmar Schacht, der Reichsbankpräsident in der Weimarer Republik und in der Nazizeit. Dr. Schacht, ein bereits sehr alter Herr, dinnierte des öfteren, meistens allein, dort. Er schickte den Maître an unseren Tisch mit der Bitte, Herrn Roosevelt begrüßen zu dürfen. John und ich waren nicht bereit, die Bitte des älteren Herrn ganz abzuweisen. Wir begrüßten Dr. Schacht an seinem Tisch, wechselten ein paar Worte und entschuldigten uns, um zu unserem Tisch zurückzukehren.

Als Elisabeth und ich aus New York und Kalifornien von unserer Hochzeitsreise zurückkehrten, fanden wir unser neues Haus in München-Bogenhausen, ziemlich vollständig eingerichtet vor. Frau Elisabeth Böhm hatte gute Arbeit beleistet mit einem außergewöhnlich dezenten Geschmack. Dies Haus hatte drei Etagen einschließlich einem ausgebauten Souterrain mit kleinen Fenstern.

Bayerisch-herb war der Partyraum im Souterrain eingerichtet, in dem wir so manche schöne Party gaben, unter anderem für viele Jahre eine Weihnachtsparty für die Angestellten der Bache-Bank. Wir hatten Glück und fanden eine Perle von Haushälterin, Frau Neujack, die uns einige Jahre betreute.

Kurz nachdem wir in unser Haus einzogen, erhielten wir Besuch aus Israel, mein Cousin Hans Bauer, Kieler wie ich, seine Gattin Anka sowie ihren achtjährigen Sohn namens Michael. Anka war, wie der Zufall es wollte, auch eine geborene Bauer, stammte aus Prag und aus einer deutsch-jüdischen Bankiersfamilie, die, obgleich seit Jahrhunderten in Prag wohnend, die deutsche Sprache als Muttersprache sprach.

Anka wurde von Prag als Sklavenarbeiterin nach Neuengamme bei Hamburg verschleppt und dort geschunden. Ihre Eltern wurden Opfer der Unmenschen. Über 20 Jahre nach dem Krieg betrat sie keinen deutschen Boden.

Obgleich ich den Standpunkt meiner Cousine respektierte, konnte ich nicht umhin, sie zu fragen: „Warum besuchst Du Österreich und nicht Deutschland?" Insbesondere, wo doch die Welt weiß, daß es nur Stunden dauerte, nachdem Österreich nazistisch wurde, bis es zu den ersten antisemitischen Ausschreitungen des Pöbels kam. Ferner, daß die Österreicher einen außergewöhnlich großen Anteil der SS-Wachtruppen in den KZ innehatten, und ein großer Teil der überführten Kriegsverbrecher Österreicher waren.

Ankas Antwort war einfach und leicht verständlich: Die nationalsozialistischen Österreicher, von denen es leider zu viele gab, konnten sich nur aufgrund der deutschen Besetzung und der offiziellen Gesetze entfalten, Gesetze und Bestimmungen, die aus dem Reich kamen.

Es gibt Juden, die aus Deutschland emigrierten, und andere, die niemals in Deutschland wohnten, die Deutschland nicht besuchen werden. Ein Standpunkt, den ich nicht verstehe, aber respektiere. Die wenigen in meinem Bekanntenkreis, die Deutschland nicht besuchen wollen, sind aber, falls sie Deutschen auf Reisen oder Gesellschaften begegnen, außergewöhnlich höflich und wenn nötig auch hilfsbereit.

Es gibt Amerikaner, die keinen Mercedes kaufen, noch irgendein Auto oder irgendeinen Gegenstand, der in Japan hergestellt ist. Jedem nach seinem Geschmack. Doch leider habe ich auch Deutsche kennengelernt, die nie Israel besuchen, noch gesellschaftlich mit Juden verkehren wollen. Ein Standpunkt, der einfach und erklärbar ist. Es handelt sich um den noch großen Anteil der nicht belehrbaren Antisemiten.

In Diskussionen wurde mir des öfteren von deutschen Freunden und Bekannten erklärt, daß ihnen auf Reisen aufgefallen ist, daß der Antisemitismus auch außerhalb Deutschlands vorzufinden ist. Ohne Zweifel sei dies der Fall, erwiderte ich immer, aber man müsse immer die Ereignisse, die aufgrund des Antisemitismus entstanden sind, im Auge behalten.

Der Antisemitismus ist vielleicht der am längsten andauernde Haß auf dieser Welt. Doch es gab immer Haß zwischen den Völkern und Religionen, wohl meist aufgrund von Verhetzung. Leider töten heutzutage immer noch Muslims Christen im Libanon, und in Irland töten sich die Protestanten und Katholiken gegenseitig.

Meine Cousins Hans und Anka besuchten mich einige Male in München, oder wir trafen uns an einem anderen Ort. Ihr Sohn Michael machte in München sein Freischwimmerzeugnis und erhielt auch ein Bild mit Widmung von Franz Beckenbauer, was natürlich sein Prestige unter seinen Schulkameraden in Tel Aviv erhöhte.

Einer meiner Mitarbeiter, Cornelius Licherie, hatte eine Tochter im Alter von Michael. Da wir in unmittelbarer Nähe wohnten, trafen sich die Kinder öfter. Connie Licherie hatte für einige Jahre den Posten des US-Armee-Stadtkommandanten von München innegehabt. Er war mein Klient, als ich noch in Frankfurt wohnte. Connie wußte gut mit Wertpapieren Bescheid, denn er hatte Volkswirtschaft studiert.

Seine Frau Lotti war eine geborene Berlinerin. Die Licheries haben kurz vor dem Krieg geheiratet. Nachdem Oberst Licherie in den Ruhestand getreten war, war es ihr Wunsch, in Deutschland zu bleiben. Mr. Licherie legte die nötigen Prüfungen in New York mit Erfolg ab und arbeitete in der Bache-Bank in München noch an die zehn Jahre.

Heute wohnen sie in Atlanta, Georgia, wo ich sie 1988 besuchte. Ich kann nicht umhin, eine Begebenheit wiederzugeben: Connie sprach zwar ein annehmbares Deutsch, wenn auch kein perfektes. Seine Klienten waren auch meistens amerikanische Geschäftsleute oder Militärs und Diplomaten. Doch gab es auch einige deutsche. Eines Tages trug er einem deutschen Klienten folgendes vor: „Ich habe ein gutes Wertpapier, in dem ich Sie „reinlegen" möchte", denn er übersetzte wörtlich aus dem Amerikanischen. „I have a good paper, in which I like to put you into".

Onkel Markus, der jedes Jahr Europa für ein bis zwei Monate bereiste, mich bzw. uns immer besuchte und in unserem Haus sein Hauptquartier aufschlug. Es war immer eine Freude, meinen Onkel zu Besuch zu haben.

Er war Mineraloge mit einem Büro in Los Angelos und fuhr des öfteren nach Europa, wo er Sammlungen von Mineralien erwarb, und insbesondere seltene Exemplare von Mineralien in den Ostblockuniversitäten tauschte. Meistens besuchte er Krakau, Budapest und Prag. Aufgrund des Devisenmangels dieser Oststaaten konnte er viele in Nord- und Südamerika vorkommende Mineralien mit osteuropäischen Mineralien tauschen.

1972 starb Onkel Markus an Lungenkrebs, aber noch im Jahre 1970 begleitete ich meinen Onkel nach Krakau, einer schönen, alten, ein wenig vernachlässigten Stadt. Ich lernte einige Berufskollegen meines Onkels an der Krakauer Universität kennen, sowie einige, die mit den Salzminen außerhalb Krakaus verbunden waren.

Die Armut der polnischen „Intelligencia" war groß, trotzdem erlebte ich dieselben als freundliche, gute und vortreffliche Gastgeber. Den Arbeitern in diesem „Arbeiterstaat" ging es noch schlechter. Ich beobachtete des öfteren Kinder, die barfuß herumliefen.

Mein Onkel und ich wollten Lemberg besuchen, wo mein Großvater, Markus Vater, beerdigt worden war. Wir hatten ein russisches Visum erhalten, welches uns ausdrücklich erlaubte, Lemberg zu besuchen. Doch an der polnisch-russischen Grenze, die nicht weit von Lemberg verläuft, durften wir nicht passieren. Wir hatten zwar ein Visum, das auch Lemberg einschließe, wurde uns erläutert, doch müßten wir über Moskau anreisen und nicht über diese polnisch-russische Grenze

Zu einem späteren Zeitpunkt besuchte mein Onkel Lemberg das Grab seines Vaters oder besser den Teil des Friedhofs, auf dem sein Vater begraben wurde, denn dieser Friedhof war zerstört worden. Mein Onkel berichtete, wie die alte österreichische Großstadt mit 150.000 deutschsprachigen Juden, eine Universitätsstadt, mit großen Boulevards und Caféhäusern, unter der russischen, kommunistischen Herrschaft verkommen ist.

Irgendwann während einer Europareise kaufte mein Onkel einen englischen Ford in London, einen zweisitzigen Sportwagen namens Capri. Derselbe hatte eine zeitlich begrenzte Lizensnummer. Es war seine Absicht, den Wagen nur ab und zu in den Wochen, in denen er jährlich Europa besuchte, zu benutzen. Es war aber unmöglich, eine Zollnummer zu verlängern, noch eine Zollnummer zu erhalten.

Also schenkte mein Onkel mir den Wagen einschließlich einer offiziellen Geschenkurkunde. Ich ließ den Wagen schätzen und fuhr mit ihm und dem offiziell bestätigten Schätzwert zum Zollamt, um den Einfuhrzoll zu zahlen. „Nein, so geht es nicht", meinte der Beamte auf dem Zollamt. Ich müßte den Wagen zum Neuwert verzollen plus Umsatzsteuer. „Es ist kaum anzunehmen, daß selbst unter Verwandten ein Wagen verschenkt wird".

Da ich inzwischen so manche Erfahrungen mit dem „Behördenschimmel" gemacht habe, fuhr ich den Wagen in die Schweiz, machte kehrt, und als mich der deutsche Zöllner fragte, ob ich etwas einführe oder Waren bei mir habe, erklärte ich, ich führe diesen Wagen ein. Nachdem meine Personalien festgehalten waren, erhielt ich eine Bestätigung, daß ich einen Wagen mit detaillierter Beschreibung plus Nummer des Motors in die Bundesrepublik einführe. Ich würde vom zuständigen Zollamt hören, sagte der Zollbeamte an der Grenze. Ich hörte bis zum heutigen Tag nichts, doch aufgrund der Einfuhrbestätigung erhielt ich eine deutsche Autonummer, nachdem der Wagen vom TÜV geprüft wurde.

Den Sechs-Tage-Krieg im Nahen Osten im Sommer 1967 erlebte ich in München. Ich erinnere mich an die schwierigen Tage, als die Diktatoren vieler arabischer Staaten erklärten, Israel wird von der Landkarte verschwinden. Der ägyptische Diktator Nasser, folgsamer Satellit der Russen, die ihn mit Waffen belieferten, verlangte den Abzug der UNO-Friedenstruppen von Sinai. Was auch sofort geschah. Darauf verlegten die Ägypter ihre Truppen an die israelische Grenze und bereiteten den Angriff vor.

Nasser mußte sein hungerndes und verarmtes Volk ablenken, die Baumwollernte Ägyptens war bereits für viele kommende Jahre den Russen verpfändet worden. Syrien, ein Land mit vielen innenpolitischen Schwierigkeiten, drohte auch seinem Nachbarn und mobilisierte. Im Gegensatz zu Jordanien und Ägypten, die nur vereinzelt Mörder über die Grenze nach Israel schickten, um sogar Frauen, Kinder und Säuglinge zu töten, beschoß Syrien von den Golanhöhen die Siedlungen im Grenzgebiet mit Artillerie bereits seit vielen Jahren.

Israel sandte geheime Botschaften an Hussein, dem kleinen Herrscher Jordaniens, und bat ihn, Israel nicht anzugreifen. Jedoch dieser konnte es nicht lassen und griff Israel an, gleichzeitig mit Ägypten und Syrien. Der Libanon ließ seine Truppen etwas „Krach" machen, griff aber nicht an. Iraks Soldaten hatten gerade ihre Stiefel angezogen und waren im Begriff loszumarschieren, als der Krieg schon vorbei war.

Ich besitze ein noch aus dem Ersten Weltkrieg stammendes militärisches Koppel mit der Aufschrift „Gott mit uns". Es ist natürlich selbstverständlich, daß in jedem Krieg die sich bekriegenden Völker den göttlichen Segen erbaten. Doch Gott ist gegen den Krieg. Ein Krieg ist nur,wie manche Theologen meinen, ein Zeichen göttlicher Prüfung. Doch nach dem Sechs-Tage-Krieg war ich bereit zu glauben, daß dieser schnelle Sieg der Wille Gottes war.

In unserer Bank in München hatten wir einen „Reuter's News Ticker". Informationen über den Kriegsverlauf kamen in kurzen Abständen über den Ticker. Es war interessant zu beobachten, wie das deutsche Volk auf der Straße, in den Cafés und im Kino den Sieg Israels bejubelte. Deutsche meldeten sich freiwillig, um Israel irgendwie zu helfen und zu unterstützen. Die Zeitungen und das Fernsehen waren voll mit Neuigkeiten und Nachrichten.

Doch Rußland brach seine diplomatischen Beziehungen zu Israel ab. Die kommunistischen Puppenregierungen in den Oststaaten taten natürlich dasselbe. Auf meiner Reise durch Polen einige Jahre später mit meinem Onkel spürte man weiterhin den Judenhaß und den Haß gegen Israel. Mein Onkel meinte, und wahrscheinlich nicht zu Unrecht, daß insbesondere die polnischen Intellektuellen die Juden dafür haßten, daß sie mit Erfolg ihre Bedrücker und Feinde besiegten, was den sehr nationalstolzen Polen bisher nie gelang.

Für mich stand eines fest, was ich immer wußte, aber jetzt besonders stark bestätigt bekommen hatte: Die Mehrzahl des deutschen Volkes hatte mit seiner Vergangenheit abgeschlossen. Die junge und heranwachsende Generation hat natürlich keine schreckliche Vergangenheit. Diese Vergangenheit ist eben nur ein Teil ihrer deutschen Geschichte. Die Unverbesserlichen, die Nazis, von denen es noch sehr viele gab, hielten 1967 noch die Schnauze.

Einige Monate nach dem Sechs-Tage-Krieg mußte ich geschäftlich nach Beirut reisen, wo unsere Bank auch eine Filiale unterhielt, die von zwei Managern geleitet wurde. John Helwani und Emile Rayes waren mir seit Jahren bekannt. John war ein Jude, mit einer charmanten Französin verheiratet, und Emile war ein arabischer Christ mit einer sehr großen Familie.

Der Bürgerkrieg im Libanon war noch nicht ausgebrochen, das gesellschaftliche wie auch das geschäftliche Leben in dieser schönen attraktiven Hauptstadt war angenehm und pulsierend. Emile und seine Familie wohnten 70 Kilometer nördlich von Beirut in einem direkt an der Küste gelegegenen Gebiet, das von einigen Hunderttausenden Christen bewohnt wurde.

John wohnte in Beirut in einem Hochhaus am Meer gelegen. Ich wollte den alten jüdischen Stadtteil besichtigen, und nahm an einem Gottesdienst in einer Synagoge teil. John, kein praktizierender Jude, war trotzdem über das jüdische Schicksal im Libanon sehr informiert.

Juden wohnten im Libanon seit der Zeit König Salomons. Viele Juden emigrierten nach 1948 nach Israel und ins europäische Ausland. Nur wenige blieben in Beirut.

Meine Firma wollte auch eine Filiale in Israel eröffnen. Grund meiner Reise nach Beirut war, meinen Kollegen dies zu eröffnen und ihre Meinung zu hören. John sowie Emile äußerten, daß eine Filiale in Israel keine Folgen für die Beiruter Filiale haben würde. Doch waren beide der Ansicht, eine Filiale in Israel würde nicht erfolgreich sein, eine Meinung, die ich teilte.

Meine Kollegen, die die Internationale Division in New York leiteten, hatten sogar den Manager für die israelische Filiale bereit, einen Herrn aus einer alten jüdisch-palästinensischen (manchem Leser mag es nicht bewußt sein, doch auch Juden sind Palästinenser) Familie stammend. Dieser Herr war mir bereits flüchtig aus Genf bekannt, wo er an einem jährlich stattfindenden volkswirtschaftlichen Bache-Seminar teilgenommen hatte.

Ich sollte ihn in Israel besuchen, Vorgespräche führen und meine Meinung äußern. Um Israel von Beirut aus, nach dem Sechs-Tage-Krieg, zu erreichen, mußte ich nach Zypern fliegen und dort in eine Maschine nach Tel Aviv umsteigen. Etwas umständlich, wenn man sich die Landkarte anschaut.

Doch wurde später einmal eine Ausnahme gemacht: Der Papst, der den Libanon und Jordanien sowie Israel besuchte, durfte die jordanisch-israelische Grenze mit Gefolge durchqueren. Wie mir berichtet wurde, bedankte sich der Papst bei der israelischen Ministerpräsidentin Golda Meir in einem Schreiben für die erwiesene Gastfreundschaft. Obgleich der Regierungssitz Israels Jerusalem ist, was allerdings der Vatikan nicht anerkannte, adressierte der Pontifex das Schreiben nach Tel Aviv. Es wird behauptet, daß Frau Meir dem Papst nach Avignon geantwortet haben soll.

In Israel ankommend, wurde ich am Flughafen von meinem Cousin Hans Bauer abgeholt. Hans begleitete mich auch in seinem Wagen auf einer kleinen Rundreise durch Israel in den nächsten Tagen. Doch als erstes traf ich eine Verabredung mit dem Herrn, der, falls Bache eine Filiale in Israel errichtete, dieselbe leiten sollte.

Mein Cousin erzählte mir, daß dieser Herr und dessen Vater kürzlich zu einer Gefängnisstrafe wegen Einkommenssteuervergehens verurteilt wurden.

Ich wurde von diesem „Beinahe"-Kollegen in seinem Haus nördlich von Tel Aviv gelegen, freundlichst aufgenommen und bewirtet. Er erzählte mir sofort von diesem ihm peinlichen Urteil. Natürlich war er klug genug, mir zu sagen, da er vielleicht in der Zukunft weniger Freizeit haben wird als angenommen, würde er wohl kaum die richtige Person sein, um meiner Filiale behilflich zu sein. Wie ich später erfuhr, wurde das Urteil für seinen bereits betagten Vater ausgesetzt. Er mußte für eineinhalb Jahre am Wochenende ins Gefängnis.

Ich verhandelte darauf mit der Bank Leumi in Israel, um sie zu bitten und davon zu überzeugen, daß sie die offizielle Vertretung der Bache-Bank in Israel übernimmt. Die Bank zeigte Interesse während der von mir geführten Vorgespräche. Aufgrund späterer Verhandlungen in New York wurde die Bank Leumi dann Baches Vertreterin in Israel.

Die Bank Leumi ist eine Fusion von einigen Banken, die noch aus dem englischen Mandat sowie der Türkenzeit stammten. Die Münchener Bankiersfamilie Feuchtwanger hatte nach ihrer Immigration nach Palästina viel für den Aufbau dieser Bank geleistet. Ein Mitglied dieser Familie, Walter Feuchtwanger, ein Neffe des Schriftstellers Lion Feuchtwanger, kehrte nach dem Krieg nach Deutschland zurück, wo er eine Bank gründete. Bis zum heutigen Tag bin ich mit Walter befreundet.

Einer meiner Gesprächspartner während meiner Verhandlungen mit der Bank Leumi war ein Herr Fränkel, wie sich herausstellte, stammte er aus Kiel und war der Sohn Professors A. Fränkel, der an der Kieler Universität lehrte. Eines Tages wurde ich zum Essen in die Kantine der Bank eingeladen. Es gab keinen besonderen Raum für Direktoren oder höhere Angestellte, sondern nur einen großen Eßsaal. Als die Bedienung meinen Gastgeber fragte, ob das Tischtuch in Ordnung wäre, gestand er mir, daß mir zu Ehren ein Tischtuch aufgelegt wurde.

Während dieser Reise durch Israel besuchte ich Frau Posner, die Witwe des verstorbenen früheren Kieler Rabbiners. In Jerusalem war natürlich jetzt der Besuch der Western Wall, der sogenannten „Klagemauer", ein Muß und für mich auch ein Bedürfnis. Diese Klagemauer durfte von Juden unter der jordanischen Herrschaft nicht besucht werden, trotz des Abkommens von 1949, in dem sich das jordanische Königreich ausdrücklich verpflichtete, allen Religionen und deren Angehörigen freien Zugang zu den heiligen Stätten zu gewähren.

Jetzt im Jahre 1967 hatten wieder alle Religionen das Recht auf Zugang zu den heiligen Stätten nicht nur in Jerusalem, sondern überall im befreiten westlichen Teil Palästinas. Wir fuhren nach Bethlehem. Auf dem Weg dorthin, noch in Jerusalem, sah ich einen mit Grabsteinen, die hebräische Inschriften trugen, gepflasterten Platz, ferner eine öffentliche Toilette, deren Wände aus Grabsteinen bestand, die von jüdischen Friedhöfen entwendet wurden.

In Hebron besuchte ich die Höhle „Machpela", die Abraham als Ruhestätte für seine Familie kaufte. Abraham, Isaak und Jakob sowie deren

Frauen sind dort beerdigt. Nur Rachel, die zweite Frau Jakobs, hat in einer Stätte außerhalb Bethlehems ihren Ruheplatz.

Am nächsten Tag besuchten wir meinen Onkel Ehrmann und meine Tante Regina in Hedera und fuhren dann weiter zu den Golan Höhen. Von dort aus hatte man einen herrlichen Blick auf den Emek Israel, das Tal Israel.

Auf meinem Rückflug nach Deutschland wollte es der Zufall, daß ich einen Bekannten aus meiner Frankfurter Zeit im Flugzeug wiedertraf. Dr. Zielinski war als israelischer Generalkonsul in Stockholm akkreditiert. Er stammte aus Warschau, war Anwalt und im Krieg Offizier in der polnischen Armee. Er entging nur dem Massaker der Kommunisten, in dem 15.000 polnische Offiziere erschossen wurden, weil er zu dem Zeitpunkt Patient in einem Hospital war.

Dr. Zielinski lud mich für die in einigen Monaten in Tel Aviv stattfindende Bar Mizwa seines Sohnes ein. Meine Frau und ihre Mutter begleiteten mich auf dieser Reise. Sie waren deutsche Staatsbürger. Eine Visumspflicht bestand für deutsche Staatsbürger, die vor 1929 geboren wurden. Also, meine Schwiegermutter, die zu einem Treffen mit überlebenden KZ-Insassen reiste, mußte ein Visum vorweisen. Meine Frau konnte ohne Visum einreisen.

Die Bar-Mizwa-Feier fand in der Synagoge in der Ben-Yehuda-Straße statt, ein sehr schönes, meist von deutschen Juden besuchtes Gotteshaus. Anschließend gab es einen Empfang im Hilton Hotel, wo wir die Ehre hatten, Frau Golda Meir vorgestellt zu werden. An diesem Tage lernte ich auch den Finanzminister des Staates Israel, Pinchas Safir, kennen, mit dem ich in den nächsten Jahren bis zu seinem leider frühen Tod in Verbindung stand.

Einige Wochen nachdem wir nach München zurückgekehrt waren, fand ein Polterabend in unserem Haus statt. Der Bräutigam war einer meiner ersten Mitarbeiter in München, Fred Seggerman. Fred hatte sich seinerzeit schriftlich um einen Job beworben. Er hatte zwei Jahre in einer holländischen Bank in Amsterdam gearbeitet, sprach ziemlich gut deutsch, war US-Staatsbürger und hatte bereits die Prüfung der New Yorker Börse abgelegt und bestanden.

Die Eltern von Fred waren mir bereits seit Jahren aus New York bekannt. Ich tat mein Bestes, daß sie sich in München wohlfühlten. Die Hochzeit, das Brautpaar und die Gäste, alles hatte einen internationalen Flair. Die Braut stammte aus der damaligen DDR und wohnte mit Mutter und Geschwistern seit Jahren in München. Der Vater war praktizierender Arzt in Ost-Berlin. Die östlichen Behörden erlaubten ihm nicht, zur

Hochzeit seiner Tochter zu fahren. Eine Tante des Bräutigams, die Schwester seiner Mutter, war die Witwe des bekannten US-Secretary of State, John Foster Dulles, eine sehr charmante Dame, die gern politische Anekdoten erzählte.

Die kirchliche Trauung fand in einer sehr schönen, mit wunderbaren Blumen geschmückten evangelischen Kirche statt. Während der Predigt des Pfarrers auf das Brautpaar und die Gäste schauten meine Frau und ich uns an und mußten lächeln. Der Pastor sagte zu dem Bräutigam, daß er jetzt als Ehemann erfahren wird, daß eine Mark nur noch 50 Pfennig wert sein wird und andere Vergleiche. Es waren fast dieselben Worte, die der Rabbiner während unserer Trauung an uns richtete. Ich konnte nicht umhin zu denken, vielleicht tauschen die Geistlichen in München ihre Chochmes (Chochmes = Jüdisches Wort = Weisheitssprüche) untereinander aus?

13. US-Investmentbank Bache

Fred Weymar, Bache Vice-President und Manager der Bache-Filiale in Frankfurt, hatte die Absicht, eine Bank in Deutschland für unsere Firma zu gründen oder eventuell zu kaufen. Seine Überlegungen und Gründe für diesen Schritt waren vielseitig und auch sicherlich geschäftsfördernd. Es bedeute, daß unsere Firma dann als eine deutsche Bank fungieren würde, und wir auch für unsere Kunden in Deutschland und der restlichen Welt Aktien an den deutschen Börsen kaufen und verkaufen können.

Meine Ansicht, und Peter von Mühlen teilte meine Meinung, war aber, daß alle Vorteile nicht die Nachteile dieses Schrittes aufwiegen würden. Unser geschäftlicher Erfolg lag darin, daß wir den amerikanischen Bank- und Börsengesetzen unterstellt waren. Die amerikanischen Gesetze limitierten Kredite und Zinsen für kleinere oder größere Kunden ohne Unterschied. Insbesondere schützen die US-Börsengesetze den Kunden.

Wir konnten aber unsere Meinung nicht durchsetzen. Fred Weymar hatte allerdings die Unterstützung des Aufsichtsratsvorsitzenden und Hauptaktionärs Harold Bache, der dann auch mit Gattin zu den Festlichkeiten zur Eröffnung des Bankhauses Bache nach Deutschland reiste. Frau Alice Bache besuchte wärend dieser Reise die Geburtsstadt ihres Großvaters, denn dieser war in der Mitte des letzten Jahrhunderts in die Vereinigten Staaten ausgewandert.

Meine Gattin und weitere Frauen meiner Kollegen begleiteten Frau Bache während ihres Besuches in der Heimatstadt ihres Großvaters. Frau Bache wurde sehr herzlich vom Bürgermeister empfangen, insbesondere, da der Großvater dem Städtchen einen Brunnen, der auf dem Marktplatz steht, gestiftet hatte. Die Stiftungstafel wurde in der Nazizeit vom Brunnen entfernt, da der Stifter jüdisch war, wurde aber nach dem Krieg wieder angebracht.

Das jährliche volkswirtschaftliche Bache-Seminar fand einige Tage nach der Eröffnung des deutschen Bankhauses Bache wie immer in Genf statt. Einer Stadt, in der ich gern weilte. Der Genfer See sowie die Umgebung begeisterten mich immer. Ich wohnte immer im Hotel Richmond, an deren vorzügliche Küche ich mich sehr gern erinnere.

Die Genfer Bache-Filiale hatte einen neuen Manager, Victor Ades, ein wunderbar freundlicher Mensch, der zusammen mit seiner charmanten Gattin ein vorzüglicher Gastgeber war.

Der Gastredner bei diesem Seminar war der weltbekannte amerikanische Ökonom und spätere Nobelpreisträger, Milton Freedman. Dieses Seminar wurde außer von Bache-Mitarbeitern von Vertretern vieler europäischer Banken und der Industrie besucht. Kontakte wurden geknüpft und Verbindungen hergestellt.

In Genf traf ich meinen jungen Freund, Prinz Victor Emanuel von Italien, der jetzt bei einem Industrieunternehmen arbeitete. Victor Emanuels Förderer, Gustave Ajó war in Genf nicht anwesend, denn er war leider krank und starb einige Jahre später in seiner Heimtstadt Rom.

In München trat ich der gerade wieder gegründeten Bnai Brith Loge (Bnai Brith = Hebräisch: Söhne des Bundes) bei. Eine Loge, die nach altem und herkömmlichen Zeremoniell geführt wurde und keine Unterschiede machte zwischen orthodoxen und reformierten Juden, arm und reich, angesehen oder nicht bekannt. Sie verlangte nur, daß die Brüder der Loge rechtschaffende Menschen waren.

Außer den wöchentlichen Logenabenden fand einmal monatlich ein Gemeinschaftsabend mit Damen statt, ferner einige Wochenendreisen, wo Bruderlogen in vielen Städten Europas besucht wurden. Ein besonders enger Kontakt ergab sich zwischen der Münchener und Wiener Loge. Fast immer waren Gäste zu den öffentlichen Logenabenden anwesend. Politiker aus Deutschland und Israel, Künstler, unter anderem auch Ida Ehre und Lili Palmer. Hans Habe war des öfteren unser Gast. Eines Abends waren ein Ehepaar und deren zwei sehr kleine Kinder zu Gast in unserer Loge. Diese Familie ist vom Christen- zum Judentum übergetreten und wurde von dem Münchener Gemeinschaftsrabbiner Hans Grunwald konvertiert.

Leo Bodenstein als Gastredner bei der Bnai Brith Loge in München 1970; v.l.: Schulrat Fingerle und Josef Domberger

Im Gegensatz zu den christlichen und anderen Religionen, die gern Andersgläubige in ihren Glauben aufnehmen und Missionsarbeit, die besonders in den christlichen Religionen ein wichtiger Bestandteil ist, verrichten, ist eine Konvertion zum Judentum schwierig. Besonders aus dem Grund, weil sich die zum Judentum Konvertierten dem anwesenden Antisemitismus und der Hetze aussetzten und in der Nazizeit viele für diesen Schritt mit ihrem Leben bezahlen mußten.

Dieses Ehepaar war überzeugt, daß sie mit diesem Schritt ihre Gefühle und Überzeugung kundtaten und dadurch besser an dem Aufbau des Staates Israel teilnehmen könnten. Sie verwirklichten auch ihre Absicht, nach Israel überzusiedeln.

Ich wurde in den Beamtenrat der Loge gewählt und war in der politischen Abteilung tätig. Da ich des öfteren in die Vereinigten Staaten reise, wurde ich gebeten, einer Sache nachzugehen, die uns in den deutschen Bnai Brith Logen etwas unverständlich vorkam.

Zu diesem Zeitpunkt gab es vier wiedergegründete Logen in Deutschland in West-Berlin, Frankfurt, München und Hamburg. Vor dem Krieg gab

183

es Logen auch in vielen anderen Städten Deutschland. Die Nazis hatten alle Logen verboten und beschlagnahmten das Vermögen, nicht nur Geld, sondern auch Häuser, die Eigentum der Loge waren.

Nach dem Krieg erstatteten die deutschen Behörden einen Teil dieser Werte der Bnai-Brith-Hauptorganisation in Washington D.C. Doch war der Bnai Brith in den Vereinigten Staaten nicht bereit, den wiedergegründeten Logen in der Bundesrepublik finanziell zu helfen. Und in der Tat mußten die bessergestellten Brüder der Loge jeweils an die 2.000,– bis 5.000,– DM zahlen und einen monatlichen Beitrag von 100,– DM leisten.

Was ich diesbezüglich hörte, waren verschiedene Meinungen, Darstellungen sowie Vermutungen. Die offizielle Version war, daß Logenbrüder in den USA sowie die Loge selbst vielen deutschen Logenbrüdern, die von der Naziregierung verjagt wurden, finanziell geholfen haben, sowie vielen vertriebenen deutschen jüdischen Bürgern.

Meine Vermutung war, daß man im Hauptquartier der Loge in Washington D. C. nicht sehr begeistert von der Idee war, daß Juden wiederum in Deutschland Bnai Brith Logen gründeten. Denn in manchen Kreisen der Bnai-Brith-Führung war die Tatsache, daß Juden wiederum in Deutschland wohnten, nicht sonderlich beliebt.

Ich wiederhole, manche Kreise sahen es nicht gern, daß Juden wieder in Deutschland wohnten und Fuß faßten. Viele wiederum waren aus verschiedenen Gründen dafür, und zwar auch aus dem Recht zur Wiederkehr in die Heimat. Andere wollten nicht, daß der Wunsch der Unmenschen nach einem judenfreien Deutschland in Erfüllung geht.

Einer der Logenbrüder in Wien war Simon Wiesenthal, der in der Presse als Nazijäger bezeichnet wurde. Ich erinnere mich an einen politischen Zwischenfall, der von der ganzen Welt beobachtet wurde, und zwar den Transport des Massenmörders Eichmann von Buenes Aires nach Jerusalem. Simon Wiesenthal hatte Eichmann in Argentinien aufgestöbert. Deshalb wurde sein Name des öfteren, wenn es um untergetauchte Nazis ging, erwähnt.

Herrn Wiesenthal ging es nur darum, die eigentlichen Verbrecher des Unrechtstaates Großdeutschland zur Aburteilung zu bringen. Während eines Logentreffens in Wien oder München kommentierte Simon Wiesenthal den Zwischenfall, wo Herr Kiesinger, der deutsche Bundeskanzler, von Beate Klarsfeld geohrfeigt wurde: Herr Kiesinger war Mitglied der Nazipartei, sicherlich ein Opportunist, aber kein Verbrecher.

Viele Jahre später, als die SPÖ (Sozialistische Partei Österreichs), immerhin die größte Partei Österreichs, Kurt Waldheim zum Kriegsverbrecher stempeln wollte, reagierte Herr Wiesenthal auf ähnliche Weise und sah in Waldheim keinen Kriegsverbrecher. Allerdings las ich dies in der Presse, während ich die Bemerkung über Kiesinger persönlich hörte.

Ich hatte den Eindruck, daß Simon Wiesenthals Verhältnis zu dem österreichischen Bundeskanzler Bruno Kreisky vielleicht etwas angespannt war. Die österreichische Regierung unter Kreiskys Kanzlerschaft versuchte, den fast täglichen Wellen der sowjetrussischen Juden, die über Österreich in andere Länder auswanderten, Einhalt zu gebieten.

Ein Durchgangslager für die Flüchtlinge in Österreich wurde geschlossen. Doch stillschweigend wurde ein anderes bereits vorbereitetes Lager als ein neues Durchgangslager geöffnet. Die Schließung des ersten Lagers wurde groß in der Presse angekündigt, das neue Lager wurde kaum oder wenig erwähnt. Es lag auf der Hand, daß Österreich dies vielleicht unter Druck der Araber tat. Warum auch nicht, denn die großen westlichen Demokratien wurden mit Erfolg von den Arabern unter Druck gesetzt.

Golda Meir, die gerade in Europa weilte, um an einem Treffen der internationalen Sozialisten teilzunehmen, versuchte, Herrn Kreisky zu sprechen, der auch an diesem Treffen teilgenommen hatte. Golda Meir flog nach Wien und muß mit Herrn Kreisky in Wien eine Auseinandersetzung gehabt haben, denn sie berichtete der Presse: „Nicht einmal ein Glas Wasser hat mir Herr Kreisky angeboten."

Herr Kreisky empfing eine Abordnung der politischen Liga der Bnai Brith Loge, doch Wiesenthal gehörte dieser Abordnung nicht an. Soweit ich mich erinnere, wurden bei diesem Treffen Mißverständnisse besprochen und ausgeräumt.

Einige Jahre später, praktisch am Vorabend der berühmten Internationalen Konferenz für Menschenrechte 1975 in Helsinki, traf ich Herrn Bundeskanzler Kreisky im Hotel Vierjahreszeiten in München innerhalb einer kleinen Gesellschaft. Das Gespräch kam auf die Vorkommnisse in Wien, betreffend der jüdisch-russischen Flüchtlinge zurück. Die Meinung, die ich danach gewonnen hatte war, daß Herr Kreisky den Problemen der Flüchtlinge wohlwollend gegenüberstand. Doch machte er natürlich österreichische Politik sowie Parteipolitik an erster Stelle.

Einen Zwischenfall in Wien, der am Anfang seiner Regierungszeit stattfand, werde ich nicht vergessen. Auf dem Wege vom Hotel Bristol, in dem ich immer wohnte, zu der Schöller-Bank wurde ich im Taxi von einem Mitarbeiter Dr. Manfred Bauer, begleitet. Dr. Bauer betreute unsere Wiener Bankkunden, bis wir dann im Jahre 1975 eine Bache-Filiale in Wien aufmachten.

Es war kurz nachdem Kreisky zum Bundeskanzler gewählt wurde. Der Taxifahrer, der uns schon an unserer Aussprache als Deutsche vermutete, machte ziemlich wüste antisemitische Bemerkungen über Kreisky. Am Ziel angelangt, zahlte ich dem Taxichauffeur nichts, sondern sagte nur, daß ich mir immer wünschte, von einem Nazi etwas zu bekommen, denn bisher haben die nur von mir genommen.

Selbstverständlich war dies unrichtig von mir und auch nicht fair, aber ich war ziemlich aufgebracht und verärgert. Mein Kollege, Dr. Bauer, war erstaunt, daß der Fahrer uns nicht nachgelaufen ist und sein Geld verlangt hat. Darauf sagte ich meinem jungen Kollegen, er solle nicht erstaunt sein, feige waren diese Burschen immer sobald sie allein waren.

Die Deutsch-Amerikanische Handelskammer, 1904 in Berlin gegründet, mit Vertretungen in München, Berlin, Hamburg, Frankfurt und Düsseldorf, war wohl eine der tatkräftigsten Organisationen. Sie hatte nicht nur zur deutsch-amerikanischen Verständigung und Versöhnung beigetragen, sondern auch vieles beim deutschen Wiederaufbau geleistet.

Mitglieder dieser Kammer waren nicht nur amerikanische, sondern auch viele deutsche Firmen, die mit den USA in Verbindung standen wie Import- oder Exportgesellschaften. Weiter waren alle größeren deutschen Industrieunternehmen und Banken Mitglieder der Kammer.

Ohne Zweifel war die Frankfurter Kammer weit größer als die Münchener. Doch glaube ich, waren wir in München etwas aktiver, auch im gesellschaftlichen Bereich. Ich war ein Mitglied des Vorstandes, war aber besonders aktiv in der Beschaffung der Gastredner. Das jährliche Treffen in West-Berlin sowie die Wahl des Vorstandes hatte immer einen Gastredner sowie so manche lokale Zusammenkünfte.

Ich erinnere mich an viele Gäste und will einige nennen: Dr. Nordhoff, Josef Abs, Jürgen Ponti, Graf Lambsdorf, Willi Brandt, Professor Ehrhard, Erich Mende, Hans-Joachim Vogel, Walter Scheel. Diese und andere Redner gaben natürlich der Handelskammer Niveau und Prestige.

1968 besuchte der amerikanische Vizepräsident Hubert Humphry Berlin und war Gastredner. Anschließend gab Axel Springer in seinem nagelneuen Verlagsgebäude in Berlin, haarscharf an der Berliner Mauer gelegen, einen Empfang zu Ehren des Vizepräsidenten Humphry und seiner Gattin.

Herr Humphry trug einen Verband um seine rechte Hand und sagte zu meiner Gattin Elisabeth: „Ich kann Ihnen leider nicht die Hand geben, deshalb küsse ich Sie anstatt." Was er auch tat. Wolfgang Robinow, amerikanischer Konsul in Frankfurt und ein Freund von mir, sagte darauf zu dem Vizepräsidenten, daß Elisabeth keine US-Bürgerin sei und ihn deshalb nicht wählen kann. Darauf antwortete der Vizepräsident: „Nein. Dieser Kuß war sicherlich nicht mit einem politischen Motiv verbunden."

Axel Springer war ein aufrichtiger Freund der Juden und des Staates Israel und tat sehr viel für diesen jungen Staat. Auf einer Tagung „der Freunde der Jerusalem-Universität" traf ich ihn sowie Herrn Hasselbach, dem Aufsichtsratsvorsitzenden der Bank für Gemeinwirtschaft. Es war eine Genugtuung, Herren aus so verschiedenen politischen Lagern in Deutschland zu sehen, die gemeinsam an dem Fortschritt des Staates Israel beteiligt waren.

Im Frühling 1968 starb Harold Bache, Aufsichtsratsvorsitzender und Großgesellschafter unserer Firma, im Alter von 72 Jahren unerwartet und plötzlich. Die Nachricht erreichte mich in Wien.

Einige Tage später fand die Beerdigung in New York statt. Ich flog mit meinen Kollegen Fredric Weymar in der selben Maschine nach New York. Auf dem Weg nach New York erzählte mir Fred Weymar, daß er einige Unstimmigkeiten in einigen Konten der Frankfurter Filiale entdeckt hatte, die aufgrund buchhalterischer Mißverständnisse zwischen der Bache Investment Bank und dem deutschen Bankhaus entstanden sind.

Harold Bache hat sehr viel für die Firma Bache in den fast 30 Jahren als Chef geleistet. Nicht nur ich hatte einen guten Freund und Gönner verloren. Alle Firmen in der Wall Street waren bei der Beerdigung vertreten, und eine Menge von Freunden und Bekannten waren anwesend.

Mr. George Weiss, ein bereits älterer Gesellschafter und Executive Vice President der Firma wurde zum Aufsichtsratsvorsitzenden gewählt. Doch aufgrund seines fortgeschrittenen Alters lag es auf der Hand, daß dieses Amt eine Ehrenbezeugung war, und die Firma damit Zeit gewann, zu einem späteren, nicht allzu fernen Zeitpunkt einen Vorsitzenden zu wählen.

Wiederum nach Deutschland zurückgekehrt, übernahm ich die Leitung und Verantwortung für die Bache Investment Bank sowie das Bankhaus Bache für alle drei Zweigstellen in Frankfurt, München und Hamburg.

Als Geschäftsführer des deutschen Bankhauses Bache und der US-Investment Bank Bache trennte ich die Geschäftspraktiken zwischen den beiden Banken, und wir hatten deshalb nie mehr Ärger. Kurz nach meiner Geschäftsübernahme sprach mich Johannes von Thurn und Taxis an und zeigte Interesse, das Bankhaus zu kaufen. Nach langen Verhandlungen konnten wir uns aber doch nicht einigen.

Die Thurn & Taxis Bank und besonders Erbprinz Johannes machten uns, wie ich mich erinnere, ein sehr faires Angebot. Doch meine Kollegen in New York schätzten den Wert des Bankhauses zu hoch ein. Schade, daß ich dieses ungewollte Kind nicht los werden konnte. Das Bankhaus brachte nur Extraarbeit und wenig Profit ein. Außerdem war die andauernde Einmischung und Bevormundung des Amtes für Banken und Kreditwesen in Berlin sehr unangenehm.

Diese Einmischungen hörten allerdings in dem Moment auf, als die Deutsche-, Dresdner- und Commerzbank Filialen in den USA einrichteten. Natürlich war es leicht, die Handlungsweise des Amtes in Berlin zu verstehen. Es gab zu viele Schwierigkeiten mit einigen Banken, die Berlin beaufsichtigte, insbesondere der Untergang der Herrstatt-Bank in Köln. Ein Volksspruch ist noch sehr in Erinnerung geblieben: „Der Herr hat gegeben, Herrstatt hat genommen."

Das jüdische Leben in München war ausgeprägt, offen und vollkommen in die Lebensweise der bayerischen Hauptstadt integriert. Die Tatsache, daß ein Vertreter der Juden einen Sitz im bayerischen Senat hatte, verlieh dieser Integrität besondere Stärke.

In Bayern gab es seinerzeit an die 5.000 bis 6.000 Juden, von den knapp 30.000 in der Bundesrepublik. 1933 waren es 600.000 gewesen. Die Mehrheit der bayerischen Juden wohnte in München. Vor der Nazizeit wohnten viele Juden auch in Kleinstädten und in ländlichen Gegenden.

In München waren die Juden in vielen Berufen tätig, manche waren angesehen, viele respektiert. Ich kenne keinen antisemitischen Zwischenfall. Juden und Christen waren befreundet, verkehrten miteinander und heirateten auch untereinander.

In der Georgenstraße in München-Schwabing gab es ein Haus, welches die christliche Besitzerin allen drei Religionen, der jüdischen, katholischen und evangelischen, vermacht hatte. Alle drei Gruppen benutzten dieses Haus für diverse Zwecke. Es gab beispielsweise eine jüdische Vorschule und einen Kindergarten.

14. Thanksgiving-Fest in München

Während meiner Anwesenheit in München gab ich elf Jahre lang jährlich ein Thanksgiving (US-Feiertag am letzten Donnerstag in November), mit Dinner und Party. Diese Party fand immer im Hotel Vierjahreszeiten statt und wurde jeweils ein großer Erfolg, dank der Hilfe des Herrn Walterspiel, Mitinhaber des Hotels. Natürlich gab es den traditionellen Truthahn mit allen Zutaten wie in Amerika üblich, insbesondere der Füllung und natürlich als Nachspeise den Pumpkin Pie, einen Kuchen mit Kürbisfüllung.

Anfangs hatte ich an die 200 Gäste geladen. Doch im Laufe der Jahre wurden es wohl um die 300, die an der Thanksgiving-Party teilnahmen. Jedes Jahr erklärte ich meinen Gästen in einer kurzen Rede den Grund dieses amerikanischen Feiertages, der seinen Ursprung im 17. Jahrhundert hatte, ein Danksagetag der englischen Pilgrim, die nach Neuengland ausgewandert waren.

Einige Male legte meine Sekretärin ein Gästebuch aus, und viele trugen sich in dieses Buch ein. Manche Namen hab ich noch gut in Erinnerung, manche sind mir entfallen. Wie ich auch ersehe, waren viele Freunde immer wieder anwesend. Doch kamen ständig weitere Gäste aus Industrie, Theater, Banken usw. hinzu.

Von den Banken waren immer Peter Hagen, Walter Feuchtwanger und Prinz Johannes von Thurn und Taxis anwesend. Politiker, die meine Party beehrten, waren zahlreich vertreten. Ich möchte nur einige nennen: Franz Josef Strauß, Hans-Jochen Vogel und Fritz Zimmermann.

Die Kleiderordnung bat um einen dunklen Anzug, doch viele Herren kamen im Smoking und die Damen im Abendkleid. Meine Sekretärin hatte viel Arbeit, um die Tisch- und Platzordnung zu bewältigen, insbesondere da doch manche Gäste vergaßen zuzusagen, aber trotzdem erschienen. Wie auch immer, erlaube ich mir zu sagen, daß meine Thanksgiving-Partys stadtbekannt und beliebt waren sowie sicherlich dazu beitrugen, das deutsch-amerikanische Verhältnis zu vertiefen.

Beim Lesen des Gästebuches bringen so manche Namen die Erinnerung an Ereignisse wieder. Colmar von der Goltz, sein Bruder Baby, deren Mutter Gisela von der Goltz und ihr Bruder Baron Talle von Vietinghoff. Ich kannte Talle seit vielen Jahren. Er diente mit mir in der US-Army. Sein Onkel von Vietinghoff war ein deutscher General im Zweiten Weltkrieg, sein Großonkel war Mitbefehlshaber der türkischen Armee im Ersten Weltkrieg.

Talle hatte viele Bücher und Erinnerungen aus alten Zeiten und eine Fülle von geschichtlichen Informationen. Sein Schwager, der Schriftsteller Georg von Halbam, hatte so manches von diesem Material in seinen Büchern benutzt. Georg von Halbams Vater wurde von Kaiser Franz Joseph in den Adelsstand erhoben. Seine Mutter Selma Kurzt war eine berühmte Opernsängerin an der Wiener Oper.

Talle von Vietinghoff holte mich für viele Jahre am Faschingsdienstag, dem Tag vor dem Aschermittwoch, aus meinem Büro ab, um auf dem Viktualienmarkt in München zum Fasching „Kehraus" mit den Marktfrauen zu tanzen. Talle war ein lebenslustiger und liebenswerter Mensch, der leider zu früh starb.

Seine Schwester, Gisela von der Goltz, sehe ich regelmäßig, wenn ich München besuche. Während meines letzten Besuches in München 1989 traf ich auch Baby von der Goltz, der, obgleich Journalist, eine Zeit lang ein bekannter Stierkämpfer war, ein Beruf, der meistens Spaniern vorbehalten ist.

Edith und Werner Schmidt waren gerngesehene Gäste zum Thanksgiving-Fest. Werner Schmidt, der Fernsehproduzent aus der Schweiz (Goldener Schuß), der auch die Musical-Show „Anatevka" nach Deutschland brachte. Edith Schmidt war Gründerin und Besitzerin der Münchener „Nobel"-Diskothek „Why Not". Wenn ich auch nur selten Gast war, erinnere ich mich doch an die schöne und gepflegte Atmosphäre.

Peter Sellers sang eines Abends im „Why Not" Balladen, überhaupt gehörte die etwas reifere Jugend zum Publikum. Und um der Diskothek besonderes Prestige zu geben, wurde so mancher Einlaßbegehrende abgewiesen.

Ferner erinnere ich mich, daß ich auch einige „No Show"-Gäste hatte. Die ältere Tochter des US-Präsidenten Lyndon Johnson und der Schauspieler George Hamilton hatten mich über den US-Konsul gebeten, eingeladen zu werden. Hamilton filmte zur Zeit in München. Miss Johnson ließ sich in München von dem bekannten Optiker Söhnges mit Kontaktlinsen ausstatten. Beide erschienen nicht. Doch die Mutter George Hamiltons kam anstatt, eine, wie sie sagte, frühere Stummfilmschauspielerin, Sie unterhielt sich aber sehr laut und angeregt, so daß man die Stummfilmerfahrung dieser Dame kaum glauben konnte.

Ein weiteres „No Show"-Paar war einige Jahre später das Ehepaar Elisabeth Taylor und Richard Burton. Er drehte außerhalb Münchens. Beide wohnten im Hotel Vierjahreszeiten. Sie baten Herrn Walterspiel, ob sie teilnehmen dürften. Ich sagte gern „ja". Doch erschienen sie nicht. Nächsten Tag sah ich beide, als sie aus dem Hotel abreisten, mit dutzenden von Gepäckstücken. So nahm ich an, daß sie am Vorabend mit Kofferpacken beschäftigt waren.

Ein unerwarteter Gast, doch leider ohne seine charmante Gattin, war E. W. Rathenau, der Sohn des deutschen Außenministers in der Weimarer Republik. Rathenau war unerwartet in München. Ich freute mich natürlich, ihn als Gast zu haben. Ich kannte die Rathenaus aus New York, wo sie immer reizende Gastgeber waren.

Zwei weitere Namen, die ich im Gästebuch entdeckte, waren Ulla und Georg Reuter sowie Thomas und Heide Hörbiger. Thomas, der Sohn des volkstümlichen Wiener Schauspielers Paul Hörbiger, war Wahlmünchener. Durch ihn habe ich auch seinen Vater kennengelernt, der mir so manch interessante Geschichte über die Filmindustrie in der Nazizeit erzählte.

Georg Reuter war ein Filmregisseur mit einer entzückenden Frau, die aus der Branche kam. Ich begleitete Georg einmal nach Jugoslawien, wo er desöfteren filmte.

Herr Dr. Bernhard Bergdolt, Direktor des Löwenbräu in München, und seine Gattin, die als Kinderärztin praktizierte, waren wohl auf allen meinen Thanksgiving-Partys anwesend. Beide waren mir noch aus meiner Frankfurter Zeit bekannt und haben auch zu meinem Entschluß, nach München zu ziehen, beigetragen.

Zu meinen schönsten Erinnerungen gehören die Oktoberfeste im Löwenbräu-Zelt in München und auch die 60. Geburtstagsfeier Dr. Bergdolts. Hunderte von Freunden und Bekannten waren anwesend, unter anderem auch Magda Schneider, die Mutter Romy Schneiders. Magda war meine Lieblingsschauspielerin. Ich habe ihren Film „Liebelei" zwei- oder dreimal als Teenager in Kiel gesehen, wo ich ängstlich in einem Kino saß, welches ein Schild an der Kinokasse mit der Aufschrift „Juden und Hunden Eintritt verboten" zeigte. Jetzt unterhielt ich mich mit Magda Schneider, wie sich die Zeiten doch Gott sei Dank ändern.

Wie ich es aus meinem Gästebuch ersehen kann, nahm auch meine Cousine Janet Yourman am Thanksgiving-Dinner teil. Janet, die Tochter meines Onkels Benno Ehrmann, verließ als Kind 1939 Berlin mit ihren Eltern. 1970 war ihr Gatte, Major in den US-Streitkräften, in Fürth/ Bayern stationiert. Janet, ihre zwei Söhne und deren Vater wohnen in einer US-Armee-Siedlung in Fürth. Sicherlich kam mir derselbe Gedanke 1971, der heute durch meinen Kopf geht, über die manchmal fast komisch wirkende deutsche Geschichte. Menschen, die in ihrer Heimat nicht leben durften, sondern sterben mußten, wenn sie in ihrer Heimat leben wollten, sind in fact Beschützer ihrer alten Heimat geworden!

Fasching in München war immer ein wichtiges Ereignis. Alle Zünfte und Berufe hatten ihre eigenen Faschingsbälle. Fasching, würde ich sagen, war zwar sehr lustig, aber auch ein ernstes Geschäft. Auf einem Faschingsball duzte sich jeder mit jedem, eine Tatsache, die zum Beispiel in Hamburg unmöglich wäre. Ich habe den Fasching immer gern mitgefeiert. Es war ein Volksfest, wo sich die Leute gaben, wie sie sind, freundlich und lebensfroh.

In München wurde oft und ausgiebig gefeiert. Und wenn es keinen Grund gab, erfand man einen. Der französische Generalkonsul lud zum 14. Juli, dem (Bastille-Tag) ein, die Amerikaner zum Unabhängigkeitstag am 4. Juli, die Israelis im bedeutend kleineren Rahmen zum Independence-Tag, der nach unserem Kalender meistens in den Mai fällt.

Auf einem der Empfänge vom amerikanischen Generalkonsulat lernte ich Putzi Hanfstengl kennen. Als erstes wußte ich nicht, wer und was er ist, doch dann wußte ich Bescheid. Hanfstengl war Hitlers Clown und Klavierspieler in der Anfangszeit der Nazis in München, der später mit Hitler brach und in die USA ging. Er ist in den Vereinigten Staaten geboren und somit Bürger der Staaten.

Er habe, so sagte Putzi Hanfstengl, im Krieg mit den Amerikanern gearbeitet, Hitler zu Fall zu bringen. Viele Leute, die Hanfstengl aus der Vorkriegszeit kannten, meinten, er war ein Opportunist. Ich meine, er war ein Antisemit großen Ranges, denn sonst hätte er nicht zu dem Kreis um Hitler gehört.

15. Gründung des Vereins „Kunsthalle München"

Als ich München zu meinem Wohnsitz machte, lernte ich durch meinen Freund, Peter Hagen, einige Leute kennen, die entweder Sammler, Gönner und auch Fachleute der modernen Kunst waren. Wir trafen uns und diskutierten des öfteren. Am 8. Juli 1966 wurde im Amtsgericht München der Verein „Kunsthalle München, Galerie des XX. Jahrhunderts" eingetragen.

Ich möchte einige Gründungsmitglieder nennen: Peter Hagen, Bankier; Hans Dürrmeyer, Herausgeber der Süddeutschen Zeitung; S. K. H. Konstantin Prinz von Bayern, MdB und Journalist; Wolfgang Christlieb, Kunstkritiker; Dr. Klaus Bastian, Anwalt und bekannter Künstler. Auch ich war Gründungsmitglied und fungierte als Schatzmeister im Vorstand, dem noch Herr Christlieb und Dr. Bastian angehörten.

Die Kunsthalle mietete Räume in der Stuckvilla, Prinzregentenstraße, und nannte sie forthin „Modern Art Museum München". Die erste Ausstellung des Kunstvereins fand vom 6. September bis 9. November 1966 statt. Sie wurde mit großem Erfolg besucht. Zweck des Vereins war, Gegenstände der modernen bildenden Kunst zu sammeln und öffentlich zugänglich zu machen. Die Anteilnahme der Öffentlichkeit an zeitgenössischen Werken zu wecken, wurde mit dieser ersten von vielen weitere Ausstellungen erfüllt.

Satzung

I. Name, Sitz und Rechtsform des Vereins

1) Die unterzeichneten Personen schließen sich zu einem Verein zusammen, der den Namen „Kunsthalle München - Galerie des XX. Jahrhunderts", nach Eintragung in das Vereinsregister mit dem Zusatz „e.V." tragen soll.

2) Sitz des Vereins ist München (Oberbayern).

3) Das Geschäftsjahr ist das Kalenderjahr.

II. Zweck und Ziele des Vereins

4) Zweck des Vereins ist, ausstellungswürdige Gegenstände der modernen Bildenden Kunst zu sammeln und öffentlich zugänglich zu machen, die Anteilnahme der Öffentlichkeit am zeitgenössischen Schaffen zu wecken und die vorhandenen Bestrebungen privater Kreise zur Förderung moderner Kunst zu unterstützen.
Zur Erfüllung dieser Aufgabe soll eine würdige Ausstellungsstätte geschaffen werden (Kunsthalle München).

5) Solange eine eigene Ausstellungsstätte (Ziffer 4, Absatz 2) nicht besteht, werden die Bestände der „Galerie des XX. Jahrhunderts" in wechselnden Ausstellungen in dafür geeigneten Lokalen im In- und Ausland vorgeführt.

6) Der Verein übernimmt die Aufgabe, Ausstellungen avancierter Kunst der Gegenwart in seinen Räumen im Einvernehmen mit anderen Institutionen durchzuführen.

Satzung 1. und letzte Seite

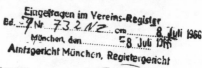

Tag der Errichtung der Satzung:

München, den 28.4.1966

Unterschrift der Mitglieder:

SKH Konstantin Prinz von Bayern
München, Bäumlstr.13

Hans Dürrmeier, München 2
Sendlingerstraße 80

Leo Bodenstein, München 22,
Ludwigstraße 8

Jane Bergson, München

Linde Ottmann, München-
Grünwald, Forstweg 2

Peter Hagen, München 2,
Theatinerstraße 23

Anton Sappel, München 22,
Galeriestraße 4 c

Dr. Claus Bastian, München 22,
Schackstr.1/IV

Günter Dietz, Lengmoos,
Haus Nr.3

Wolfgang Christlieb, München 13,
Akademiestraße 3

Hans Joachim Ziersch, München 27,
Ebersbergerstr.11

194

Frau Yvonne Hagen und ein jüngerer Herr waren Angestellte dieses Vereins. Frau Hagen, aus einer bekannten Zeitungsverlegerfamilie aus dem Staate Washington stammend, war die Witwe des Major Hagen, der als Pilot während der Berlin-Luftbrücke sein Leben ließ. Er war ein Bruder meines Freundes Peter Hagen.

Die Kritiker der Zeitungen waren dem Museum gegenüber sehr hilfsbereit, besonders aufgrund der ausführlichen und positiven Artikel in den Zeitungen und Zeitschriften. Gunter Sachs, der bekannte deutsche Industrielle, auch als Playboy bekannt, war, wie wir alle im Vorstand unseres Vereins wußten, ein Sammler der modernen Kunst. Seine Sammlungen enthielten viele bekannte moderne Künstler. Im Herbst 1966 besuchte Gunter Sachs unsere Ausstellung und München und hatte daraufhin beschlossen, diese gemeinnützige und nur auf Privatinitiative beruhende Museumsgründung zu unterstützen. Einige Zeit später besuchten Dr. Bastian und ich ihn in Paris.

Wir baten Gunter Sachs, seine Sammlung in unserem Museum in München auszustellen, und boten ihm auch die Ehrenpräsidentschaft unseres Museums an. Herr Sachs nahm beides an und wurde ein sehr aktiver Präsident. Er half auch dem Museum mit großzügigen finanziellen Spenden während der nächsten Jahre.

Die Sachs-Ausstellung fand im September 1967 in der neu eröffneten Stuckvilla in München statt mit kollosalem Erfolg. Sicherlich trug dazu die Gattin Gunter Sachs, Brigitte Bardot, die fanzösische Filmschauspielerin, mit ihrer Anwesenheit bei.

Am Nachmittag vor der Eröffnung wurde in der Kanzlei Dr. Bastians eine Pressekonferenz mit Brigitte Bardot abgehalten mit der Absicht und dem Versprechen, daß die Presse während der Eröffnung Brigitte nicht zu sehr bedrängte. Ich bemerkte, daß Miß Bardot ein sehr schüchternes Geschöpf auf größeren Veranstaltung ist, doch im kleinen Rahmen äußerst charmant und unterhaltend sein kann.

An diesem Abend machte mich Elisabeth Bastian mit Hans Habe, dem Schriftsteller, bekannt. Bereits an diesem Abend wie auch bei weiteren Zusammenkünften habe ich mich gern mit ihm über Literatur, aber besonders über ein Thema, das uns beide sehr beschäftigte, das neue Deutschland, unterhalten.

Mit Claus und Elisabeth verband mich eine tiefe Freundschaft, die weit über unser gemeinsames Interesse am Museum hinausging. Ich bewunderte den Widerstand, den Claus in den Kriegsjahren den Nazihorden leistete. Elisabeth, Claus' zweite Gattin, Ungarin von Geburt, war viele Jahre Mitarbeiterin Albert Schweitzers in seiner Klinik in Afrika und konnte wunderbar darüber berichten. Elisabeth war weiterhin für diese Klinik tätig. Wir halfen ihr bei so manchen wohltätigen Veranstaltung.

Im März 1969 feierten wir den 60. Geburtstag von Claus Bastian. Mein Onkel Markus war gerade in München anwesend und selbstverständlich wurde er auch eingeladen. Er trug meinen „alten" Smoking, der ihm doch, wie mein Onkel stolz bemerkte, „etwas zu groß wäre". Elisabeth Bastian, eine excellente Köchin der ungarischen Küche, hatte mit Hilfe einiger Freundinnen allein gekocht und vorbereitet. Zu meinem Erstaunen war auch meine Gattin eine der freiwilligen Helferinnen.

16. Manchmal verliert sich das Leben in Arbeit

Bankhaus Bache samt den drei Filialen in der Bundesrepublik wuchs und gedieh. Wir waren sehr zufrieden. Ich glaubte zu wissen, daß meine Kollegen in New York mit mir als „Deutschlandchef" zufrieden waren. Doch leider nahm es weit mehr als ein Jahr nach dem Tode Harold Baches in Anspruch, bis die Firma wieder unter fester Leitung stand.

Aufgrund des Zeitunterschieds zwischen New York und Europa erschien ich erst um 10.00 Uhr morgens in der Bank, doch blieb ich immer bis 20.00 Uhr abends, des öfteren noch viel länger. Doch sicher interessieren den Leser weniger der Alltag und die Sorgen sowie die Geschäftätigkeit der Bank als vielleicht die Tatsache, mit welchen Firmen wir arbeiteten, welche Kredite wir gaben und welche wir verweigerten.

Ehrlich gesagt, alles dies habe ich eher vergessen und, wenn ich mich noch daran erinnern würde, dürfte ich auch selbst heute keine Namen nennen.

Des öfteren besuchte ich New York, meistens allein. Lediglich zu Familienangelegenheiten wurde ich von meiner Frau begleitet. 1968 heiratete meine Nichte Naomi und kurz darauf meine Nichte Ruth, Töchter meiner Schwester Gisela. Kurz vorher wurde der 50. Hochzeitstag meiner Eltern gefeiert.

1969 lernte ich meinen späteren Kollegen und Freund bis zum heutigen Tage, Dr. Manfred Bauer, kennen. Er war Konsul im Deutschen Generalkonsulat zu New York und der „Public Relation's"-Mann im Konsulat. Aufgrund dieses Postens hatte er auch vielseitigen Kontakt mit den deutschen Emigranten in New York.

Manfred wollte den diplomatischen Dienst verlassen und in seinem Beruf als Journalist und Werbefachmann arbeiten. Ich bot ihm einen Job an, den er dann auch annahm und nach absolviertem Training in

Rosa und Bernhardt Bodenstein
auf der Hochzeit von ihrer
Enkelin Naomi 1968

New York und bestandenen Examen im Januar 1970 unserer Bank in München beitrat.

Anfang 1970 trennten sich meine Frau und ich. Sie zog nach Paris.

Das Leben ging weiter. Eine Zeitschrift namens Jasmin vom März 1970, welche mir vorliegt, brachte, mit vielen Bildern versehen, Artikel über viele Seiten über die „Gemischte Gesellschaft", wie die feinen Leute in München feiern, schmusen, schlafen, jagen, zahlen. Wie ich ersehe, habe ich mich wohl getröstet oder versucht zu vergessen. Ich sehe ein Bild von mir bei einem Essen in großer Gesellschaft, in der Frau Petra Schürmann neben mir speist.

Seit einiger Zeit spielte in München das Musikal „Anatevka", in New York unter dem Namen „Fiddler on the roof" spielend. Ich hatte die deutsche Uraufführung bereits in Hamburg gesehen, doch die Gattin des Produzenten Werner Schmidt, Edith Schmidt, hatte mich und weitere Bekannte ins Theater eingeladen.

197

In unserer Loge waren nur noch zwei weitere Gäste: Prinz Auersperg und seine Gattin Hannelore. Prinz von Auersperg zeigte sich wenig oder kaum am Thema des Musicals interessiert. Bedeutend mehr Interesse zeigte Hannelore von Auersperg, die, wie ich hörte, später einen Künstler namens Heino heiratete, der gut singen konnte, aber immer eine dunkle Brille trug.

Edith, Hannelore und ich besuchten Shmuel Rodensky, den exzellenten israelischen Schauspieler, der den Milchmann „Tevja" spielte, in seiner Garderobe. Dieser Besuch tat der Edith sicherlich leid. Mir war er unangenehm, den Herr Rodensky erinnerte Edith ziemlich lautstark daran, daß ihr Gatte ihm eine höhere Gage versprochen hatte.

Anatevka spielte in München über einen längeren Zeitraum, und Monate, bevor ich das Münchener Theater besuchte, wurde Shmuel Rodensky, der „Milchmann", geehrt, und zwar durch die Mühe des Industriellen Anton Ditt, der sicherlich auch keine Kosten sparte. Ich erinnere mich an eine sehr nette Party im Nobel-Restaurant Humpelmayer, wo kilo-weise Kaviar serviert wurde. Doch als Kieler ziehe ich immer noch einen Hering vor.

Ich erwähnte bereits die Uraufführung Anatevkas. Sie fand in Hamburg statt. Ich persönlich wunderte mich überhaupt, daß dieses Musical mit dem betont jüdischen Thema einen so großen Erfolg in der Bundesrepu-blik hatte. Es tat sich anfangs etwas schwer in Hamburg. Man brachte Ostseeurlauber per Bus nach Hamburg, um das Operettenhaus zu füllen, doch in München spielte es vor ausverkauftem Hause Abend für Abend.

Ohne Zweifel war die Musik und Geschichte hinreißend. Es war leicht, sich in dieses arme, jüdische Milieu hinzudenken. Ferner war es ein bequemer Weg, etwas mehr über Juden und deren Leben zu erfahren. Ein nichtjüdischer Geschäftsbekannter meinte, er wußte gar nicht, daß auch die Russen unter dem Zaren so stark antisemitisch eingestellt waren.

„Anatevka" hatte sicherlich einen großen Erfolg in vielen Ländern der Welt, doch besonders in europäischen Ländern wie Frankreich, Holland, Dänemark und Norwegen.

Ich habe dieses Musical in einigen Sprachen spielen gesehen. Mich hatte besonders die jiddische Version, die ich in Tel Aviv sah, fasziniert. Das Lied des Milchmanns Tevja in englisch „If I where a rich man" wurde zu deutsch mit „wenn ich einmal reich wär'" gesungen. Doch in jiddisch sang der Tevja „as ich wer a Rothschild".

In den zirka 18 Jahren, die ich in Deutschland wohnte, hatte ich natürlich viel Besuch von Freunden und Verwandten, insbesondere in München, wo ich in dem großen Haus einige Gäste bequem aufnehmen konnte. Im Sommer 1970 besuchte mich mein Neffe Norman Greenbaum, genannt Tuli, der Sohn meiner Schwester Reginchen.

Tuli blieb zwar nur einige Tage bei mir in München, zog dann nach Freiburg i. Br., wo er jetzt bereits an die 20 Jahre wohnt und sich sehr wohlfühlt. Tuli arbeitete einige Wochen als freiwilliger Helfer in einem Kibbuz in Israel, wo er eine junge Dame kennenlernte, die aus Freiburg stammte und dort auch als Helferin tätig war.

Sabine Ehmke wohnte mit ihrer Mutter in Freiburg. Ihr Vater, Horst Ehmke, war in Bonn im Kanzleramt tätig. Tuli und Sabine waren einige Jahre befreundet. Beide besuchten mich des öfteren in München.

Sabine war nicht nur ein reizendes und schönes Mädchen, sondern auch sehr intelligent. Sie studierte Jura. Tuli, der bereits einigermaßen deutsch sprach, kam gut mit Herrn Ehmke aus. Doch Tuli und Sabine erzählten mir, wie Tuli beim Helfen und bei der Vorbereitung des Abendbrotes von der zweiten, aus der Tschechei stammenden Gattin Herrn Ehmkes getadelt wurde. Ihm wurde geheißen: „Du schneidest die Tomatenscheiben zu dick. Du bist nicht mehr in Amerika."

Da mein Neffe 1945 in New York geboren wurde, hatte er natürlich keine Erinnerung an die Heimat seiner Eltern und Großeltern. Doch irgendwie zog es ihn in diese Heimat. Den Grund dafür kann ich mir, und wohl auch Tuli sich, nicht erklären, wenn auch sicherlich anfangs seine Bekannte Sabine Ehmke dazu beigetragen hat.

Mein Schwager, Tulis Vater, entstammte einer Familie von sechs Kindern. Weder Tulis Geschwister noch seine zahlreichen Cousins hatten jemals den Wunsch oder das Verlangen, Deutschland zu besuchen, geschweige dort zu wohnen. Wiederum war Tuli der einzige, der ab und zu die Grabstätte seines Großvaters, dessen Vor- und Nachname er trägt, in Ost-Berlin besuche.

Tuli gehörte der Generation der Studenten an, die in den späten sechziger Jahren in der westlichen Welt ihren Gegensatz zu den etablierten „Establishment" lautstark kundtaten. Doch genau wie wohl die meisten seiner Altersgenossen, änderte sich auch Tuli im Laufe der Zeit stark.

Ich erinnere mich, als Tuli 1967 Europa bereiste, benötigte er in Rom etwas Geld. So suchte er die Bache-Filiale in Rom auf und deren Manager Conti Pecci-Blunt gab ihm 100 Dollar. Mein Kollege rief mich an und sagte mir, daß er für mich 100 Dollar ausgelegt habe. Er berichtete mir ferner, daß mein Neffe einen herrlichen Humor besitzt. Denn er hätte zu ihm gesagt, „als Dank werde ich mein Bestes tun, daß, wenn die ‚Revolution' kommt, Du verschont bleibst."

Heute würde ich meinen Neffen eher als konservativ oder bürgerlich bezeichnen, der regelmäßig einen Teil seines Einkommens für seine Altersversorgung spart.

Einige Jahre nach der sehr erfolgreichen Eröffnung der Sachs-Sammlung im Museum of Modern Art in München, gab Gunter Sachs ein Party in einem großen Zelt auf einem Sportplatz in München. Es waren wohl um die 400 Gäste erschienen. Grund für diese Party war die Aufführung des Films „Happening in Weiß", von Gunter in St. Moritz gedreht. Inzwischen von Brigitte Bardot geschieden, erschien Gunter mit seiner Verlobten, der Schwedin Mirja Larsson.

Auf dieser Party traf ich auch wiederum Shmuel Rodensky, der immer noch den Milchmann „Tevja" in Anatevka spielte. Er war sehr lustig aufgelegt. Ich nahm an, daß er seine Gagenerhöhung erhalten hatte.

Der Stern-Chef Henri Nannen machte mich auf dieser Party mit Erich Kästner bekannt, dessen Buch „Emil und die Detektive" ich noch in Kiel als junger Schüler las. Als einige Jahre später Erich Kästner in München starb, wollte der jüdische Gemeinderabbiner in München, Rabbiner Hans Grünwald, den Verstorbenen auf dem israelischen Friedhof zur Ruhe betten, doch glaube ich, daß die Familie Erich Kästners nicht diesen Wunsch hatte.

An die 20 Jahre arbeitete eine Institution, die IOS in Europa, von Bernie Kornfeld, einem ehemaligen Sozialberater aus New York, gegründet. Als erstes verkaufte er amerikanische Investmentfonds von Paris aus an Amerikaner sowie amerikanische Militärs in Europa.

Wenige Jahre später war das Hauptquartier der Firma in Genf. Ihre Vertreter waren mit großem Erfolg auf der ganzen Welt tätig. Die Firma verkaufte weiterhin Investmentfonds, sogenannte „Offshore Fonds", die weder in den USA noch an US-Bürger verkauft werden durften, selbst wenn diese Bürger im Ausland lebten. Da die IOS eine Schweizer Gesellschaft war, unterlag sie natürlich nicht der Aufsichtspflicht der amerikanischen Behörden. Doch wenn ein US-Bürger diese Offshore Fonds kaufte, machte er sich strafbar.

Der kolossale geschäftliche Erfolg der IOS zog so manche Persönlichkeit an. Viele prominente Amerikaner und Europäer waren Mitarbeiter der IOS, unter anderem auch Erich Mende und James Roosevelt, der älteste Sohn des US-Präsidenten F. D. Roosevelt.

Ich weiß nicht, was passierte und wie es passierte, doch auf einmal war alles hin und vorbei. Gerichte, Regierungen und von Regierungen eingesetzte Kommissionen haben, soweit ich informiert bin, auch nicht genau erklären können, was eigentlich passiert und vorgefallen war. Eine Sache, die feststeht, ist, daß Tausende und Abertausende Menschen ihr Geld verloren hatten.

Seinerzeit wie auch heute sage ich immer zu einem Investor: „Vorsicht ist das erste Gebot bei Geldanlagen." Das IOS-Fiasko erinnert mich doch sehr an den Wall-Street-Crash von 1929, bei dem auch die Leute nur glaubten und nicht überlegten.

Die Verluste waren besonders in Deutschland sehr groß, da es gerade hier viele IOS-Anleger gab. Die Gesetze schützten die Anleger wenig oder kaum, denn in Deutschland konnte man zwar, ohne gelernter Schuster zu sein, keine Schuhe besohlen, doch Geld durfte man anlegen und sich Anlageberater rufen, solange man das Gewerbe anmeldete.

Ein Mitbegründer des Museums of Modern Art, Konstantin von Bayern, verunglückte tödlich, als sein Flugzeug an einem Berg zerschellte. Konstantin war auf dem Weg nach München nach einer Konferenz im Verlagshaus Burda. Es ist schwer, einen Menschen sterben zu sehen, noch schwerer, wenn er mitten aus dem Leben gerissen wird.

Die Beerdigung fand in München statt. Konstantin wurde in der Gruft der bayerischen Könige beigesetzt. Bei der Beerdigung waren Persönlichkeiten der Regierung und Stadtbehörden sowie verwandter Herrschaftshäuser und einige königstreue Gruppen, die ziemlich zahlreich in Bayern sind, anwesend. Das Museum of Modern Art war durch seinen Vorstand vertreten, um Abschied von ihrem Gründungsmitglied zu nehmen. Ich erinnere mich an den mit blau-weißen Blumen geschmückten Sarg und an die Aussegnung. Es war das erste Mal, daß ich an einer katholischen Beerdigung teilnahm. Die Zeremonie und Gebete erinnerten mich sehr an jüdisch-orthodoxe Beerdigungen.

Im Spätsommer 1971 traf mein Onkel wiederum in München ein. Doch war es ersichtlich, daß Markus sich gesundheitlich nicht wohlfühlte. Er mußte Prag und Bonn geschäftlich besuchen. Er fuhr nur nach Bonn, blieb noch einige Zeit in München, um dann nach Kalifornien zurückzukehren. Einige Wochen später rief er mich an und teilte mir mit, daß er an Lungenkrebs erkrankt sei.

Wie immer verbrachte ich Weihnachten in New York, fuhr aber über Neujahr und meinen Geburtstag nach Los Angeles und besuchte meinen Onkel und seine Familie. Markus hatte alle seine Haare aufgrund der Behandlung verloren, sah aber gut aus. Ich fuhr einmal mit ihm zu seinem Arzt in einem Auto, das er allein lenkte. Doch wußten wir beide, daß dieser Besuch ein Abschied war. An meinem Geburtstag lud Onkel Markus die Familie sowie einige Bekannte ein und brachte mich am nächsten Tag auch noch zum Flughafen. Wieder nach München zurückgekehrt, sprachen wir noch einige Male am Telefon. Anfang Mai 1972 wurde Markus von seinem Leiden erlöst.

Irgendwann Anfang 1972 erhielt ich einen Anruf von Francis Spellmann, dem Time-Life-Journalisten in Deutschland. Er bat mich zum Lunch. Während des Essens berichtete er mir, daß das amerikanische Magazin „Playboy" in Deutschland erscheinen wird, und die erste Ausgabe für den Spätsommer 1972 vorgesehen ist und er die Redaktion leiten wird. Er bat mich, einen Artikel zu schreiben über das, „was ich tue und warum ich es tue", und zwar für ein Playboy-Forum „Wir fragen Prominente – Warum tun Sie das, was Sie tun?". Ich winkte ab. Doch als er mir sagte, wer bereits zugesagt hatte, war ich bereit, auch diesen Artikel zu schreiben. Außer mir hatten u.a. folgende Herren mit Artikeln an der Erstausgabe des „Playboy" mitgewirkt: Dieter Hildebrandt, Fritz Molden, Conrad Ahlers, Wolfgang Mischnick, Ernst Fuchs, Peter Bamm und Franz Josef Strauß.

Während sich München für die Olympischen Spiele 1972 vorbereitete, wurde die jüdische Gemeinde in München von einem furchtbaren Attentat heimgesucht. Brandstifter legten ein Feuer in dem Vorhaus der Synagoge in der Reichenbachstraße, in dem sich Büroräume sowie auch in den oberen Etagen ein kleines Altenheim befanden.

Einige ältere Gemeindemitglieder wurden tödlich verletzt. Die Täter wurden niemals gefaßt. Ich persönlich nahm an, daß diese Täter wohl ausländische Terroristen waren oder der Bader-Meinhoff-Gruppe angehörten, andere gingen von einem geistesgestörten Täter aus.

Ich glaube ferner, daß dies das erste Attentat auf jüdische Institutionen war, dem weitere später folgten.

Die Empörung in Deutschland und besonders in München war sehr groß. Zur Beerdigung auf dem jüdischen Friedhof Münchens erschien und sprach Bundespräsident Gustav Heinemann. Es war nicht nur die Rede des Bundespräsidenten, die mich sehr beeindruckt hatte, er war auch die Tatsache, daß er persönlich erschien und ihm der Schmerz und die Betroffenheit anzusehen waren.

Nach jahrelangen Vorbereitungen begannen die Olympischen Spiele im Sommer 1972 in München. Das Völkertreffen fand nicht nur im Stadion statt, sondern auch auf den Straßen und in den Restaurants. Alle Gäste genossen die wunderbare Atmosphäre und auch die herrlichen Spätsommertage.

Die jüdische Gemeinde lud die israelische Olympiamannschaft zu einem Empfang und Essen in das Gemeindehaus ein. Nach der nicht geklärten Brandstiftung wurde dieses Haus fast in eine kleine Festung verwandelt.

Alle Besucher mußten sich ausweisen, was auch für die regelmäßigen Gottesdienstteilnehmer galt. Auch ich nahm an der Veranstaltung teil und erinnere mich an einen sehr schönen und interessanten Abend, der mit musikalischen Darbietungen umrahmt war.

Dann plötzlich erfolgte einige Tage später der nächtliche heimtückische Überfall auf die israelische Olympiamannschaft im Olympiadorf. Um in die Unterkunft einzudringen, erschlugen die Terroristen einen israelischen Sportler und nahmen dann eine Reihe von Sportlern als Geiseln. Manfred Schreiber, der langjährige Polizeipräsident, und der damalige Innenminister Genscher verhandelten mit einem in einer Kapuze verhüllten Terroristen den ganzen Tag.

Das Massaker am späten Abend auf dem Münchener Flughafen nach einem langen Tag von Verhandlungen bewies natürlich, daß man niemals mit Terroristen verhandeln sollte. Die vielen Todesopfer bewiesen die unklare, nicht voll durchdachte Aktion der Polizei, deren erster Schuß zu einem Zeitpunkt auf die Terroristen fiel, als die israelischen Sportler und Geiseln noch gefesselt an Händen und Füßen im Hubschrauber saßen und somit sofort von den Terroristen niedergemetzelt wurden.

Noch in derselben Nacht wurden die elf toten israelischen Sportler in München von jüdischen Gemeindemitgliedern, zu denen auch ich gehörte, nach jüdischem Ritus versorgt und eingesargt. Gleich am Vormittag wurden die Toten nach Tel Aviv geflogen. Deutsche und israelische Staatsmänner begleiteten die Ermordeten. Drei der Terroristen überlebten und wurden in München verhaftet. Doch kurze Zeit darauf wurden die Terroristen aufgrund neuer terroristischer Drohungen von der deutschen Regierung freigelassen. Mark Spitz, der amerikanische Schwimmer, der bereits sieben Goldmedaillen erhielt, verließ München, obwohl die Wettkämpfe noch nicht abgeschlossen waren. Es wurde in München spekuliert, daß Mark Spitz sich wohl, weil er Jude ist, nicht mehr sicher fühlte.

Nach einer Trauerfeier, nicht nur im Olympiastadion München, sondern auch in Kiel-Schilksee, wo die Segelregatten stattfanden, wurden die Olympischen Spiele fortgesetzt. Das Volk, die Besucher und Sportler überwältigte ein Gefühl der Niedergeschlagenheit. Nach 1936 wiederum ein Spiel in Deutschland, keine 30 Jahre nach dem verlorenen Krieg, und Sportler wurden auf deutschem Gebiet angegriffen, getötet, nur weil sie Juden sind. Man spürte die Betroffenheit und Traurigkeit der Menschen auf der Straße.

Das Geschäft der Bache-Niederlassungen in der Bundesrepublik stieg umsatzmäßig, auch die Zahl der Mitarbeiter. Ich reiste des öfteren nach Düsseldorf, um dort eventuell eine weitere Bache-Filiale einzurichten, wozu es auch im Jahre 1973 kam.

Wir mieteten Räume in einem Bürohaus, deren Besitzer die Bank für Gemeinwirtschaft war. Obgleich ich schon eine gewisse Erfahrung mit Mietverträgen hatte, konnte ich nicht umhin, unserem Anwalt zu sagen, daß dieser Vertrag den Mietern nicht viel mehr Rechte einräumte außer, Miete zu zahlen. Selbstverständlich war dies eine spaßhafte Bemerkung meinerseits, doch andererseits vertrat dieser Mietvertrag doch auffallend stark die Interessen der Besitzer, was ich gut fand, doch gleichzeitig etwas komisch, denn es schien mir, daß die linksgerichtete Führung und die Besitzer dieser Bank doch ziemlich starke kapitalistische Denkweisen entwickelten.

Als Manager wählte ich einen jungen Mann aus unserem Hamburger Büro namens Joachim Görtz, der mit sehr viel Fleiß und Können diese neue Filiale hocharbeitete. Einige Jahre später ernannte ich ihn zum Manager der Hamburger Bache-Filiale, welche er noch heute leitet.

Auf dem Weg nach Sylt im Juni 1972 besuchte ich Kiel. Ich habe dort übernachtet und wie immer Freunde aufgesucht. Am nächsten Tag fuhr ich weiter nach Sylt und rief meine Eltern von Sylt aus in New York an. Mein Vater ging ans Telefon. Ich sagte ihm, daß ich auf Sylt bin und einige Wochen dort bleiben würde. Er sagte mir etwas, was ich nicht vergessen werde: „Wenn Du schon auf Sylt bist, komm' doch am Wochenende nach Hause nach Kiel." Obgleich mein Vater selbst im hohen Alter geistig voll auf der Höhe und erinnerungsfähig war, kam irgendwie immer, wenn man von Heimat oder zu Hause sprach, der Gedanke an Kiel auf.

Zwei Tage später gegen 4.00 Uhr am Sonntagmorgen erhielt ich einen Anruf von meinem Schwager Herbert. Er teilte mir mit, daß mein Vater vor ungefähr einer Stunde gestorben war. Unerwartet ereilte ihn ein tödlicher Schlaganfall.

Der Zufall wollte es, daß die ganze Familie, außer mir, anwesend war. Gegen 10.00 Uhr abends war Vater im Hause meiner Schwester Reginchen verstorben.

Ich konnte im ersten Moment kein Wort sagen. Erst auf der Reise nach New York habe ich meine Gedanken wieder fassen können. Insbesondere mußte ich über das Gespräch nachdenken, das ich mit meinem Vater zwei Tage zuvor geführt hatte.

Ich dachte an die Liebe, die unser Vater uns allen entgegenbrachte, die Hilfe, die er allen Menschen gab, seine Güte und auch die Liebe, die er seiner neuen Heimat gab, obwohl er nie die alte Heimat vergaß oder sie uns Kinder vergessen ließ.

Mein Vater wurde auf einem in Long Island N.Y. gelegenen Friedhof beerdigt, einer Ruhestätte, die im Besitz der Gemeinde lag, die mein Vater fast 30 Jahre als Präsident geleitet hatte. Außer Verwandten begleiteten sehr viele Freunde, Bekannte und Gemeindeangehörige meinen Vater auf seinem letzten Weg.

Einer der Trauerredner, ein Rabbiner und Freund meines Vaters, erinnerte uns an das Leben und Wirken und besonders an die Liebe, die uns Vater gab. Die Flucht aus der Heimat, die Arbeit und Mühe, eine neue Existenz aufzubauen, fern von der Heimat, und die unbeschreiblichen Schwierigkeiten wurden in der Rede noch einmal aufgezählt. Trotz alledem leitete Vater die Gemeinde für viele Jahre. Ferner erwähnte der Rabbiner die guten Werke und Wohltätigkeit Vaters. Er benutzte das hebräische Wort für Wohltätigkeit „Zedokeh", das Wort, das auch Gerechtigkeit bedeutet, denn unsere jüdische Religion lehrt uns, daß Wohltätigkeit und Gerechtigkeit eins sind.

Auf dem Friedhof sprach ich das erste Mal das Kaddisch für meinen Vater, ein Gebet, das ich täglich für elf Monate, wenn es möglich war, nach dem Tode meines Vaters sprach und weiterhin jedes Jahr an Vaters Sterbetag.

Meine Mutter, meine drei Geschwister und ich hielten die sieben Tage Schiwe im Hause meiner Schwester Reginchen. Schiwe ist ein hebräisches Wort für die Zahl Sieben. Denn sieben Tage sitzen die nächsten Verwandten des Verstorbenen auf niedrigen Stühlen und werden von Verwandten und Freunden besucht und kondoliert. Ich sollte nicht die zahlreichen Geschäftsfreunde vergessen, die meine Familie und mich während der Trauerwoche besuchten.

17. Einladung nach Israel

Von New York flog ich nach München zurück. Aufgrund einer Einladung meines Cousins flog ich nach Israel und wohnte im Hilton-Hotel in Tel Aviv, nicht weit von der Wohnung der Bauers gelegen. Ich besuchte meinen Onkel und meine Tante Ehrmann sowie weitere Verwandte und Freunde.

Das Yad Hashem in Jerusalem, die Erinnerungsstätte für das vernichtete Judentum in Europa, hatte ich noch nie besucht. Daher fuhr ich nach Jerusalem, um sie aufzusuchen. In diesem Museum und dieser Erinnerungsstätte kann man nur mit einer tiefen Erregung, klopfendem Herzens die Tatsachen dieses einmaligen Völkermordes aufnehmen.

In einem der Räume, in dem die Tafel mit Namen der Städte angebracht war, aus denen Juden vertrieben und ermordet worden waren, erblickte ich mit einem Male eine Tafel mit der Aufschrift Kiel, ferner in hebräischen Buchstaben die Anzahl der getöteten Juden. Ich kann nicht hebräisch sprechen, doch kann ich die hebräischen Schriftzeichen lesen und auch so manche Worte verstehen. So las ich also die Anzahl in arabischen Zahlen und das Wort „Neshomos", hebräisch für Seelen.

Unerwartet und plötzlich brach ich zusammen, ein Weinkrampf erschütterte mich an dieser Gedenkstätte des Grauens. Mir wurde gesagt, daß derartige Emotionen sehr viele Besucher ergriffen und unter anderem der frühere deutsche Bundeskanzler Erhard bei einem Besuch im Yad Hashem ohnmächtig wurde.

Als ich wieder in München war, telefonierte ich fast täglich mit meiner Mutter, die nach Vaters Tod zu meiner Schwester Reginchen gezogen war. Mutter fühlte sich bei ihr sehr wohl, wozu sicherlich auch mein Schwager Ira beitrug. Schwiegersohn und Schwiegermutter hatten ein außergewöhnlich gutes Verhältnis zueinander.

Jom Kippur, 1973 der höchste und ernsteste Feiertag in meiner Religion, wird wohl in der Geschichte unvergeßlich bleiben. Bereits am Vormittag hörte man in der Münchener Synagoge, daß die Armeen Ägyptens und Syriens Israel angegriffen haben. Es schien, daß bei diesem Überraschungsangriff auf den Golan Höhen sowie im Sinai einige Vorposten der israelischen Armee überrannt worden waren. Israel mobilisierte am Jom Kippur. Aber es dauerte einige Tage, bis die israelische Armee zum Gegenangriff vorgehen konnte.

Am Abend dieses Jom-Kippur war ich bei meiner Ex-Schwiegermutter eingeladen. Trotz meiner Scheidung von Elisabeth hatte ich ein gutes freundschaftliches Verhältnis zu ihr. Die Nachrichten an diesem Abend bestätigten, daß Israel am ersten Tag dieses Krieges große Verluste an Menschenleben und Material hatte.

Ich erhielt einen Anruf von meinem Cousin Zwilli, der in München war und nach Israel fliegen wollte. Die Flüge von und nach Israel waren jedoch schon eingestellt worden. So flog er am nächsten Tag über Zürich nach Israel und trampte per Anhalter nach Sinai zu seiner Einheit, in der er als Oberst diente. Er wurde in diesem Feldzug schwer verwundet und lag bis zu seiner Genesung einige Monate im Hospital.

Wie Henry Kissinger in seinen Erinnerungen beschrieben hat, gab es in diesen Tagen viel diplomatisches Tauziehen und eine Anzahl von Drohungen aus der Sowjetunion. Die deutsche Regierung bat die amerikanischen Streitkräfte, von Deutschland aus keine Waffen nach Israel zu senden, und hinderten sie daran, daß Tanks in Bremerhaven eingeschifft wurden, die übrigens überhaupt nicht für Israel bestimmt waren.

Doch gab es andere europäische Länder, die sich anboten, daß amerikanische Waffensendungen nach Israel in ihrem Hoheitsgebiet zwischenlanden durften. Aus der Bundesrepublik wurde nach tagelangen Diskussionen ein Flugzeug mit Gasmasken beladen nach Israel geschickt. Es traf noch rechtzeitig zum Waffenstillstand ein.

Nachdem die israelische Armee zum Gegenangriff übergegangen war, endete dieser Krieg wiederum mit der Niederlage der Angriffsländer. Doch diesmal hatten die Angreifer, wenn man insbesondere der linksorientierten Presse glauben will, ihr „Gesicht gewahrt", aufgrund der ersten Siege über die Vorposten der israelischen Armee.

Noch im Jahre 1973 versuchten die ölreichen arabischen Staaten, die Welt mit einem Ölboykott und dann, als sie sahen, daß sie ihr Öl nicht trinken können, mit einer mehr als hundertprozentigen Preiserhöhung in eine antiisraelische und antisemitische Stimmung zu versetzen. Dies geschah auch mit ziemlich gutem Erfolg.

Die Ölknappheit aufgrund der gestoppten oder gedrosselten Ausfuhr, die sich periodisch wiederholende Knappheit, das Schlangestehen an den Tanksäulen für ein wenig Benzin verfehlte nicht ihren Zweck. Am Sonntag nicht Autofahren zu dürfen, und wenn dann nur mit 100 km/h Geschwindigkeit auf der Autobahn, war so manchen Bürgern zuviel.

18. Meiner Kieler Heimat ein Stück näher

In der November-Ausgabe der renommierten und bekannten „Fortune"-Zeitschrift der Geschäftswelt erschien ein illustrierter Artikel über amerikanische Banken in vielen Städten Europas. Auch unser Bankhaus Bache wurde erwähnt mit einem Bild von mir und einem Kollegen einer anderen Bank in München. Diese Ausgabe erschien, als ich gerade auf einer Manager-Tagung in New York weilte. Dieser Artikel war selbstverständlich eine kostbare und freie Aufwertung sowie Anerkennung unserer Firma.

Selbstverständlich wurde mir gratuliert, und ich fand Anerkennung. Dennoch glaube ich, hatte ich einen Fehler gemacht: „Fortune" war eine amerikanische Publikation, und somit bin ich ungewollt in die Firmen-„Politik" eingestiegen, eine Sache, die mir weder lag, noch wollte ich in die Etage der Geschäftsleitung der Muttergesellschaft einsteigen.

Alle vier Jahre tagte der Deutsche Bankentag in Bonn. 1970 hatte ich nicht teilnehmen können, doch im März 1974 war ich dabei. Die meisten Teilnehmer waren die Geschäftsführer und Inhaber fast aller deutschen Banken und natürlich der ausländischen mit Filialen in der Bundesrepublik. Auch viele Industrielle und die Presse sowie das Fernsehen waren vertreten.

Auf dieser Tagung habe ich Jürgen Ponto von der Dresdner Bank getroffen. Wenige Jahre später wurder er von der Bader-Meinhoff-Bande ermordet. Friedrich Nowottny vom Fernsehen lernte ich kennen und wir führten ein interessantes Gespräch über die Berichterstattung. Außerdem hörte ich mit großem Interesse einen hochinteressanten Vortrag von Helmut Schmidt, dem damaligen Bundesminister für Finanzen und späteren Bundeskanzler der Bundesrepublik.

Trotz vieler Vorträge und Arbeitsgemeinschaften war wohl der Hauptzweck dieser Tagung, alte Geschäftsverbindungen zu erweitern und neue Verbindungen herzustellen.

Bundeskanzler Willy Brandt nahm am letzten Abend der Tagung am Bankett teil. Er war der einzige Redner. Seine Rede war wenig politisch, mehr volkswirtschaftlich orientiert, humorvoll, trotzdem betonend und sachlich. Ich hatte immer großen Respekt und große Achtung vor Willy Brandt seit der Zeit, als er Regierender Bürgermeister Berlins war.

Meine eigene politische Einstellung war eher konservativ, doch weiß ich, daß Willi Brandt mit seiner Realpolitik die Völker in Europa näherbrachte und Deutschland seinen Platz innerhalb der Nationen dieser Politik verdankt. Ich mochte Willy Brandt auch, weil er emigrieren mußte. Ich kann bis heute die Konservativen, die aufgrund Brandts Emigration, Wählerstimmen für sich ergattern wollten, nicht verstehen.

Nach monatelangem politischen Gefecht und Gefeilsche trat im Sommer 1974 der amerikanische Präsident Richard Nixon von seinem Präsidentenposten zurück. Man kann es leider nicht anders nennen. Nixon war einer der größten Präsidenten der Vereinigten Staaten, der sehr viel zur Friedenspolitik in der Welt beigetragen hat.

Watergate ist deshalb für meine eigene Erinnerung bemerkenswert, weil ich als Amerikaner doch sehr oft von Freunden und Geschäftsfreunden während dieser unerfreulichen Affäre angesprochen wurde. Die Demokratie Amerikas wurde in Zweifel gezogen, doch ich meinte, daß gerade dieser Skandal die Stärke der Demokratie zeigte.

1974 eröffnete ich eine Bache-Filiale in Stuttgart und eine in Wien. Die letztere wurde von einem Neffen meines Pariser Kollegen Hans Czernin, Paul Czernin, geleitet. Für das Wiener Büro mußte ich eine österreichische Gesellschaft gründen, deren Geschäftsführer ich wurde.

Ein New Yorker Kollege, der mich bei der Vorarbeit unterstützte, fühlte sich eines Tages unwohl und wurde mit einem Herzinfarkt ins Krankenhaus eingegliefert, wo er Gott sei Dank vollkommen genas. Mein Kollege wurde mit einer Tragbahre aus dem Hotel Bristol durch den Küchenausgang zum Krankenwagen getragen. Es war kein Arzt dabei. Auf dem Weg zum Krankenhaus fragte der Sanitäter meinen Kollegen, ob er immer so weiß im Gesicht wäre. „Nein", antwortete ihm mein Kolege, „nur wenn ich einen Herzanfall habe".

Meine Firma hatte Schwierigkeiten mit dem 1973 eröffneten Büro in Zürich. Mir wurden die Verantwortung über diese Filiale übertragen sowie weitere Aufgaben innerhalb Europas. Zu diesem Zeitpunkt wollte ich eigentlich in die USA zurückkehren. Ich war bereits 15 Jahre in Deutschland tätig, drei Jahre in Frankfurt und zwölf Jahre in München. Die Firma bat mich dennoch einige Jahre in Europa zu bleiben.

Ich hatte meinen Wohnsitz von München nach Hamburg verlegt. Dr. Bauer übernahm das Management im Münchener Büro, und seine Autorität wäre in Zweifel gezogen worden, wenn ich vom Münchener Büro aus, meine jetzt viel größere Verantwortung übernommen hätte. Ein weiterer Grund: Ich wollte mehr Zeit im Norden Deutschlands, meiner einstigen Heimat, verbringen.

In Hamburg mietete ich, direkt an der Außenalster gelegen, eine große, schöne und sehr moderne Wohnung. Ich konnte mein Büro an der Innenalster in einer knappen halben Stunde zu Fuß erreichen oder auch mit dem Alsterdampfer. Nachdem ich wie immer Weihnachten und Neujahr in New York verbracht hatte, zog ich im Januar 1975 nach Hamburg.

Jetzt besuchte ich Kiel des öfteren und verbrachte auch so manches Wochenende auf Sylt. Die seit der Olympiade 1972 bestehende Autobahn nach Kiel und Flensburg machte das Reisen in Schleswig-Holstein leichter und schneller.

In den drei Jahren, die ich in Hamburg wohnte, schloß ich neue Freund- und Bekanntschaften hier wie auch in Kiel. Kurz nachdem ich nach Hamburg zog, erhielt meine Bekannte Nora Manneck ein Engagement am Hamburger Operettenhaus. Sie tanzte unter anderem auch in der „Fledermaus". Wir verbrachten viel Zeit zusammen.

Ich trat der jüdischen Gemeinde in Hamburg bei, die bedeutend kleiner als die Gemeinde in München war, sowie der Bnai Brith Loge, die sehr aktiv war. Jede Woche eine geschlossene Logensitzung, ein- bis zweimal im Monat Vorträge und Diskussionen. Ein einfriger Teilnehmer war der bereits pensionierte Bürgermeister Hamburgs, Herbert Weichmann, ein Kenner der politischen Lage in der Bundesrepublik und ein warmherziger Mensch, mit dem ich mich gern unterhielt. 1976 war das 100jährige Jubiläum der Firma Bache und das 200jährige Jubiläum der amerikanischen Unabhängigkeit, was in allen Filialen Europas und natürlich auch in den USA ein großer Anlaß zum Feiern war.

Im Gegensatz zu Bayern und anderen Bundesländern zog die jüdische Gemeinde Hamburgs von ihren Mitgliedern die Kirchensteuer nicht über das Finanzamt ein, sondern durch direkte Zahlungen der Mitglieder. Die Hamburger Gemeinde betreute und besteuerte auch die wenigen einzelnen Juden, die in Schleswig-Holstein ihren Wohnsitz hatten.

Ab 1977 sollte die Kirchensteuer über das Hamburger Finanzamt erhoben werden. Tatsächlich wurden bereits 1976 Lohnsteuerkarten an Mitglieder der jüdischen Gemeinde verschickt, die unter Religion die Bemerkung „ISR." hatten. Da Angestellte diese Karten zum 1. Januar 1977 ihrem Arbeitgeber überreichen mußten, kam es zur Vorstellung in der jüdischen Gemeinde. So manche Angestellte jüdischen Glaubens befürchteten Schwierigkeiten in ihren Firmen zu haben, da die Mitarbeiter bzw. Besitzer jetzt wußten, daß sie jüdisch sind.

Leider wiesen die Erfahrungen und gewisse Vorkommnisse darauf hin, daß wohl die Befürchtungen mancher jüdischer Angestellter nicht unberechtigt waren. Die Gemeinde bat das Finanzamt, neue Lohnsteuerkarten ohne religiöse Zugehörigkeit an die Betroffenen auszustellen. Somit zog die Gemeinde weiterhin ihre Steuern von ihren Mitgliedern direkt ein.

30 Jahre nachdem der Nationalsozialismus zerstört worden war, mußten Behörden in der Bundesrepublik sowie jüdische Gemeinden jüdische Altersheime, Synagogen, Schulen schützen, sichern und bewachen lassen. Nicht etwa wegen eines wachsenden Antisemitismus, sondern weil die Bundesrepublik sich von einigen ausländischen Terroristen einschüchtern ließ. Mancher dieser ausländischen Terroristen wurde sogar von Staaten, mit denen die Bundesrepublik diplomatische Beziehungen unterhielt, unterstützt.

Die Bader-Meinhoff-Gruppe war, wie ich es beurteilte, weit größer und stärker als so manche Bürger in Deutschland annahmen. Ihre Stärke lag darin, daß eine große Gruppe stark links orientierter „Intellektueller" die Bader-Meinhoff-Terroristen moralisch unterstützte. Wenn auch nicht direkt, so jedoch indirekt.

Nun, meinem Ermessen nach ist jede moralische Unterstützung von Terroristen falsch. Ermunterung macht zum Mittäter, genau wie eine Geldzuwendung oder auch nur eine Nacht Unterschlupf gewähren.

Die internationalen Terroristen arbeiteten eng zusammen und schienen gut organisiert zu sein. Trainiert und ausgebildet wurden auch deutsche Terroristen von den Terroristen der PLO. Sie arbeiteten eng zusammen, wie es des öfteren bewiesen wurde.

Eine mir unvergeßliche Entführung und ein Gewaltakt war die Entführung einer Air France-Maschine aus dem Mittelmeerraum, von der PLO und einigen deutschen Terroristen sowie mit der Unterstützung des Staatschefs und Diktators von Uganda, Idi Amin, ausgeführt. Diese Entführung erschreckte mich, aber auch die demokratische, zivilisierte Welt. In Entebbe wurden nämlich die Passagiere von den Terroristen mit Hilfe der Truppen Idi Amins nach Religions- bzw. Rassenzugehörigkeit getrennt, nach bekanntem Muster der Selektionen der Naziverbrecher. Die Juden wurden von Nichtjuden separiert und die Nichtjuden wurden nach Paris geflogen. Zur Ehre Frankreichs muß erwähnt werden, daß die Crew der Air France mit den Juden freiwillig in Entebbe blieb.

In Paris angekommen, berichteten die freigelassenen Geiseln, wie präzise die zwei deutschen Terroristen die Separation handhaben. Alle mit israelischen Pässen wurden als Juden klassifiziert, auch viele mit Pässen aus den USA und Europa, die jüdische Namen trugen oder sonst in den Augen dieser „zweiten Generation von ‚Selektierern'" als jüdisch befunden wurden.

Die Regierung Israels tat das einzig Richtige und stellte sich den Terroristen entgegen. Trotz großer Schwierigkeiten landeten israelische Truppen im Flughafen von Entebbe. Nach kurzem Gefecht mit Amins Truppen und Terroristen befreiten sie die Geiseln.

Die Zeitungen brachten große Schlagzeilen in der ganzen Welt. Ich las in der deutschen Presse von einem Husarenstück der Israelis und genauere detaillierte Berichte dieser Aktion. Aber einen längeren Bericht und eine Auseinandersetzung über die Tatsache, daß zwei Deutsche bei diesem Verbrechen führend beteiligt waren, las ich nicht.

Pädagogisch wurde diese vieleicht sehr furchtbare Tatsache der Zusammenarbeit und Kooperation von zwei deutschen Bürgern mit der verbrecherischen Organisation PLO in keiner Weise von der Presse, noch der deutschen Regierung ausgenutzt. Und weiterhin können viele der heranwachsenden Generation Deutscher mit Recht behaupten: „Mein Name ist Hase. Ich weiß von nichts". Da diese Entebbe-Entführung und -Befreiung ein sehr interessantes Thema war, brachten zwei Filmgesellschaften zwei verschiedene Filme innerhalb sehr kurzer Zeit heraus. Diese beiden künstlerisch sehr mäßigen Filme wurden in der westlichen Welt mit großem Erfolg gezeigt. Volle Häuser für einige Wochen im westlichen Europa, den USA und in Südamerika. In der Bundesrepublik spielte nur ein Film vor knapp besuchten Häusern und wurde sehr bald vom Programm abgesetzt.

Die Ermordung Jürgen Pontos von deutschen Terroristen ist mir ebenso unvergeßlich, sicher deshalb, weil ich ihn persönlich kannte.

Meine Schwester Gisela und mein Schwager Herbert waren gerade bei mir in Hamburg zu Besuch. Ich erzählte ihnen nichts von meinen Befürchtungen, die ich seinerzeit hatte. Es stand fest, daß die deutschen Behörden in den Besitz einer Liste der Bader-Meinhoff-Bande gekommen und in der an die tausend und mehr eventuell geeignete Opfer aufgeführt waren.

Ich nehme an, daß die Behörden diese Leute informiert hatten, doch meine Befürchtung blieb, denn ich war Bankier von Beruf, der in einigen Städten Deutschlands Banken leitete. Ich war nicht unbekannt und Jude und somit ein automatischer Feind ihrer Verbündeten und Ausbilder.

Es war wohl natürlich, daß ich Befürchtungen hegte, aber trotzdem mein Leben wie immer weiterführte und mich bis zum heutigen Tage nicht scheue, über Themen zu schreiben und zu reden, die so manch einem nicht gefallen.

Kopenhagen habe ich gern und des öfteren besucht. Die Hamburger Bache-Filiale hatte ziemlich aktive Geschäftsverbindungen mit vielen dänischen Banken. Meine Bank war immer sehr aktiv, wenn es um schwedische Anleihen ging, insbesondere die anerkannte und leicht verkäufliche Anleihe des Königreichs Schweden.

In Dänemark gab es zudem viele private Industrien und Handelshäuser, die Interesse an Bindungen an die USA hatten, insbesondere auf dem Kreditmarkt. Ein langjähriger dänischer Freund von mir, Jürgen Rossen, den ich noch aus den USA kannte, war mir und meiner Bank behilflich, diesen Markt zu erschließen.

Wenn ich in Kopenhagen war, besuchte ich auch gelegentlich meinen Vetter Hermann Bauer, der in der Nähe Malmös wohnte. In Kopenhagen erhielt ich ein ernsthaftes und gutes Angebot, einer dänischen Bank beizutreten. Dieses Angebot war nicht nur überraschend, sondern auch sehr verlockend. Doch trug ich mich wieder mit dem Gedanken, in die Staaten zurückzukehren und so lehnte ich dieses Angebot freundlichst dankend ab.

19. Unter der Sonne Floridas finde ich meine zweite Heimat

Im Sommer 1977 verbrachte ich einige Wochen in Florida und Kalifornien, um mich umzuschauen, denn in beiden Staaten wurde mir von meiner Firma ein Posten angeboten, der wohl mit dem Posten, den ich in Europa bekleidete, zu vergleichen war. Kalifornien, insbesondere San Francisco, gefiel mir wie auch Florida, nur sollte im Sommer das Klima in Florida unerträglich heiß sein.

Zwar wollte ich zurück in die USA. Dennoch war eine meiner Überlegungen, daß ich altersmäßig auf die Endfünfziger zuging und mit meiner Mutter, meinen Geschwistern, Neffen und Nichten öfter zusammen sein wollte. Diesbezüglich erhielt ich auch die Unterstützung des Aufsichtsratsvorsitzenden der Firma Harry A. Jacobs jr. Offiziell kehrte ich somit zum 1. Januar 1978 nach New York zurück.

Der Abschied von Freunden und Mitarbeitern in Deutschland und Europa war nicht leicht. Abschiedspartys wurden gegeben. Ich verwahre noch heute mit Liebe die vielen schönen Abschiedsgeschenke, die ich erhielt.

Eine längere Reise, die ich noch vor meiner Übersiedlung nach New York unternahm, war ein Besuch unserer Bache-Filiale in Singapur und Hongkong. Die erstere wurde von Edward Lim und die Hongkong-Filiale von John S. Wei geleitet. Beide Kollegen waren mir durch unsere Managertreffen gut bekannt. Beide Städte imponierten mir und beeindruckten mich sehr, der intensive Verkehr, die Gebäude, die Industrie, der Fleiß der Menschen und die Freundlichkeit derselben.

Ich machte einen weiteren Abstecher nach Tokio und traf dort meinen alten Schulfreund und Klassenkameraden aus Kiel, Max Berger, wieder, der seinen Namen hebräisiert hatte und jetzt Moshe Harar hieß. Moshe Harar war der israelische Botschafter in Tokio. Es war ein schönes Wiedersehen, bei dem viele Erinnerungen ausgetauscht wurden.

Meine Mutter starb einige Wochen, nachdem ich wieder in New York wohnte, im Alter von 86 Jahren im Hause meiner Schwester Reginchen.

Mutter war zwar kränklich und schwach, doch bis zuletzt geistig vollauf. Eines Nachmittags fühlte sie sich nicht wohl und starb noch am selben Abend im Kreise ihrer Kinder.

Wieder saßen wir vier Geschwister „Schiwe" im Hause meiner Schwester Reginchen. Auch unser Onkel Benno und Tante Lene, beide Geschwister meiner Mutter, hielten die Schiwe im Haus meiner Schwester. Ich persönlich war dankbar, daß ich bereits wieder in New York meinen Wohnsitz hatte, als meine Mutter dahinschied.

Einige Monate wohnte ich in einem Hotel. Ich hatte einen Agenten beauftragt, eine Wohnung für mich zu finden. Es war wichtig für mich, an der Eastside Manhattans zu wohnen. Man hatte gute Fahrverbindungen. Viele Freunde und Bekannte wohnten in der Eastside.

Mir wurden einige Eigentumswohnungen angeboten. Doch einer der volkswirtschaftlichen Berater in meiner Firma riet davon ab. „Die Wohnung ist überwertet, die Preise werden wieder fallen", meinte er. Heute, 1990, kosten die Wohnungen das Fünffache des 1978-Preises. Nun, nicht jeder Rat ist gut.

Also entschloß ich mich, eine Wohnung zu mieten, und sah, daß die Mieten unbeschreiblich hoch waren. Ich sprach noch mit meiner Mutter darüber. Sie meinte, ich könne es mir erlauben, und es wäre vielleicht auch eine gute Idee, daß meine Firma über meine Lebensansprüche informiert sei.

Die Firma sowie ich erwarteten, daß ich wohl im ersten Jahr von New York aus einige Male nach Europa reisen müßte, um doch hier und da etwas zu regeln oder mitzuhelfen.

Nachdem ich zum 1. März 1977 ein großes Apartment in einem zehn Jahre alten Hochhaus gemietet hatte, wurden meine Möbel von einem Hamburger Spediteur nach New York befördert, wo sie auch Ende März ankamen. Ich hatte über die Jahre einige Antikmöbel, Perserteppiche, Bilder und viele weitere Gegenstände erworben, von denen ich mich nicht gern trennen wollte. Auch meine beachtliche Büchersammlung war mir sehr wichtig.

Der Container wurde vor dem Haus ausgeladen, Möbel, Kisten usw. in den Lieferantenfahrstuhl verladen und wahllos in die Wohnung gestellt. Es war ein Tohuwabohu. Am nächsten Tag mußte ich nach London fliegen. In London hatte, wie es der Zufall wollte, meine Bekannte Nora Manneck ein Engagement beendet und sollte in sechs Wochen in Tokio ein neues beginnen. So bat ich Nora, mit mir nach New York zu fliegen, doch mußten wir zuerst ein Visum besorgen. In der Konsularabteilung der US-Botschaft in London wurde ein Antragsteller ziemlich genau und detailliert gefragt, warum er in die USA reisen will. Allerdings wurde es Geschäftsreisenden und Touristen etwas leichter gemacht, indem in vielen Fällen gültige Visa für einige Jahre ausgegeben wurden. Der einzige Staat, der sich dagegen auflehnte und für einige Jahre Visumzwang für US-Bürger einführte, war Frankreich. Erst im Sommer 1989 hoben die Vereinigten Staaten den Visumzwang für Ausländer aus der westlichen Welt auf.

Es war eine große Hilfe für mich, Nora einige Wochen in New York zu haben. Meine Wohnung war in kürzester Zeit, Dank Noras Hilfe, eingerichtet und behaglich gemacht worden. Auf dem Balkon in der 20. Etage hatte ich einige Gartenmöbel aufgestellt. Ich benutzte den Balkon gern. Ganz selten jedoch sah ich einen Bewohner auf einem der übrigen Balkone stehen, geschweige denn sitzen.

Im Sommer mußte ich geschäftlich nach München reisen. Ich wollte diese Reise mit einem kurzen Urlaub verbinden und so segelte ich auf dem Hinweg mit der Queen Elisabeth II. gemütlich bei herrlichem Sommerwetter über den Atlantik. Auf dem Rückweg nach New York flog ich das erste Mal mit der „Concorde". Flugzeit an die dreieinhalb Stunden. Leider war es keine sehr bequeme Reise.

Zu diesem Zeitpunkt hatten die meisten großen Investmentbanken der Wall Street nur ein Ziel, und zwar Umsätze zu vergrößern und Unkosten einzusparen. Innerhalb weniger Jahre war ich für kürzere oder längere Zeit in vielen Bache-Filialen beschäftigt, um die Umsätze zu fördern und das lokale Management zu stärken.

Als ich noch in Europa wirkte, begannen amerikanische Versicherungs-gesellschaften, Investmentfonds zu verkaufen. Und somit begannen auch manche Wall-Street-Firmen, Versicherungen zu verkaufen. Eines Tages, nachdem ich wieder in New York arbeitete, stellte jemand in der Firma fest, daß ich niemals das Versicherungsexamen abgelegt hatte, und dies unbedingt nötig war, da ich viele Filialen leitete, die auch Versicherungen verkauften. Nach einigen Tagen Training legte ich dann das staatliche Versicherungsexamen ab, das letzte in meiner Karriere.

Während meiner Tätigkeit in New York bin ich weit weniger gereist als in der Zeit, als ich in Europa tätig war. In New York besuchte mich eines Tages Gabriel Villada, der Manager der Bache-Filiale in San Juan in Puerto Rico. Gabriel hatte ich vor einigen Jahren in Paris kennenge-lernt. Er arbeitete seinerzeit für Merril Lynch, einer Konkurrenzfirma, und wurde später mit meiner Hilfe der Manager der Bache-Filiale in Paris.

Gaby, ein eingebürgerter französischer Staatsbürger, und seine Familie mußten, als Castro und die Kommunisten Kuba beherrschten, aus Kuba flüchten. Irgendwie verband uns unser ähnliches Schicksal. Wir wurden gute Freunde. Gaby kam des öfteren nach New York. Auch ich besuchte ihn einmal auf Puerto Rico, einer schönen tropischen Insel. Es tat mir, nachdem ich für einige Tage die Sonne genoß, etwas leid, daß ich nicht Florida, wie mir angeboten worden war, als Wohnsitz gewählt hatte.

Über die nächsten Jahre erhielt ich viele Besuche von Kollegen aus Europa. Ich freute mich sehr über ihren Besuch und wurde um so manch einen Rat gebeten. Mit einigen von ihnen bin ich noch bis heute freundschaftlich verbunden.

Vielleicht war es meine Familie, mit der ich eng verbunden war, und sicherlich auch das große kulturelle Angebot New Yorks, daß ich im Gegensatz zu Europa in New York weniger an Partys oder Empfängen teilnahm. Doch kurz nachdem ich nach New York zurückkehrte, lernte ich im Hause meines Freundes Peter Basch Al Hirshfeld und seine Gattin kennen. Mr. Hirshfeld ist der bekannte Karikaturist der New York Times. Seine Gattin ist die deutsche Filmschauspielerin Dolly Haas, an deren Filme ich mich noch erinnerte. Ein Film hatte den Titel „Acht Mädels im Boot". Ich traf die Hirshfelds hier und da und habe mich gern als alter Filmfan mit Dolly Haas unterhalten.

In New York erneuerte ich meine Bekanntschaft mit Rüdiger von Wechmar und seiner Gattin, mit denen mein Kollege Dr. Manfred Bauer und ich auf Sylt einige Male zusammen waren. Herr von Wechmar war der deutsche Botschafter bei der UNO in New York. Auch erinnere ich mich, auf einem Empfang der Botschaft in New York einen Münchener wiedergetroffen zu haben, den Fußballer Franz Beckenbauer, der für den „Cosmos" in Amerika spielte. Aber trotz Franz Beckenbauer konnte das Fußballspiel, „Soccer" in den USA genannt, niemals eine große Zahl von Fans erreichen. Dies stand im Gegensatz zu den amerikanischen Nationalspielen Football und Baseball.

An dem im Sheraton Hotel in New York jährlich stattfindenden Ball der Deutsch-Amerikanischen-Gesellschaft, dem Quadrille-Ball, nahm ich jedoch meistens teil. Dieser Ball und deren Einkünfte kamen wohltätigen Zwecken zugute. Unter den Gästen befanden sich Mitglieder der deutsch-amerikanischen Gesellschaft, Diplomaten und der Guest of Honor. Dieser war meist immer ein Deutscher, wie zum Beispiel Herr Genscher, Herr Carstens und andere Persönlichkeiten des deutschen öffentlichen Lebens.

Im Jahre 1979 wurde mit Hilfe und Unterstützung der Regierung des theokratischen Diktators Khomaini im Iran die US-Botschaft gestürmt. Botschaftsmitglieder wurden in der Botschaft als Geiseln gehalten, geschlagen und verhöhnt.

Nicht weit von meiner Wohnung entfernt wurde gerade ein über 50stöckiges Hochhaus errichtet. Täglich ging ich an diesem Bau vorbei, an dem die Arbeiter mit einer großen Tafel die Vorbeigehenden an dieses Geiseldrama erinnerten. Täglich wurde die Zahl der Tage auf der Tafel gezählt, bis dann die Geiseln nach 444 Tagen befreit wurden.

Die 52 Geiseln wurden im Januar 1981 an dem Tag befreit, an dem Präsident Reagan als Präsident eingeschworen wurde. Ich war stolz auf mein Land, daß es sich trotz Gefahr und Druck nicht dem Terror beugen wollte.

Wohl wegen meiner konservativen politischen Einstellung bin ich als Republikaner registriert, doch habe ich nicht unbedingt in allen Jahren parteitreu gewählt. Meine Stimme gab ich immer dem, den ich für den richtigen Kandidaten hielt. An politischen Versammlungen habe ich kaum teilgenommen. Doch eines Tages erhielt ich eine Einladung von dem Internationalen Presse Club.

Diese Einladung war zu dem jährlichen Dinner des Clubs, welche im Waldorf-Astoria Hotel in New York stattfand und in dem jährlich ein Journalist geehrt wird. Gastredner bei diesem Essen war General Alexander Haig, zu diesem Zeitpunkt noch Chef der ATO in Brüssel.

General Haig war Mitglied in Präsident Nixons Kabinett, und als National Security-Chef erlebte er die letzten Monate der Nixon-Administration im Weißen Haus in Washington D.C. Es war ein offenes Geheimnis, daß General Haig mit dem Posten des Präsidenten der Vereinigten Staaten liebäugelte.

In seiner Rede an diesem Abend, die sich auf allgemeine Subjekte bezog, machte er hier und da einige Anspielungen, daß er ein Kandidat für den Präsidentenposten sein möchte. Wie auch immer, Reagan und Bush als Vizepräsident besetzten die republikanische Liste und wurden auch vom Volk gewählt. General Haig erhielt einen Trostpreis: Er wurde im Januar 1981 Secretary of State (Außenminister) in Präsident Reagans Kabinett, einen Posten, den er 1982 kurz nach seiner vergeblichen Vermittlung zwischen Großbritannien und Argentinien während der Falkland-Krise verlor.

Ich bin mir fast sicher, daß ich Alexander Haig, wenn er als Präsident kandidiert hätte, nicht gewählt hätte, genau wie ich Eisenhower nicht

Leos Schwestern 1981

wählte, eben nur, weil sie Militärs waren und dazu noch Helden. Obgleich, in aller Fairneß, Eisenhower den Krieg haßte und das Golfspiel liebte. Vielleicht waren es meine Jugenderinnerungen an Hindenburg, aber ich wie auch viele Millionen Amerikaner sehen Ex-Militärs nicht gern auf wichtigen Zivilposten.

An einem Märzabend 1987 war ich Gast in Hamburg in der Wohnung des Hamburger Bache-Managers Jochen Görtz. Als wir die Nachricht vom Attentat auf den erst einige Monate im Amt befindlichen Präsidenten der Vereinigten Staaten, Ronald Reagan, hörten, waren wir entsetzt. Erst am nächsten Tag erfuhren wir, daß Präsident Reagan die nach dem Attentat erfolgte Operation gut überstanden hatte.

Einige Monate später schoß in Rom ein Attentäter auf den Papst. Gott sei Dank war auch diese sofortige Operation erfolgreich. Das Attentat auf Reagan wurde von einem Wahnsinnigen verübt, das auf den Papst von einem gedungenen Terroristen.

Ein Mensch kann nicht umhin zu denken, wie unsicher das Leben auf diesem Planeten ist, wo versucht wird, das Leben führender Persönlichkeiten auszulöschen, um fremde Gedanken und Lebensweisen dem Men-

218

schen aufzubürden. Insbesondere bei dem Attentatsversuch auf den Papst gab es kaum Zweifel, welche Großmacht dahinter stand.

Ende April 1981 erhielt ich während einer Geschäftsreise nach Florida die Nachricht, daß mein langjähriger Freund und Kollege John Roosevelt unerwartet und plötzlich gestorben war. Er war erst einige Monate vorher in Pension gegangen.

Ich kehrte zur Beerdigung nach New York zurück. Die Trauerfeier fand in einer Kirche in der Fifth Avenue statt. Viele Freunde gaben John das letzte Geleit, insbesondere waren fast alle Partner der Firma Bache anwesend. John war das jüngste der Roosevelt-Kinder. Sein Bruder Franklin hielt eine ergreifende Trauerrede.

Bei dieser Beerdigung hatte ich den Ex-Präsidenten Richard Nixon kennengelernt. Mr. Nixon wohnte um die Ecke von mir, in der 65. Straße in einem kleinen Stadthaus. Ich war und bin noch immer ein Anhänger Nixons und seiner Politik. Besonders bedauerte ich es, daß es so viele Jahre bedurfte, bis Nixon wiederum von der US-Administration um Rat gebeten wurde.

Die Vereinigten Staaten befanden sich Ende der siebziger Jahre in einer ernsthaften wirtschaftlichen Notlage, da die jährliche Inflationsrate außergewöhnlich hoch war. Die Banken zahlten auf Sparkonten an die 17 % Zinsen jährlich. Bürger, besonders die im Ruhestand mit mäßigem Einkommen, verarmten, die Mieten schossen in die Höhe. Die bekannten großen Universitäten nahmen ihren Studenten an die 10.000 Dollar pro Studienjahr ab.

Wall-Street-Firmen, genau wie Industrieunternehmen, taten sich zusammen oder wurden von anderen Firmen gekauft, manchmal sogar vollkommen geschluckt. Meine Firma, die Investmentbank Bache, bereits über 100 Jahre alt, wurde von der finanzstarken Prudential Versicherungsgesellschaft gekauft.

Ich befand mich gerade im Skiurlaub mit Freunden in Garmisch-Patenkirchen, als mich mein Freund und Kollege Dr. Manfred Bauer, Bache-Manager in München, anrief und mich von dem Angebot der Prudential-Versicherung, Bache zu erwerben, unterrichtete. Prudential bot einen fairen Preis per Aktie. Wir Aktienbesitzer mußten natürlich diesem offerierten Preis zustimmen. Die Mehrheit von uns tat dies auch. Ich fand den Preis mehr als fair. Doch im Gegensatz zu vielen anderen Übernahmen dieser Art, erhielten wir Aktionäre für unsere Aktien keine neuen, sondern nur bares Geld. Dies hatte einige Nachteile. Da wir keine neuen Aktien im Tausch erhielten, wurde man aufgrund eines eventuellen Verdienstes und, da wohl die meisten Aktionäre über Jahre die Aktien billiger gekauft hatten, vom Finanzamt zur Kasse gebeten.

Ein weiterer Nachteil war, daß die Firma Bache geschluckt wurde. Der neue Chef war die Prudential-Lebensversichung. Für mich persönlich hatte diese Transaktion einen Vorteil, denn ich war bereits über 60 Jahre alt und konnte, wenn ich wollte, frühzeitig in Pension gehen. Das tat ich natürlich auch und wurde prompt von der neuen Firma als freieruflicher Konsultant engagiert.

Im Sommer 1982 ließ ich es mir nicht nehmen, an einer Feier in Kopenhagen teilzunehmen zu Ehren des 50. Geburtstages meines langjährigen Freundes, Jürgen Rossens. Die Feier fand in Jürgens schönem neuen Haus außerhalb Kopenhagens, direkt am Sund gelegen, statt. Viele Freunde und Bekannte waren anwesend. Doch, wie des öfteren im Norden, war das Wetter nicht besonders, so daß wir nicht in dem schönen Garten feiern konnten.

In diesem Sommer hatten die Israelis den Libanon angegriffen und besetzten Beirut. Auf dieser Party in Kopenhagen diskutierten zwei dänische Journalisten über diesen Krieg und waren, meiner Meinung nach, ziemlich unfair in ihren Kommentaren über Israel und die Vereinigten Staaten. Ich sagte den Herren meine Meinung, die ganz einfach war, denn ich wies sie nur auf ihre Pflicht der genauen und neutralen Berichterstattung hin. Ein Gast auf dieser Party war auch der US-Gesandte in Kopenhagen, John Loeb jr., der sich allerdings nicht in die Diskussion einmischte.

Meine Erfahrung mit der Presse ist immer dieselbe. Wenn die Israelis sich wehren und zurückschlagen und dabei einige Terroristen getötet werden, was sicherlich bedauerlich ist, für die Presse wird eine Story und ein Bericht aufgebauscht. Wenn wiederum einige Monate nach der Libanon-Invasion der syrische Präsident in einer Stadt namens Aman über 20.000 syrische Bürger umbringen läßt, wird es wohl in der Presse berichtet, aber auf Seite 3 oder 4. Denn Herr Assad erlaubt keinem Journalisten, dabei zu sein und darüber zu berichten.

Zwei Jahre später fand im Bundesgerichtshof in New York ein Prozeß statt, den der damalige israelische Oberkommandierende, General Arik Sharon, gegen das amerikanische Time-Magazin angestrengt hatte. Dieser Prozeß dauerte einige Wochen. Da ich bereits mehr Zeit hatte, besuchte ich den Gerichtssaal einige Male.

Time-Magazin beschuldigte General Sharon, im Libanon-Feldzug seiner Aufsichtspflicht nicht genügt zu haben, weil seine Verbündeten, die christlichen Phalangisten, Palästinenser in Lagern innerhalb Beiruts niedermetzelten. In seinem Urteil versicherte das Gericht General Sharon, daß er keine Schuld an dem Gemetzel trug. Doch weigerte es sich, ihm Schadenersatz zuzuerkennen. Ich glaube, daß sowohl General Sharon wie auch das Time-Magazin mit dem Urteil zufrieden waren.

Im Januar 1985 ging dieser Prozeß zu Ende. Im selben Monat fühlte sich ein Herr Goertz in der New Yorker Untergrundbahn von vier schwarzen Jugendlichen bedroht, zog seine Pistole und schoß alle vier nieder, alle überlebten. Diese Tat machte nicht nur in der amerikanischen Presse Schlagzeilen. Herr Goertz wurde von der Anschuldigung des versuchten Totschlages freigesprochen, doch wegen unerlaubten Waffenbesitzes zu einer Gefängnisstrafe verurteilt, die nicht ausgesetzt wurde, wie das sonst bei vielen Ersttätern der Fall war.

Während ich in Europa lebte und auch bei meinen Europareisen wurde ich sehr oft mit der Tatsache konfrontiert, daß New York und einige andere Großstädte in den USA unsicher und gefährlich sind. Es ist gewiß nicht ratsam, in New York am späten Abend allein einen Spaziergang zu machen oder den Park zu besuchen. Inzwischen ist dies leider auch in Europa ein guter Rat. Es scheint mir, daß die USA mit dieser neuen wachsenden Straßenkriminalität Europa nur um einige Jahre voraus ist. Ich erzählte aus diesem Anlaß auch gern eine meiner Lieblingsgeschichten. Ein Europäer, der vor Jahrzehnten nach Amerika auswandern wollte und als Grund den Fortschritt in Amerika angab. „Alles", meinte er, „ist in Amerika neu, modern und elektrisch". „Du hast schon recht", wurde ihm gesagt, „doch paß' auf, auch die Stühle in Amerika sind elektrisch".

Herr Kohl wurde von den Siegermächten nicht zur Feier des 40. Jahrgangs der Landung der Alliierten in der Normandie eingeladen, was er leider nicht verstand. Doch 1985 hatten Bundeskanzler Kohl und der amerikanische Präsident Reagan ihr Treffen in Bitburg auf dem Soldatenfriedhof, auf welchem auch SS-Soldaten ihre letzte Ruhe fanden.

Die Empörung in Amerika über den Besuch in Bitburg war besonders in Veteranenkreisen sehr groß und nicht unberechtigt. Da niemand abstreiten kann, daß so mancher junge Deutsche in die SS-Truppen gedrängt wurde und nicht freiwillig beitrat, weiterhin keiner abstreiten kann, daß die SS-Truppen unbedingt tapfer gekämpft haben, so waren doch viele dieser SS-Truppen bei Ausführungen der nationalistischen Verbrechen, den Erschießungen, Verhaftungen und Ermordungen beteiligt.

Die Empörung bei den US-Veteranen-Organisationen war deshalb so stark, weil Bitburg nicht weit von den Ardennen liegt, wo noch in den letzten Kriegsmonaten einige Hundert US-Soldaten, nachdem sie gefangen genommen waren, von den SS-Soldaten erschossen wurden.

Elie Wiesel, der im Jahre 1986 den Friedensnobelpreis erhielt, bat Präsident Reagan in einer im Fernsehen übertragenen Rede, Bitburg nicht zu besuchen. Dies geschah einige Tage vor der geplanten Reise nach Deutschland anläßlich der Verleihung der Congressional Medal of Honor an ihn.

Ich traf Mr. Wiesel einige Tage später im Fahrstuhl und gratulierte ihm zu seiner Rede. Er wohnte in New York im selben Haus wie ich, drei Etagen unter mir.

Ich erinnere mich noch gut an die Worte Elie Wiesels: „Mr. Präsident. This is not a place for you to visit."

Wie die Presse berichtete, bat Kanzler Kohl Präsident Reagan, die Pläne nicht zu ändern, und zu guter Letzt wurde ein Besuch des US-Präsidenten auf der Bergen-Belsen-KZ-Gedenkstätte eingeplant. Ich bedauerte, daß auch bei diesem offiziellen Besuch der US-Präsident wiederum nicht umhin kam, ein KZ zu besuchen, und dies wohl wegen der nicht gerade vor Klugheit strotzenden Diplomatie der Bundesrepublik.

Wie auch immer, die Amerikaner hatten die Pläne vorher von einem amerikanischen hohen Weißen-Haus-Beamten prüfen lassen.

Im Oktober 1985 machten Terroristen wieder Schlagzeilen in der Welt. Diesmal wurde ein großes Kreuzfahrtschiff, die „Achille Lauro", auf dem Mittelmeer entführt oder, besser gesagt, gekapert. Die Passagiere wurden terrorisiert. Der Höhepunkt, den sich die „Helden" leisteten war, daß sie einen hilflos im Rollstuhl sitzenden Passagier namens Leon Klinghoffer erschossen und seine Leiche ins Meer warfen. Diese Unmenschen hatten obendrein noch ihren Spaß daran, den Rollstuhl des ermordeten Passagiers hinterher zu werfen.

Das Schiff legte in Alexandria an, wo die Terroristen gleich von höhergestellten Honoratioren empfangen wurden und man ihnen ein Flugzeug zur Verfügung stellte. Herr Klinghoffer war ein US-Staatsbürger. Die Amerikaner wollten seine Mörder fangen und vor Gericht bringen.

Amerikanische Militärflugzeuge schnappten sich das Flugzeug, in dem die Mörder saßen über dem Mittelmeer und zwangen den Piloten, auf Sizilien auf einem Nato- und US-Stützpunkt zu landen. Doch mußten die Amerikaner die Terroristen den Italienern übergeben.

Dem Anführer dieser Terroristengruppe Mohammed Abbas gelang es, aus Italien zu fliehen. Er wurde niemals zur Rechenschaft gezogen.

Noch bevor die Terroristen in Italien abgeurteilt wurden, verübten Terroristen im Dezember 1985 ein Attentat auf den Flughafen in Rom, wobei es leider sehr viele Tote und Verwundete gab. Die aus Iran gelenkten Terroristen, die viele westliche Geiseln in Beirut seit Jahren festhalten, gaben ebenfalls bekannt, daß eine Geisel „exekutiert" wurde und schickten eine Videokassette mit dem „Mordvorgang" an die Presse. Die Bildzeitung zeigte auf der ersten Seite große Schlagzeilen mit folgendem Inhalt: „Col Higgens baumelt". Eine Geschmacklosigkeit ersten Ranges.

Col Higgens, ein Beobachter der UNO-Truppen im Libanon, wurde von den Terroristen erst vor nicht allzu langer Zeit gekidnappt. Der Schwiegervater Col Higgens, der in meiner Nähe wohnt und im selben Club Golf spielt, sowie die Gattin des Col Higgens haben allerdings noch Hoffnung, daß er lebt. Das Haus der Verwandten von Col Higgens wie auch unser Golfclub zeigen immer noch die „Yellow Ribbons", mit dem angedeutet wird, daß ein Angehöriger sich in Geiselhaft befindet.

Anfang 1986 wurde mein offizieller Wohnsitz Florida, obgleich ich meine Wohnung in New York nicht aufgab. In den USA muß man, wenn man mehr als einen Wohnsitz hat, einen offiziellen wählen. Da wir Amerikaner außer Bundeseinkommenssteuer auch staatliche und städtische Einkommenssteuer zahlen, ist es ratsam, nur einen Wohnsitz zu wählen.

In Florida kaufte ich ein schönes Apartment mit zwei Schlafzimmern und zwei Bädern, so daß Besuch immer willkommen ist. Ich gewöhnte mich sehr schnell an den legeren Lebensstil und das schöne, sonnige Wetter. Die heißen Sommermonate verbringe ich allerdings in Europa.

Ich wohnte erst einige Wochen in Florida, als Kurt Waldheim, der langjährige Generalsekretär der UNO, bezichtigt wurde, ein Kriegsverbrecher zu sein. Waldheim hatte sich als Kandidat für den Posten des Staatspräsidenten in Österreich aufstellen lassen. Die Gegenpartei übergab dem World Jewish Congress Informationen, die ihn als Kriegsverbrecher erscheinen ließen.

Der World Jewish Congress ist eine hochangesehene Organisation, die Zugang zu den Regierungen der westlichen und östlichen Welt hat und, wenn es nötig ist, auch von diesen um Rat gebeten wird. Nach den Erfahrungen im Zweiten Weltkrieg ist diese Organisation für Juden und Nichtjuden sehr wichtig.

In gewisser Art ist der World Jewish Congress dem Vatikan etwas ähnlich, der die Interessen aller Katholiken dieser Welt wahrt. Der Unterschied ist wohl der, daß der World Jewish Congress nicht allein die Interessen der jüdischen Religionsgemeinschaft vertritt, denn ein Antisemit haßt den Juden kaum wegen seiner Religion. Eine unglaubliche, gehässige Judenhetze brach in Österreich aus. Ich sah dies im Juni 1986, als ich in Österreich zu Besuch weilte, wenn ich mich recht erinnere, um die Zeit der Wahl Waldheims. Das leider von den Alliierten unterstützte Märchen, daß die Österreicher als erste von Deutschland vergewaltigt wurden, schien mir zu diesem Zeitpunkt noch weniger glaubhaft.

Direktor Dackel von der österreichischen Länderbank erzählte mir bei einem dienstlichen Besuch vor vielen Jahren, daß die Wochenschauen und Nachrichten zwar das begeisterte und jubelnde Volk zeigten, als Hitler im März 1938 in Wien einzog, doch nicht die große Menge von Österreichern, die traurig und niedergeschlagen in ihren Wohnungen saßen. Doch 1986 war es anders in Wien: Die anständigen Bürger kamen aus ihren Wohnungen und sagten dem Pöbel frei und offen die Meinung.

Ich war nicht gerade sehr glücklich darüber, daß die Partei, deren politischem Denken ich nahestand, Waldheim zum Präsidenten wählte. Auch war ich erstaunt, daß er nicht von seiner Kandidatur zurückgetreten war. Doch war er wohl niemals ein besonders guter Politiker.

Seit meiner Dienstjahre in Europa und New York habe ich noch heute österreichische Freunde und Bekannte. Einer von ihnen ist Otto von Habsburg, der zwar heute deutscher Staatsbürger ist, aber doch immer Österreicher sein wird. Herr von Habsburg war mir aus München bekannt. Anfang der achtziger Jahre, als ich an einem Sonnabendmorgen in Kiel mit Freunden die Holstenstraße herunterging, traf ich Herrn von Habsburg in Höhe der Holstenbrücke an einem Informationsstand der CDU. Es war kurz vor einer Wahl.

Es war nicht nötig ihn zu fragen, was er in Kiel mache. Es lag ja auf der Hand. Er gab der Kieler CDU Wahlhilfe. Er meinte, ich könne ja nicht wählen, ob aber meine Freunde nicht etwas Wahlmaterial zu sich nehmen wollten. So versicherte ich ihm, daß meine Bekannten ohnehin CDU wählen. Die Leser möchte ich jedoch darauf hinweisen, daß ich Bekannte und Freunde in vielen Parteien habe.

Im Sommer 1989 wurde ich von einem befreundeten Ehepaar in einen bekannten Skiort in Tirol eingeladen. Ich traf viele alte Freunde wieder und blieb einige Tage.

Abends kam das Gespräch sehr bald auf Politik, Amerika und Waldheim. Ich wurde alsbald gefragt, was die Amerikaner gegen Waldheim hätten, er darf nicht in die USA einreisen, und dabei hatte der Herr Oberleutnant Waldheim doch nur seine Pflicht als Soldat getan. Ich meinte, dem

Fragenden antwortend, ob er wirklich interessiert ist, meine Meinung zu erfahren, wo er sich doch bereits mit seiner Frage die Antwort gibt. Ja, wurde mir versichert, man wollte gern meinen Standpunkt hören. Als erstes sagte ich, ich kenne Herrn Waldheim nicht, doch ich habe seine Autobiographie gelesen. Es sei schon außergewöhnlich, daß Waldheim das Ende seiner Dienstzeit im Krieg mit seiner Verwundung in Rußland angebe und die weiteren Dienstjahre verschweige. Nicht ungewöhnlich sei, meinte ich, daß das Außenministerium der USA die Einreise mancher Personen verbiete. Dieses Verbot kam nicht sofort, sondern erst nach längerer Zeit der Prüfung amtlicher Dokumente. Bestimmt seien diese Dokumente, um dem Gesetz zu genügen, Herrn Waldheim oder seinen Vertretern vorgelegt worden. Was ich nicht wüßte, wäre, ob oder was dieser geantwortet hat. Im übrigen glaube ich an die 200jährige Fairneß der US-Behörden. Sehr ernst sagte ich ihnen dann, die Herren sollten doch Waldheim fragen, denn er weiß die Antworten sicherlich. Für mich behielt ich, daß sie, wenn sie keine Zweifel hegten, mich wohl nicht gefragt hätten. Allerdings begrüße ich es dennoch immer, wenn Fragen gestellt und Zweifel gemeldet werden. Fragen, Nachdenken und Diskutieren sind so wichtig für das Verstehen der Geschichte.

Anfang der achtziger Jahre lernte ich Dietrich Hauschildt in New York kennen. Vorher hatte ich bereits seine Staatsexamensarbeit gelesen, die im Februar 1980 unter dem Titel „Juden in Kiel im Dritten Reich" erschienen war.

Herr Hauschildt hatte sehr detailliert und mit großer Genauigkeit das Leben der Juden in Kiel ab 1933 beschrieben.

Er verbrachte einige Wochen in New York, wo er viele frühere Kieler Juden besuchte und befragte für eine weitere Arbeit zur Geschichte der Kieler Juden. Ich traf Hauschildt im Hause meiner Schwester Reginchen, wo meine Geschwister und ich ihm von unseren Erinnerungen aus der Nazizeit erzählten.

Einige Male besuchte ich ihn auch in Kiel. Ich betrachte Herrn Hauschildt als den Experten für die Geschichte der Kieler Juden in der Nazizeit. Er entstammt einem Pastorenhaus und wohnte als Jugendlicher in Kiel in unmittelbarer Nähe von dem Ort, wo die Kieler Synagoge stand.

Ende 1988 erschien eine weitere Arbeit von ihm mit dem Titel „Novemberpogrom zur Geschichte der Kieler Juden Oktober/November 1938". Diese sehr detaillierte Arbeit über die Kieler Juden brachte für mich sehr traurige Erinnerungen hervor. Ich habe mich und dann natürlich auch ihn gefragt, warum er ein solch heißes Eisen, und das sind diese Themen, anfaßt. Hauschildt sah es als seine Pflicht an. Heute wohnen er, seine Gattin und zwei Kleinkinder in Niedersachsen, wo er den großen Bauernhof seines Schwiegervaters bewirtschaftet.

Ich besuchte ihn dort im Sommer 1989, wo er mir unter anderem stolz die Äcker, Wiesen, Scheunen und die landwirtschaftlichen Maschinen zeigte. Er erzählte mir auch, daß es nicht so einfach war, Landwirt zu werden. Er mußte vorher viel lernen und Kurse besuchen.

Ohne Frage war ich natürlich verwundert, einen Akademiker nicht als Akademiker arbeiten zu sehen. Freunde in Deutschland erklärten mir den Unterschied, und zwar könnte ein Professor, Journalist, Politiker und Schriftsteller ohne weiteres in der Bundesrepublik über jüdische Themen reden, schreiben und dozieren, doch ist es ratsam, dieses erst dann zu tun, wenn man bereits etabliert ist.

Florida war Neuland für mich. Der herrliche Strand zieht sich hunderte von Meilen an der Küste entlang, stellenweise kaum benutzt.

Die Mehrzahl der Einwohner und Touristen baden und schwimmen nicht im Meer, sondern ziehen den Swimmingpool vor. Ich schwamm täglich, nahm Golfunterricht, denn mein Golfspiel war nicht das beste, aber es macht mir Spaß. Wir haben in unserem Wohnzentrum einen eigenen Golfclub, sogar mit einer Bibliothek, etwas dürftig zugegeben, aber wir haben auch noch Indoor-Schwimmen, Gymnasium, Theater, Kino und Gesellschaftsräume.

In den größeren und bekannten Orten Floridas hört man viele Deutsch sprechen, außerdem sind wohl viele Touristen in Florida Deutsche.

20. „Alte Heimat – immer noch lockst Du mich ...

Nach einigen Monaten Aufenthalt mit kurzem Osterbesuch in New York verließ ich Florida und flog von Miami nach London, dem ersten Stopp auf meiner viermonatigen Europareise. Nach einigen Tagen in London reiste ich weiter nach Österreich und dann wie immer seit bereits vielen Jahren zur Kieler Woche.

In diesem Jahr 1986 besuchte ich auch die Humboldtschule, die ihr 125jähriges Jubiläum feierte. In der Schule kaufte ich das Buch „Geschichte der Humboldtschule", welches Herr Dr. Jürgen Plöger geschrieben hat. Ein Buch, das so manche Erinnerung wachrief, herrlich geschrieben und geschildert. Auf dem farbigen Schutzumschlag erkannte ich sofort meine alte Schulfahne wieder.

Ich ging ein wenig in der Schule herum, über den Schulhof in die noch unveränderte alte Turnhalle. Ich schätze dieselbe heute auf 100 Jahre oder mehr. Ich sah viele bekannte Namen unter den Gefallenen des Zweiten Weltkrieges auf einer erschreckend großen mit vielen Namen beschriebenen Tafel. Aber auch den Namen eines während des Ersten Weltkrieges gefallenen Schülers, F. Pietsch, entdeckte ich. Dieser war Jude, an dessen Brüder und Eltern ich mich ebenfalls noch gut erinnern kann. Die alte schöne Aula gab es nicht mehr.

Im Schulgebäude traf ich Dr. Plöger. Wir plauderten für eine Weile. Als ich ein Jahr später wiederum mit Dr. Plöger zu einem Gespräch zusammentraf, übergab er mir eine Kopie mit den Namen aller Schüler meiner letzten Klasse, inbegriffen meinem.

Ich besuchte 1986 auch das „Bamberger Haus", die alte vom Anfang des letzten Jahrhunderts stammende Synagoge in Rendsburg. Von der israelischen Gemeinde 1938 zwangsverkauft und später als Fischräucherei dienend, wurde dieselbe Anfang der achtziger Jahre wieder restauriert. Die Räumlichkeiten sind der mir noch in Erinnerung gebliebenen Synagoge sehr ähnlich.

Das Bamberger Haus, Jüdisches Museum in Rendsburg, ist nach einem bekannten jüdischen Bürger Rendsburgs, Herrn Julius Bamberger, benannt. Dieser hatte im Sommer 1942 zusammen mit seiner Gattin den Freitod gewählt, nachdem sie einen Transportbefehl zur Abschiebung in ein Konzentrationslager erhalten hatten.

Heute ist in diesem Museum auch eine dauernde Kunstausstellung, wo unter anderem Bilder und Arbeiten jüdischer Künstler der Vergangenheit und Gegenwart gezeigt werden, unter der ausgezeichneten Leitung Herrn Heinemanns, Künstler und Kaufmann aus Rendsburg.

Dr. Ole Hark hatte eine wunderbar ergreifende und verständliche Ausstellung geschaffen, die ein gutes und verständliches Bild des jüdischen Gemeindelebens in Schleswig-Holstein wiedergibt wie auch die Zeit nationalsozialistischer Machtergreifung.

1986 hatte die Regierung Schleswig-Holsteins und der inzwischen verstorbene Ministerpräsident Uwe Barschel frühere jüdische Bürger Schleswig-Holsteins zu einem Besuch in die alte Heimat eingeladen. Diese erste Gruppe kam aus Israel. 1988 hatte der neue Ministerpäsident, der von mir sehr geschätzte Björn Engholm, diese Einladungstradition fortgesetzt. Wie ich informiert wurde, werden wohl die letzten zwei Gruppen 1990 Schleswig-Holstein besuchen.

Da die Gruppen sehr klein sind, werden meinem Ermessen nach, wohl etwas weniger als 200 frühere jüdische Bürger Schleswig-Holstein besuchen. Die Besucher waren meistens vor ihrer Emigration in Lübeck oder Kiel ansässig, doch gab es auch so manche Rendsburger, Flensburger, Friedrichstädter usw. in den verschiedenen Besuchergruppen.

Die Städte ließen es sich nicht nehmen, ihre früheren Bürger nach dem offiziellen Schleswig-Holstein-Besuch noch für weitere Tage in ihre Heimatstädte einzuladen. Leider gab es eine Ausnahme. Eine Stadt, die ihre früheren Mitbürger nicht einlud, war leider meine Heimatstadt Kiel. Die ersten Gruppen wurden auch nicht, trotz Anregung der schleswig-holsteinischen Staatskanzlei, zu einem Mittagessen eingeladen. Später wurden jedoch einige Male Gruppen zum Essen eingeladen, was aber dann wiederum aus Geldmangel eingestellt wurde, wie man mir erklärte.

Daß die Gruppen während ihres Aufenthaltes in Kiel wohnten, von dort ihre Ausflüge sowie, wie ich persönlich weiß, große Einkäufe machten, insbesondere in Porzellan und Silber, und sicherlich nicht nur in Form von Mehrwertsteuern das Vielfache der Kosten eines Mittagessens in Kiel zurückließen, von dem Warenumsatz der Kaufleute gar nicht zu sprechen, war sicherlich den Stadtbehörden nicht bewußt. Dieses kann natürlich nur von einer erfahrenen Stadtregierung erkannt werden, von dem moralischen Standpunkt gar nicht zu reden.

Wie immer besuchte ich auch 1986 den seit geraumer Zeit mit einem schönen, stattlichen Wohnhaus bebauten Platz, auf dem einst die Synagoge der jüdischen Gemeinde zu Kiel stand.

Eine Gedenktafel war an der rechten Seite des Wohnhauses angebracht worden, mit folgender Inschrift:

> „Hier stand die Synagoge der jüdischen Gemeinde Kiel, die in der Zeit der nationalsozialistischen Gewaltherrschaft durch einen Willkürakt am 9. November 1938 zerstört wurde."

Um diese Tafel zu lesen, mußte ein Besucher durch den Vorgarten des Hauses schreiten und sich dann zwischen Büschen postieren, um erstens die Gedenktafel lesen zu können und zweitens einige Zeit in Andacht zu beten oder sich zu erinnern. Die Tafel war kaum sichtbar für Vorbeigehende oder Spaziergänger.

Ich persönlich fand die Gedenktafel, abgesehen davon, daß sie versteckt angebracht wurde, ziemlich nichtssagend. Besucher, Kieler Bekannte und Freunde fanden den Text mißinformierend, eine Verniedlichung oder zumindest stark abgeschwächte Worte.

Da ich so manche Mahn- und Erinnerungstafel in der Bundesrepublik wie auch in Ostdeutschland gelesen hatte, konnte ich nicht umhin zu vergleichen, insbesondere mit anderen Städten Schleswig-Holsteins wie Lübeck, Elmshorn, Friedrichstadt. In Elmshorn steht ein Gedenkstein. In hebräischer sowie in deutscher Sprache trägt dieses Mahnmal folgenden Bibelvers:

„Bäche strömt mein Auge
beim Sturz der Tochter meines Volkes."

Unter einem Davidstein der sachliche Hinweis:

„Hier stand die Elmshorner Synagoge. Sie wurde am 9./10. November 1938 von den Nationalsozialisten zerstört."

In Friedrichstadt steht vor dem alten jüdischen Friedhof ein Gedenkstein folgenden Wortlauts:

„Allen jüdischen Opfern aus Friedrichstadt 1933 bis 1945. Ungestillt rinnt die Träne um die Erschlagenen unseres Volkes.
                                        Die Stadt Friedrichstadt"

Von der früheren jüdischen Institution der Stadt findet der Vorbeigehende und Besucher einen Gedenkstein folgenden Inhalts:

„Hier gegenüber befand sich die Synagoge (Am Binnenhafen 17), die Judenschule (Am Binnenhafen 18) sowie das Rabbinat (Westmartstraße 24) der jüdischen Gemeinde Friedrichstadt.
Die Synagoge, zu der im Jahre 1845 – im Jahre 5606 jüdischer Zeitrechnung – der Grundstein gelegt worden war, wurde in der Frühe des 10. November 1938 von Nationalsozialisten im Innern zerstört.
Lebende, seid tolerant und allezeit wachsam!"

Ich wurde erst später auf ein im Jahre 1986 errichtetes Mahnmal aufmerksam gemacht, auf dem Gelände der Kieler Christian-Albrechts-Universität aufgestellt, mit folgender lateinischer Inschrift: Fidei – Virtuti – Humanitati Mortuorum 1933 – 1945. Wahrscheinlich wurde gedacht, weil eben keiner Lateinisch kann, versteht keiner, was wir sagen wollen.

Mir wurde aber von einigen Bekannten in Kiel versichert, daß die Stadtpräsidentin der Stadt Kiel, Frau Silke Reyer, sich sehr stark für die Errichtung eines würdigen Denk- bzw. Mahnmals am früheren Synagogenstandort einsetzt. Ende November 1986 erhielt ich einen Zeitungsausschnitt sowie Bilder zugesandt. Der Zeitungsausschnitt beschrieb die „Schatten über einer Gedenkfeier an die Pogromnacht". Die Zeitung

9. November 1986 vor der Gedenktafel auf dem Platz der ehemaligen Kieler Synagoge

sprach noch immer von dem von den Nazis erfundenen Namen „Reichskristallnacht", vom 9. November 1938.

Die Redner und Gäste der Gedenkstunde wurden mit Parolen, die an
der Hauswand, an und neben der Gedenktafel standen, wie „Juden raus",
das Hakenkreuz und das SS-Symbol, überrascht.

Ich entschloß mich, da es keine Juden außer zwei sehr alten Damen,
noch eine Gemeinde in Kiel gab, als ehemaliger Kieler meiner Empörung
Luft zu machen und mit den Kieler Behörden Kontakt aufzunehmen.
Ich schrieb am 8. Dezember 1986 an die Stadtpräsidentin einen langen,
ausführlichen Brief, in dem ich mich vorstellte und einige meiner Erfahrungen in Kiel als Besucher beschrieb. Der Teil, welcher der eigentliche
Anlaß dieses Briefes war, hatte folgenden Inhalt:

„Und nun komme ich zum eigentlichen Anstoß meines Schreibens, sehr
geehrte Frau Stadtpräsidentin. 9. November 1986 in Kiel. Überschrift
in der Zeitung „Schatten über der Gedenkfeier". Nur diesmal ist kein
Kristall zerbrochen worden, es waren nur mörderische Schmierfinken
am Werk. Ich rufe dieselben Mörder, denn die Väter dieser Schmierfinken, die 1932 Parolen wie ‚Juden raus' an die Wände malten, wurden
später Mörder und haben zum Mord angestiftet. Anzeige gegen Unbekannt ist zwar juristisch richtig, sollte aber nicht eine alleinige Maß-
nahme bleiben. Diese Halunken haben mit ihren Parolen die Behörden

und die Bürger Kiels herausgefordert. Ich schreibe Ihnen, da die Zeitung berichtete, daß Sie bei Ihrer Ansprache in Tränen ausbrachen. So hörte ich es auch von Freunden, die anwesend waren. Tränen sind mehr als Worte.

Es liegt nicht nur ein Schatten über der Gedenkfeier, sondern auch über einer Stadt, einem Land oder wo immer so etwas passiert. Ich glaube, die Zeit ist gekommen, daß die Stadt Kiel ihre früheren jüdischen Mitbürger einlädt, und zwar mit Freude und aus vollem Herzen. Kiel ist durch die Olympiade, die Kieler Woche, den Fährverkehr nach Skandinavien eine internationale Stadt geworden. Touristen, Sportler, Segler und internationale Künstler besuchen Kiel. Während der Kieler Woche wurden internationale Spezialitäten auf dem Rathausplatz angeboten.

Mir sind die Gründe nicht bekannt, warum die Stadtbehörde ihre früheren Mitbürger nicht einlädt. Ich weiß nur, die Kosten dürften nicht allzu hoch sein. Vielleicht betragen die Kosten einige Jahresgehälter eines höheren Beamten? Vielleicht etwas mehr? Vielleicht betragen die Kosten nur den zehnfachen Betrag von 30.000,– DM, die Gage, die Herr Leonard Bernstein dem Land oder der Stadt stiftete, weil auch er angetan war von den wunderbaren Menschen in der Stadt Kiel.

Ich bin dem ehemaligen Ministerpräsidenten Schleswig-Holsteins, Herrn Uwe Barschel, sehr dankbar, daß er Juden aus Schleswig-Holstein zu einem Besuch eingeladen hat. Ich weilte in der Zeit gerade in Kampen/ Sylt und habe es zu spät erfahren, denn ich hätte auch gern die Kieler, die in der Gruppe waren, begrüßt und wiedergesehen.

Falls aus mir nicht bekannten Gründen die Stadt Kiel keine Einladung aussprechen darf, sollten dies, und das ist mein Vorschlag, die Bürger der Stadt Kiel tun. Ich würde bei meinem nächsten Besuch in Kiel meine Zeit zur Verfügung stellen und selbstverständlich auch persönlich eine gute Summe für diesen Zweck spenden.

Auf jeden Fall sollte man diesen Schmierfinken und deren Hintermännern, und das sind einige, wenn auch wenige, antworten. Und die Antwort soll heißen: ‚Liebe frühere Mitbürger unserer Stadt, willkommen in Kiel'.

Ich bitte um Ihr Verständnis, daß ich so offen und so direkt meine Gefühle offenbare. Ich glaube aber, daß Sie verstehen werden, warum ich es tun mußte. Ich würde mich freuen, von Ihnen zu hören.

Ich wünsche Ihnen und allen Bürgern der Stadt Kiel ein frohes Weihnachtsfest und ein gutes neues Jahr.

Mit allerhöchster Hochachtung
gez. Leo Bodenstein"

Frau Reyer antwortete mir sehr bald und ausführlich mit einem langen, sehr freundlichen Brief. Leider ist dieser Brief gut sechs Wochen unterwegs gewesen, da derselbe nicht per Luftpost gesandt wurde, sondern mit einfacher Seepost. Weitere Korrespondenz, die ich vom Büro der Stadtpräsidentin wie auch vom Herrn Oberbürgermeister erhielt, wurde auch per Seepost geschickt. Natürlich fragte ich mich warum. „Kiel hat kein Geld", das weiß ich noch aus meiner Kindheit, aber so wenig Geld?

Mitte Dezember 1986 nach einer jährlichen Routineuntersuchung teilte mir mein Arzt mit, daß ein Röntgenbild von mir eine Vermutung zuläßt, die, wenn richtig, wohl eine schwere und schreckliche Krankheit bedeuten würde.

Es ist selbstverständlich, daß ein Mensch in meinem Alter natürlich immer erwarten muß, daß man irgendwann früher oder später von einer Krankheit ergriffen wird. Ich flog seinerzeit nach New York, wo mir dann in dem Hospital, in dem mein Neffe Dr. Greenbaum als Arzt tätig war, nach vielen Tests eine gute Gesundheit bescheinigt wurde. An demselben Abend war der erste Tag des Chanukah. Mein Neffe bat mich, die Chanuka Menora anzuzünden, und, wie er zu seiner Familie sagte, „wo wir jetzt unseren Onkel Leo wieder unter uns haben". Diese Worte zeigten mir, daß nicht nur ich mich gesorgt hatte.

Die Gefühle, die ein Mensch in einer Zeit solcher Unsicherheit hat, sind schwer zu beschreiben, es sind sicherlich keine besonderen Angstgefühle. Es ist mehr ein Gefühl der Hilflosigkeit und Hoffnung. Man denkt an sich, an seine Gefühle, seine Familie.

Weit über 30 Jahre hatte ich immer meine Heimatstadt jährlich, meistens einige Male im Jahr, besucht. Eine Befürchtung kam auch in mir auf, ob ich wohl jemals meine Heimat wiedersehen würde.

Doch ich sah sie wieder. Einige Tage vor der Kieler Woche 1987 besuchte ich die Stadtpräsidentin, Silke Reyer, auf ihre Einladung hin im Rathaus.

Das Gespräch kam sehr bald auf Kiel und die schwere finanzielle Lage der Stadt, aber auch auf meinen Vorschlag, daß die Stadt Kiel ihre früheren jüdischen Bürger zu einem Besuch einlädt.

Es waren nicht nur Geldschwierigkeiten, die einer solchen Einladung entgegenstanden, auch die Namensliste der früheren jüdischen Bürger war nicht vollkommen und bereits sehr alt. Es wurde vereinbart, daß ich mich an Verwandte und Bekannte wenden sollte, die wiederum der Stadt Kiel schreiben und um eine Einladung bitten sollen.

Mein Gespräch mit der Stadtpräsidentin verlief sehr harmonisch. Sie ist eine kluge Frau, die Mitgefühl und Wärme ausstrahlt. Frau Reyer, mit der ich auch in den nächsten Jahren etliche Gespräche führte, lud mich ein, bei einigen offiziellen Anlässen während dieser Kieler Woche teilzunehmen, und schenkte mir eine Kieler-Woche-Krawatte.

Die Kieler Woche, die immer zwei Wochenenden einschließt, wird bereits über 100 Jahre gefeiert, ein Fest der ganzen Bevölkerung. Für Kinder wurden besondere Spielplätze an der Kiellinie am herrlichen Promenadenufer Kiels geschaffen. Tausende Boote und noch mehr Segler aus aller Welt trafen sich und segelten im Wettbewerb. Ausländische Kriegs- und Schulschiffe füllten den Hafen und die Förde, ein schönes Fest mit internationalem Flair und Geselligkeit. Manchmal war sogar das Wetter schön.

Am Vorabend dieser Kieler Woche lud die Stadt Kiel zu einem Empfang im Rathaus ein. Der Bürgermeister, Herr Hochheim, begrüßte die Gäste im Rathaus. Die Stadtpräsidentin Frau Reyer hielt die Eröffnungsrede vom Balkon des Rathauses. Vor dem Rathaus war eine außergewöhnlich große Menschenmenge versammelt, die in Hochstimmung war.

Vertreter einiger ausländischer Partnerstädte der Stadt Kiel läuteten die Kieler Woche jeweils in ihrer Muttersprache ein.

Anschließend wurde ein erlesenes Buffet-Souper der Landesbank in Kiel gegeben. Die Landesbank war das ersterbaute Hochhaus in Kiel. Ich muß wieder an meinen Anwalt, Herrn Dr. Beyersdorff, denken, wenn ich an diesem Gebäude vorbeigehe, denn eines Tages sagte er zu mir in seiner humorvollen Art, als wir an dem Gebäude standen: „Da können Sie nicht wohnen". Auf meine Frage: „Warum denn nicht?" meinte Dr. Beyersdorff: „Sie sind Bankier von Beruf, und Bankiers sind nicht ganz schwindelfrei."

Ich erinnere mich an einen sehr netten Abend mit ganz kurzen Reden und excellenten Speisen sowie an eine Doppelportion der Roten Grütze, die man in Amerika nicht bekommt.

Rote Grütze ist bereits als Kind eine Lieblingsspeise von mir gewesen, und, obgleich der Zoll in Amerika keine Nahrungsmittel einführen läßt, hatte ich doch des öfteren gute Kieler Rote Grütze mitgebracht.

In den letzten Jahren allerdings wurde mir einige Male die Rote Grütze konfisziert. Die Zollbehörden haben nämlich in den Ankunftshallen der Flughäfen Hunde herumlaufen, die das Gepäck der Passagiere beschnüffeln und, obgleich es nicht die Aufgabe des Hundes war, Rote Grütze zu finden, fand dieser Hund die meinige.

Während dieser Kieler Woche nahm ich auch an einem Empfang teil, der auf Gut Knoop, mir noch gut aus meinen Schultagen bekannt, stattfand. Dort lernte ich den Oberbürgermeister der Stadt Kiel, Karl-Heinz Luckhardt, und dessen Gattin kennen. Er lud mich zu einem Gespräch ins Rathaus ein, das aber erst einige Wochen später stattfand. Ferner traf ich auf Gut Knoop eine Dame, die mir erklärte, daß ich mit ihrem Bruder zur Schule gegangen bin.

Mit einem Male erblickte ich unter den Gästen auf Gut Knoop Mira Avrech. Oder erblickte sie mich? Miras Name in Kiel war Herzberg, bis sie, ihre Eltern und Geschwister 1934 nach Palästina emigrierten. Heute ist sie eine bekannte Journalistin in Israel. Ihr Vater war ein Freund meines Vaters, Ihr Bruder Aki mein Freund und Mira eine Freundin meiner Schwester Gisela.

Wir verabredeten uns für den nächsten Morgen, um zusammen den jüdischen Friedhof in Kiel zu besuchen. Mira holte mich mit Wagen und Chauffeur, welcher ihr von der schleswig-holsteinischen Landesregierung zur Verfügung gestellt wurde, ab. Es war ein schönes Wiedersehen für uns zwei, zufällig in unserer Heimatstadt Weilende. Verwandte hatten wir beide allerdings nur auf dem Friedhof.

Am letzten Sonntag der Kieler Woche fand die Flottenparade in der Kieler Förde statt. Der Außenminister der Bundesrepublik, Hans-Dietrich Genscher, der die Flottenparade abnehmen sollte, war verhindert, so tat es dann die Stadtpräsidentin. In der Bucht kamen eine Anzahl ausländischer Schulschiffe an uns vorbei. Ein schöner Anblick war das, insbesondere weil sich an diesem Tag die Sonne für einige Stunden zeigte.

An Bord des Schiffes gab es ein gutes und reichliches Buffet, ich nehme an, von der Kieler Spar- und Leihkasse arangiert, denn ich wurde beim Betreten des Schiffes gleich gefragt, ob ich Gast der Stadt wäre oder der Kieler Spar- und Leihkasse. Als die Dame dann noch hörte, daß ich nicht einmal ein Konto bei der Bank hatte, bedauerte sie das, doch das könnte geändert werden. Ich informierte die Dame darüber, daß ich auch in der Bankbranche tätig war und insbesondere bewunderte, wie schnell doch meine deutschen Kollegen das Prinzip der harten Kundenwerbung erlernt hatten.

Die Kieler Woche ist immer ein Treffen vieler Nationen und der Jugend im sportlichen Wettbewerb. Die Theater waren voll, ebenso wie die seit einigen Jahren stattfindenden Spätvorstellungen im Schauspielhaus mit dem Wiener Schauspieler und Komiker Mulian. Dieser ist besonders aus seiner Rolle des Soldaten Schweik bekannt, mit seinem Wiener Humor gibt er jüdische Witze zum Besten. Die Stadt Kiel ist ein guter, freundlicher und gutorganisierter Gastgeber während der Kieler Woche.

Auch wenn Kiel kein Geld hat, spürt man dies während der Kieler Woche nicht.

Mein anschließender einwöchiger Besuch in Helsinki sowie die Schiffsreise von und nach Travemünde waren sehr schön. Ich besuchte die Synagoge in der Altstadt Helsinkis, welche noch in der Zarenzeit erbaut worden war. Von den bereits etwas älteren Gemeindemitgliedern wurde mir etwas bestätigt, was ich nicht genau wußte. Nachdem die Finnen so tapfer den kommunistischen Horden Widerstand geleistet hatten, wurden die Finnen im Laufe der weiteren Kriegsereignisse Verbündete der Deutschen. Doch kein Jude, auch von denen, die aus Deutschland geflüchtet sind, wurde den Deutschen übergeben, noch wurde ihnen ein Haar gekrümmt. Man konnte, wenn man wollte, auch „nein" sagen.

In diesem Sommer 1987 fragte ich die Behörden in Kiel, ob jemals die Schmierfinken bestraft wurden, welche die Gedenktafel in der Goethestraße vor der Erinnerungsfeier zum 9. November besudelt hatten. „Leider nicht", wurde mir geantwortet. Wie hoch denn die Belohnung war, die ausgesetzt wurde, fragte ich weiter. „Nein, es war keine Belohnung ausgesetzt", wurde mir erklärt. Keine weiteren Fragen meinerseits.

Ein befreundeter Anwalt erklärte mir, daß es nicht üblich sei, in der Bundesrepublik Belohnungen für Taten dieser Art auszusetzen. Durch ein Gespräch, daß ich in Berlin ein Jahr später führte, hatte ich erfahren, daß sich der Anwalt irrte. Es wurden des öfteren Belohnungen zur Ergreifung der Täter ausgesetzt, bei Schmierfinken dieser Art, Friedhofsschändern und bei Entwendung von Kultobjekten aus Kirchen.

Die Stadt Kiel hatte, wie ich bereits von der Stadtpräsidentin hörte, frühere jüdische Kieler vor längerer Zeit eingeladen. In der Tat besuchten in den Jahren 1972, 1973 und 1974 zusammen 22 frühere jüdische Bürger Kiels ihre alte Heimatstadt. Die Stadt zahlte das Hotel und ein Taschengeld. Die früheren Bürger kamen allein oder mit Ehepartnern über Jahre und Monate verteilt, so daß niemals eine offizielle Besuchergruppe in Kiel anwesend war. In Amerika nennen wir das „Lowkey".

Die Stadt Kiel stellte dafür 20.000 DM zur Verfügung. Da die Hotelkosten noch ziemlich niedrig waren, glaube ich, daß die Stadt Kiel kaum diese bewilligte Summe verbraucht hatte. Doch es war ein Anfang und sicherlich eine Demonstration des guten Willens.

In meinem Gespräch mit Oberbürgermeister Karl-Heinz Luckhardt wurde auch das Thema etwaiger Einladungen an frühere jüdische Kieler Bürger besprochen. Der Oberbürgermeister erklärte mir die finanziellen Schwierigkeiten der Stadt, versprach aber, sein Möglichstes zu tun. Ich bot mich an, in Bürger- und Geschäftskreisen eine Summe für diesen

Leo mit dem Kieler Oberbürgermeister Karl-Heinz Luckhardt

Zweck zu sammeln, natürlich nur mit der Erlaubnis der Stadt Kiel. „Nein", meinte Herr Luckhardt: „So etwas tun wir nicht."

Ich konnte nicht umhin zu denken: „Wir tun so etwas schon". Es kommt nur auf den Zweck an. Bürgermeister Hochheim wollte den Kleinen Kiel mit einer Fontäne verschönern, das Geld dafür kam durch Spenden Kieler Geschäftsleute zusammen. Die Fontäne war, wie ich später bewundern konnte, wirklich sehr schön, doch mußte dieselbe im Jahre 1989 abgestellt werden, da die naheliegenden Bäume beschädigt wurden.

Ich sprach den Oberbürgermeister auf die Gedenkstätte im Rathaus an, ein schöner würdiger Raum, in dem in Leder gebundene Bücher die Namen der Gefallenen des Ersten und Zweiten Weltkrieges, der Bombenopfer, der Opfer des Nationalsozialismus und rassisch verfolgte Opfer angegeben werden. Das Buch der rassisch Verfolgten war, wenn man es aufschlug, mit vorläufig angeklebten Zetteln versehen. Durch von Schmierfinken verursachten Schändungen waren Übermalungen und Verbesserungen sichtbar. Der Raum der Gedenkstätte kann nicht betreten werden, wenn das Rathaus geschlossen ist. Ferner befindet sich dieser Raum mit großen Glastüren an der Haustreppe, in Sicht der Pförtner und Auskunftsbeamten.

So lief es einige Jahre ohne Änderung. Im Jahre 1989 fand ich nur noch ein leeres Buch vor. In meinem Gespräch mit Herrn Luckhardt bemerkte ich, wie auch er davon sehr betroffen war.

Es sollte noch erwähnt werden, daß alle früheren Kieler Bürger, die der Stadt schrieben, sehr bald eine Antwort erhielten, in der die Stadt erklärte, daß sie nicht beabsichtigt, frühere Bürger einzuladen. „Aber schreiben Sie doch an die schleswig-holsteinische Landesregierung", wurde freundlichst geraten.

Die schleswig-holsteinische Landtagswahlen im September 1987 erlebte ich auf Sylt. Am Tag danach flog ich von Hamburg nach Florida zurück. Ich kaufte mir als Lektüre den „Spiegel" mit der Aufschrift „Watergate in Kiel".

Ab Mai 1988 gab es eine neue Regierung in Schleswig-Holstein, eine sozialdemokratische Regierung. Björn Engholm war der neue Ministerpräsident des Landes. Herrn Engholm wurde ich auf einem Empfang während der Kieler Woche vorgestellt, ein großer, gutgewachsener, noch jüngerer Mann, mit dem man sich unterhalten kann. In diesem Jahr wurde die Kieler Woche von einer bekannten Sportlerin, Frau Kiel, eingeläutet. Bei dem Empfang im Rathaus traf ich auch einen Bekannten aus meiner beruflichen Zeit in Deutschland wieder, den Krupp-Bevollmächtigten Berthold Beitz. Herrn Jenninger, ein weiterer Ehrengast und Bundestagspräsident, lernte ich während des Buffets in der Landesbank am ersten Tag der Kieler Woche kennen.

Ich war erstaunt, im November 1988 in den Zeitungen in Amerika zu lesen, daß er zum Rücktritt nach seiner Rede anläßlich der Gedenkstunde zum 9. November im Bundestag gezwungen wurde. Die Rede, die nur stellenweise in den amerikanischen Zeitungen gebracht wurde, war sicherlich nicht die bestvorbereiteste Rede von Jenninger, besonders weil er nicht ausschließlich den 9. November behandelt hatte.

Persönlich möchte ich Freunden vor mir Glauben schenken, die sagten, Jenninger habe versucht, die Schuld festzustellen und zu erweitern, indem er sagte, daß viele Deutsche seinerzeit fühlten, daß Hitler etwas geschaffen hatte, und den Nutzen daraus zogen. Sicherlich unglückliche Worte, die besonders schlimm in den Ohren der Herren und Damen klangen, die auf der linken Seite des Parlaments saßen. Ich habe die Rede nicht im Detail gelesen. Dieses Buch ist kein Geschichtsbuch, sondern ein Buch über meine Erlebnisse und Gefühle, die mich beschäftigten und die ich daher niederschreibe.

Es enthält auch meine persönlichen Beobachtungen in der deutschen und europäischen Politik. Zum Beispiel erhält Israel mehr Hilfe und

Verständnis von konservativen Politikern als von den sozialdemokratischen, obgleich besonders in der Bundesrepublik aufgrund geschichtlicher Tatsachen und Ereignisse die Sozialdemokraten dem Staat Israel
auch positiv gegenüberstehen, aber auf den stark linken Flügel ihrer
Partei Rücksicht nehmen müssen, und es auch tun.

Im Rahmen der Kieler Woche verlieh die Stadt Kiel ihren jährlichen
Kulturpreis im neuen Kulturzentrum, direkt am Bahnhof und in der
Innenstadt gelegen, innerhalb des Sophienhofs, ein modernes Einkaufs-
zentrum mit Rolltreppen und Glasfahrstühlen, Restaurants und Cafés,
ein neues, modernes Stück Kiel. Vor Jahren stand auch das Geschäft
meiner Eltern an der Ecke Lerchenstraße/Sophienblatt, wo heute der
Sophienhof steht.

Den mit 10.000 DM dotierten Kulturpreis erhielt der Kieler Künstler
Raphael Rheinsberg, nun Wahl-Berliner und beinahe New Yorker. Herr
Rheinsberg und seine Arbeit kamen mir bekannt vor. In der Tat bestätigte
er mir dann, daß er in New York ausstellte und arbeitete, aber wegen
der hohen Kosten, besonders der Mieten, wiederum nach Berlin ging.

Aus den Reden der Sprecher konnte ich ersehen, daß es um diese
Preisverteilung einige Auseinandersetzungen gegeben hatte. Herr
Rheinsberg ist nicht nur ein begabter Künstler, sondern auch ein begabter
Sammler. Aus seinen Sammlungen entsteht Kunst. Als ich an diesem
Tag das Kulturzentrum betrat, erblickte ich eine Kofferwand, von hunderten von alten Koffern hochgestapelt. Ich dachte sofort an Auschwitz,
und das war auch der Gedanke des Künstlers. Alte Schlösser, Klodeckel
sowie Toilettentüren waren nicht nur gesammelt, sondern ausgestellt,
was vielleicht nicht jeder verstehen kann oder will.

Alle Achtung, wenn es um die Höhe des jährlichen Kulturpreises der
Stadt Kiel geht: DM 10.000, und dies von einer armen Stadt, wenn man
bedenkt, daß eine reiche Stadt wie Frankfurt/Main ihren jährlichen
Professor-Martin-Buber-Preis nur mit DM 5.000 dotiert.

Seit einiger Zeit ist das Schleswig-Holstein Musik Festival ein Begriff
und eine Institution, die Anerkennung gefunden hat, und das mit vollem
Recht und Verdienst. Ohne weiteres hat Leonard Bernstein, der amerikanische Komponist, ein Großteil zu diesem Erfolg beigetragen, von der
Aussöhnung unter den Völkern gar nicht zu sprechen.

Unter der Leitung von Professor Justus Frantz gab das Schleswig-Holstein Musik Festival Gastspiele bis in das weite Moskau. Aber nicht
nur rein klassische Musik ist in Kiel zu hören, Ich höre allzugern die
internationalen Militärkonzerte während der Kieler Woche in der Ostseehalle. Es ist eine in der Innenstadt gelegene große Halle, die für Konzerte,

Versammlungen und dem Verkauf von Perserteppichen sowie weitere Zwecke benutzt wird. Eines Tages las ich von einem Vortrag, der Anfang Juni im Heikendorfer Rathaus gehalten werden sollte von einem Professor der Universität Kiel, dessen Namen mir entfallen ist. Thema: Warum bereits 1932 die Nationalsozialisten über 50 Prozent der Stimmen in Schleswig-Holstein erhielten. Wir, zwei Freunde und ich, entschlossen uns, den Vortrag anzuhören. Der Saal war voll. Es wurden fünf DM Eintrittsgeld erhoben. Das Publikum bestand aus jungen Leuten im Alter von Anfang 20 bis 30 und wiederum älteren Leuten. Jugendliche sowie Personen im Mittelalter habe ich nicht unter den Anwesenden gesehen.

Das Thema war interessant, sehr gut beschrieben und erläutert. Ein Grund, der nahe lag, war, daß es kaum Katholiken in Schleswig-Holstein gab, somit das „Zentrum" kaum gewählt wurde. Der Unterschied zwischen Geest- und Marschbauern wurde erklärt. Ferner war ja bekannt, daß die Banken vor 1933 in Schleswig-Holstein sehr oft in jüdischem Besitz und die Bauern bei den jüdischen Banken verschuldet waren, Zinsen zahlen mußten, Zwangsversteigerungen erlitten und somit leider, aber auch verständlicherweise, die Nationalsozialisten wählten.

Ich persönlich hielt die Bemerkung über jüdische Banken als noch immer wirkende Goebbelsche Propaganda und sagte dem Redner später, als Fragen gestellt wurden, daß ich Bankier bin, daß es in dem Deutschland der Weimarer Republik nur wenige Privatbanken in jüdischem Besitz gab, und auch von diesen wenigen waren die meisten jüdischer Abstammung und christlich getauft. Ferner gab es in Schleswig-Holstein keine jüdischen Banken und die wenigen Privatbanken im jüdischen oder neuchristlichen Besitz in Deutschland waren kleine Privatbanken, die kaum Höfe oder landwirtschaftliche Maschinen in Hypothek genommen hatten.

Auch wenn sie es getan hätten, meinte ich, es wäre unwahrscheinlich, daß ein schleswig-holsteinischer Bauer sich in Berlin, Köln oder Düsseldorf Geld ausgeliehen hat. Der Redner antwortete, das könnte schon sein, doch der Bauer schaute nicht so sehr auf den Besitzer, aber in den Chefetagen der Banken saßen die Juden. Wie immer hatte der Redner das letzte Wort.

Bei meiner Heimatforschung habe ich mit früheren jüdischen Einwohnern kleiner und größerer Städte Schleswig-Holsteins gesprochen und keiner erinnerte sich an einen Juden in irgendeiner Chefetage.

21. Ich betreibe Heimatforschung

Ein internationaler Gast kam dieses Jahr nach Kiel, Prinz Charles. Der britische Thronfolger folgte einer Einladung zur österreichischen Kammermusik in der Petruskirche in Kiel. Es war ein großer Empfang für Prinz Charles vorbereitet. Der Gastgeber war Professor Franz, auch erinnere ich mich, Ministerpräsident Engholm und die Stadtpräsidentin, Frau Reyer, gesehen zu haben. Prinz Charles landete auf dem Kieler Flughafen Holtenau, 10 Minuten Autoreise zur Petruskirche und zurück, beides in strömenendem Regen, als Londoner war Prinz Charles sicherlich dieses Wetter gewöhnt, doch das Konzert war herrlich.

Einige Tage nach dem Konzert las ich in den Kieler Nachrichten von Kerzen, die auf dem Kleinen Kiel am Hiroshima-Park mit Lotusblumen ausgesetzt wurden. Ich dachte, wieso kommt Kiel zu einem Hiroshima-Park, denn das Datum der Zeitung sagte August und nicht 1. April.

Wie ich dann erfahren habe, wurde nach langen Diskussionen und starker Opposition ein kleiner Park am Südende der Fleethörn schräg gegenüber des Theaters Hiroshima-Park benannt in Erinnerung an die leider sehr zahlreichen Opfer Hiroshimas. In meinen Augen ist dies allerdings eine antiamerikanische Geste, wenn auch etwas umschrieben.

Daß Otto von Bismarck nicht vor Schreck vom Sockel gefallen war, wunderte mich, aber er steht wie immer in dem Park mit japanischem Namen. Warum man sich die Mühe in Kiel macht, um von der anderen Seite des Erdballs einem Ort eine Gedenkstätte zu geben, wo man so viele Namen von Orten und Plätzen innerhalb der eigenen Grenzen finden kann, um Opfern zu gedenken, können viele, viele Menschen nicht verstehen und gutheißen.

Meine Erfahrungen mit Atomgegnern ist mannigfaltig. In Kiel, auf Sylt und in anderen Orten bin ich diesen Demonstranten an Straßenecken begegnet, wo sie Broschüren und Informationen austeilen. Jeder vernünftige, nachdenkliche Mensch ist oder sollte ein Gegner von Atomwaffen sein, und alle Weltmächte sollten sie abschaffen und vernichten. Doch wenn ich in Diskussionen von so manchen Atomgegnerdemonstranten die Worte höre, Amerikas Waffen seien Angriffswaffen, die russischen seien Friedenswaffen, sind die Belange der Atomwaffengegner nicht in guten Händen.

Am 27. April 1988 brachten die Kieler Nachrichten einen Artikel mit folgender Schlagzeile: „Streit um Mahnmal: bei poliertem Stahl ist die Pflege leichter". In diesem Artikel wird die unscheinbare Bronzetafel an dem Platz, wo einst die 1938 zerstörte Synagoge stand, von Vorbeigehenden und Spaziergängern kritisiert. Einer meinte: „Ich bin nun an die zehn Jahre lang auf meinem Schulweg hier vorbeigegangen, doch von der Gedenktafel habe ich nie etwas gehört." Ein weiterer Herr meinte: „Die Tafel bemerkt doch keiner, der hier vorbeigeht". Ferner wurde über die Anregung der Stadtpräsidentin, Frau Reyer, berichtet, ein Mahnmal auf diesem Platz zu errichten. Wie man weiterhin erfährt, hat die jüdische Gemeinde durch ihren Geschäftsführer, Günter Singer, das Modell einer abstrakten Plastik abgelehnt. „Das Model erinnert nicht an die Synagoge", und nur Eingeweihte werden wissen, was gemeint ist, lautete der Kommentar von Herrn Singer.

Doch Knut Pfeiffer-Paehr, der Kieler Kulturamtsleiter, meinte, bei einem Projekt aus poliertem Stahl sei die Pflege leichter, denn das Kulturamt rechnet mit Schmierereien. Die jüdische Gemeinde zu Hamburg beauftragte eine Künstlerin, ein Mahnmal zu schaffen, doch hatte sich damit die Fertigstellung verschoben.

Ich hatte Dr. Pfeiffer-Paehr und seine Frau privat kennengelernt und war bei diesem sehr gastfreundlichen Paar eingeladen. Als wir zur selben Zeit einmal nach München reisen mußten, arrangierten wir, daß wir im gleichen Zug und Abteil fuhren. Meinem Gespräch mit Dr. Pfeiffer entnahm ich, daß er den Einwand von Singer nicht ganz verstand, doch akzeptierte. Sicherlich sind auch die Befürchtungen des Kulturamtes Kiel für etwaige Schmierereien und Schändungen leider sehr berechtigt.

Herr Singer ist ein Logenbruder von mir, und wir sind seit Jahren bekannt. Er erklärte mir seinerzeit in einem Gespräch, daß die Gemeinde ein Mahnmal wünschte, wie sie überall in der Bundesrepublik stehen und welche darstellen, was geschehen ist. Auch ich denke wie Herr Singer und die jüdische Gemeinde, denn ein Mahnmal ist kein Denkmal. Wenige Kieler verstehen und begutachten das Denkmal des Matrosenaufstandes 1918, und vom kürzlich am Hafen entstandenen Denkmal, vom Volk „Die drei Büroklammern" gerufen, gar nicht zu reden.

Im Sommer 1988 verschickte die Staatskanzlei der Landesregierung Einladungen an frühere, jetzt in den USA lebende, Bürger für die letzte Woche im Oktober 1988. Die meisten dieser Besuchergruppe kamen ursprünglich aus Kiel. Ein Herr aus Rendsburg und zwei Lübecker Ehepaare waren auch unter den Gästen. Zwei meiner Schwestern, Gisela und Reginchen, sowie ich gehörten zu diesen Besuchern. Meine jüngere Schwester hatte nie Interesse oder den Wunsch gezeigt, ihre alte Heimat zu besuchen, im Gegensatz zu meinen Eltern und meinen anderen beiden Schwestern, die so oft Kiel besuchten, daß die Verkäuferinnen in manchen Kieler Geschäften sie schon kennen.

Gerd Stolz von der schleswig-holsteinischen Staatskanzlei und seine Gattin übernahmen die Führung und unsere Betreuung und hatten auch das sehr umfangreiche Programm ausgearbeitet. Unsere Gruppe wohnte in einem neuen und wohl eines der bestgeführtesten Hotels in Kiel, im Hotel Birke in Kiel-Hasseldieksdamm, uns alten Kielern noch als Ausflugsort bekannt. Im Hotel wurden wir vom Besitzer, dem Ehepaar Rainer und Elke Birke, außerordentlich freundlich und warm aufgenommen.

Herr Stolz erklärte uns allen während unserer Busreisen durch Schleswig-Holstein die Landschaft und Sehenswürdigkeiten. Die Städte Rendsburg, Lübeck, Friedrichstadt wurden besucht. Wir waren alle begeistert, und viele von uns sahen und trafen alte Freunde aus unserer Jugendzeit wieder. Die Zeitungen berichteten ausführlich über diesen Besuch, mit viel menschlicher Wärme.

Aufgrund der Zeitungsberichte riefen einige Klassenkameradinnen meine Schwestern an. Der Kontakt wurde nach vielen Jahren wieder hergestellt. Eine große und freudige Überraschung war ein Anruf von Lene Landgraf, geb. Salau. Ihr Gatte, Fritz Landgraf, hatte meinen Namen in der Zeitung gelesen, einen Namen, den er jahrzehntelang von Lene gehört hatte. Lene fragte mich: „Bist Du Leo Bodenstein, und sind alle Deine Schwestern auch hier zu Besuch?" Sie freute sich wahnsinnig und war enttäuscht, daß meine jüngste Schwester Zita nicht dabei war, denn Lene war Zitas Kindermädchen für viele Jahre, bis 1935. Wir trafen uns alle am letzten Tag in Kiel und verbrachten ihn zusammen.

Vor vielen Jahren hatte ich schon versucht, Lene Salau zu erreichen. „1942 unbekannt verzogen", wurde mir gesagt. Doch Lene hatte geheiratet und wohnte bis Anfang der fünfziger Jahre in Wyk auf Föhr und dann in Preetz. Auch Lene erhielt vom Roten Kreuz nur die Auskunft, daß Familie Bodenstein verschollen ist.

In Rendsburg besichtigten wir das jüdische Museum. Der Bürgermeister der Stadt lud uns zum Essen ein. Er sowie Herr Heinemann, der Leiter des Museums, erklärten uns die einmal existierende jüdische Gemeinde. In unserer Gruppe war auch ein früherer Rendsburger Bürger, der anschließend an den Schleswig-Holstein-Besuch noch für einige Tage von seiner Heimatstadt eingeladen war. Wir besuchten den alten jüdischen Friedhof und auch das Grab des ersten jüdischen Opfers der Nazis, Rechtsanwalt Georg Schumm.

Bis 1852 beerdigte die jüdische Gemeinde in Kiel ihre Toten auf dem jüdischen Friedhof in Rendsburg, dann erhielten die Kieler vom dänischen König Erlaubnis, ihren eigenen in Kiel anzulegen. Den Kieler

Friedhof hatten wir Besucher aus Amerika am ersten Tag besucht. Da ich diesen Kieler Friedhof jährlich besuchte, half ich natürlich einigen Mitreisenden, die Gräber ihrer Familienangehörigen zu finden. Anschließend wurde auch der Standort der zerstörten Synagoge besucht.

Die wunderbare, schöne, kleine, idyllisch gelegene Eiderstadt Friedrichstadt gefiel uns allen, eine Stadt, die ich persönlich sehr oft besucht habe. Eine größere jüdische Gemeinde existierte bis zur Jahrhundertwende in Friedrichstadt, bis die letzten dieser Gemeinde von den Nazis vertrieben bzw. ermordet worden waren. Viele Gebäude erinnern an das aktive jüdische Leben und die Harmonie, die seinerzeit unter den verschiedenen Religionsgruppen herrschte und beispielhaft war. So wurde, wie mir berichtet wurde, für lange Zeit die rituelle Mikwe in einer Kirche untergebracht.

Diese Eintracht spürt man noch heute, warme vielsagende Gedenksteine, ein gepflegter Friedhof. Man spürte sogar die Vorfreude der städtischen Behörden, die informiert wurden, daß 1989 zwei frühere Friedrichstädter Bürger ihre Heimat besuchen werden. Auch wird die Stadt, die jetzt als Wohnhaus benutzte alte Synagoge in absehbarer Zeit zurückkaufen.

Die Reise durch die Holsteinische Schweiz nach Lübeck war ein Genuß. Mit besonders großem Stolz zeigten die Besucher ihren nicht aus Schleswig-Holstein stammenden Ehegatten ihre schöne Heimat.

Der Empfang der Stadt Lübeck im Rathaus, die netten begrüßenden Worte des Senators, der die Geschichte der Juden in Lübeck bis zum heutigen Tag kurz und voller Wärme erzählte, die Führung durch das einmalig schöne Rathaus und das anschließende Mittagessen machten der Stadt Lübeck alle Ehre. Bei diesem Anlaß hörte ich auch, daß die Stadt dem in Lübeck geborenen Rabbiner Felix F. Carlebach den Ehrenbürgertitel verliehen hat.

Bereits in dem Bus wurden wir von Polizei in Zivil begleitet, und in Lübeck, besonders auf dem jüdischen Friedhof, waren um uns einige Polizeibeamte bemüht. Dies geschah aufgrund eines Anrufs im Landeshaus, durch welchen die auf Besuch weilenden Juden bedroht wurde. Eine traurige Tatsache, welche die Gastgeber mehr erschreckte, als die Gäste und Bedrohten.

Ich glaube, die Stadt Lübeck hat uns allen sehr gefallen, insbesondere wohl wegen der so vielen erhaltenen alten Häuser und Sehenswürdigkeiten. Im Vergleich zu Kiel wirkte Lübeck älter und Kiel wohl etwas moderner. Doch wir Kieler waren uns darin einig, daß unsere Fördestadt, vielleicht ebenso eine besonders schöne Stadt ist, auch wenn Kiel irgend-

Ministerpräsident Björn Engholm begrüßt eine Gruppe ehemaliger schleswig-holsteinischer Juden Oktober 1988 im Heiligen Geist Hospital in Lübeck; v.r.: Björn Engholm, Josef Katz, Frau Katz, Staatssekretär Stefan Pelny, Leo Bodenstein, Michael Bouteilier, Bürgermeister der Hansestadt Lübeck

wie nicht den Flair einer Großstadt hat, was nicht unbedigt ein Nachteil sein muß.

Natürlich wurde in Lübeck Marzipan gekauft und einige der wesentlichen Sehenwürdigkeiten besichtigt. Am Nachmittag ging es in den Nebensaal der Synagoge zur Kaffeetafel mit jüdischen Lübecker und Hamburger Gemeindemitgliedern. Die Synagoge in Lübeck wurde von den Nazis zweckentfremdet, das Äußere verändert, aber nicht zerstört. Gelegentlich wird noch ein Gottesdienst in der Synagoge gehalten. Da an diesem Nachmittag weit über zehn Männer anwesend waren, fand ein Gottesdienst in der Synagoge statt.

Abends war ein Empfang in Lübeck von der Landesregierung für uns amerikanischen Besucher im Heiligen-Geist-Hospital. Der Lübecker Bürgermeister Boutellier saß zu meiner Rechten. Wir unterhielten uns sehr anregend und höchst interessant. Nicht nur über das Thema und den Grund, der diese Gruppe nach Lübeck brachte, sondern auch über wirtschaftliche Aspekte einer Stadt wie Lübeck. Herr Boutellier bat mich, ihn im folgenden Jahr, wenn ich wieder meine Heimat besuche, aufzusuchen.

Ministerpräsident Björn Engholm erschien wegen einer längeren Landtagssitzung etwas verspätet. Seine kurze, aber außerordentlich gute Ansprache tat uns Gästen wohl und ist uns unvergeßlich. Herr Engholm kam gleich zur Sache. Er sprach von einem verbrecherischen Regime, dem so viele dienten, dem Mord an unseren Verwandten sowie der Gelegenheit, die er jetzt hatte, mit uns zu reden. Er sprach von einigen Besuchergruppen, die vor uns kamen, und daß seine Regierung für die nächste Zeit noch weitere Gruppen einladen würde.

Man fühlte und spürte den guten Willen und die Aufrichtigkeit sowie auch den Schmerz des Ministerpräsidenten. In meiner kurzen Rede bedankte ich mich als erstes bei dem Ministerpräsidenten, dem Senat Lübecks und Bürgermeister Boutellier. Ich erwähnte: „Wir sind alle hier, um uns zu erinnern und unsere früheren Mitbürger zu treffen und zu begrüßen. Wir sind hier, weil wir nicht vergessen haben, und wir sind eingeladen worden, weil so manche unserer früheren Mitbürger auch nicht vergessen haben. Es ist traurig, aber leider eine Tatsache, daß wir in Schleswig-Holstein keine jüdische Gemeinschaft außer einzelnen wenigen Juden vorfinden. Und so bleibt es eben nur bei Besuchen der jüdischen Friedhöfe und Gedenkstätten".

Fast alle von uns haben die alte Heimat schon einige Male besucht und damals wie jetzt alte Freunde getroffen und begrüßt. Wir sind begeistert von dem offiziellen und so warmen Empfang der Behörden, und wie immer sind wir von der landschaftlichen Schönheit Schleswig-Holsteins begeistert. Wir sind zwar Gäste, aber wir sind hier auch zu Hause und fühlen uns hier wohl.

Es war ein langer und schöner Tag. Als wir am späten Abend nach Kiel zurückkehrten, wurden ich und so mancher andere in unserer Gruppe aufgrund einer schlechten und irreführenden Berichterstattung des NDR-Fernsehens enttäuscht.

In Lübeck wurden wir tagsüber von einem Fernsehteam des NDR begleitet. Bei unserer Ankunft in Lübeck wurden Aufnahmen gemacht, als wir aus dem Bus stiegen. Später wurden auf dem jüdischen Friedhof viele von uns interviewt. In der Synagoge fotografierte das Fernsehteam den Gottesdienst, was ihnen allerdings vorher untersagt war. Herr Singer, der Geschäftsführer der Gemeinde, war darüber sehr enttäuscht und ungehalten. Ich wurde auch interviewt und erzählte von meinen häufigeren Besuchen in meiner alten Heimat. Ob ich noch Erinnerungen daran habe, was mir am 9. November 1938, der Pogromnacht passierte, wurde ich gefragt. „Ich war bereits in Amerika zu diesem Zeitpunkt", war meine Antwort. Mein Onkel Benno erzählte von seinen Sporterfolgen in Kiel, daß er einige Male Jugendfreunde in Kiel besuchte und dies auch diese Woche tat.

Ich war dabei, als meine Schwestern Reginchen und Gisela interviewt wurden. Beide erzählten von Freundinnen, die sie bei ihren Besuchen in Kiel wiedersehen konnten, der Freude, die Heimat zu sehen und ähnlichem Erfreulichen. „Fein. Aber bitte, Ihre Erinnerung an den 9. November 1938?" wurde Reginchen gefragt. „Ich war erst kurz verheiratet. Wir hörten zwar Krach auf der Straße, aber wir sind nicht aus der Wohnung gegangen". „Ist Ihnen etwas in der Wohnung passiert? Haben Verwandte oder Freunde gelitten?" wurde gefragt. Und mit in Tränen erstickter Stimme berichtete meine Schwester, daß ihr Schwiegervater ins KZ gebracht wurde und nicht mehr lebend herauskam. Sie sagte: „Wir haben meinen Schwiegervater niemals mehr lebend wiedergesehen".

Gisela erzählte auch von ihrem Besuch, ihren Freunden, usw.. Auf das Drängen des Journalisten, der um die Erinnerung an den 9. November 1938 bat, sagte meine Schwester, daß sie noch sehr jung war zu dem Zeitpunkt, 13 Jahre. Doch sie erinnerte sich, wie Vater in der Nacht verhaftet wurde und Mutter sehr weinte. Und schon kamen meiner Schwester Gisela auch die Tränen.

Joseph Katz, ein früherer Bürger Lübecks, wurde interviewt. Später erzählte mir Herr Katz und ein weiterer Augenzeuge, was sich abspielte. „Herr Katz, haben Sie noch Freunde in Lübeck?" „Nein", meinte er. „Meine Freunde sind tot und hier auf dem Friedhof begraben". „Fühlen Sie sich nicht wohl unter den Lebenden in Lübeck, da Ihre Freunde hier auf dem Friedhof liegen, und fühlen Sie sich hier auf dem Friedhof besser?" wurde weiterhin gefragt. Und so ging es hin und her.

In der schleswig-holsteinischen Tagesschau wurde an dem Abend gezeigt, wie die Besuchergruppe aus dem Bus stieg, und einige Sätze von Herrn Katz von dem Friedhofsinterview wurden gebracht, woraus der Hörer nur entnehmen konnte, daß Herr Katz die Toten in Lübeck den Lebenden vorzieht. Mein sowie das Interview meines Onkels wurde nicht, aus den Interviews meiner Schwestern wurden nur die Erinnerungen an den 9. November gebracht.

Kieler Freunde hatten diese Fernsehsendungen aufgezeichnet und weitere Freunde riefen mich an. Sie waren empört, denn diese Leute wußten, daß nur gezielte Ausschnitte für das sensationsbegierige Publikum gebracht wurden. Dies ist auch meine Meinung, und diese Art Journalismus ist verwerflich.

Im Frühling 1989 sprach ich mit einem leitenden Herrn des NDR sehr lange. Mir wurde erklärt, daß die Mitarbeiter aufgrund der bevorstehenden 50jährigen Wiederkehr der Pogromnacht mehr an diesem Material interessiert waren.

An unserem letzten Tag in Kiel war der Nachmittag frei für Einkäufe, und abends gab es einen Besuch im Schauspielhaus. Shakespeares „Wie es Euch gefällt" wurde vorgeführt. Vormittags war ein Empfang im Rathaus, welches die amerikanische und auch die israelische Flagge zeigte, und anschließend gab es ein Mittagessen als Gast der Stadt Kiel. Oberbürgermeister Luckhardt begrüßte die Gäste, und jedem der nicht deutschsprechenden Besucher wurde ein Dolmetscher zugeteilt. Der Oberbürgermeister hieß uns in Kiel willkommen, doch er erwähnte in keinem einzigen Wort den Grund dieser Reise, und daß ein guter Teil dieser Gruppe frühere Kieler Mitbürger waren. Er erklärte uns ziemlich genau die Daten und das Wachstum dieser Stadt. Es war ein sehr interessanter Vortrag.

Anschließend ging es mit dem Aufzug auf den Rathausturm. Fast alle Kieler erinnerten sich, wie sie vor vielen Jahren die Treppen emporstiegen. Ein wunderbarer Ausblick erwartete uns, denn die Oktobersonne schien warm und prächtig. Das Mittagessen im Friesenhof war sehr gut. Der Oberbürgermeister unterhielt, lachte und freute sich mit seinen Gästen.

Der Sabbat wurde in Hamburg verbracht, und am Sonntag ging es zurück in die neue Heimat. Wir hatten alle schöne, wunderbare Tage erlebt. Der schleswig-holsteinischen Regierung sei herzlich gedankt wie auch allen Städten, die uns so nett begrüßten und bewirteten.

22. Erinnerungen – eine Schule für Toleranz und gegenseitige Achtung

Auf dem Rückflug am 30. Oktober von Hamburg bemerkte ich bereits im Flughafenbus ein junges Paar. Die meisten unserer Gruppe flogen von London nach New York, ich direkt nach Miami, und so kam ich mit diesem Ehepaar ins Gespräch. Es waren Kieler, die immer um diese Zeit Florida besuchen. Sie wußten von unserem Besuch, da auch die Zeitungen ausgiebig darüber berichteten. Es war wieder ein Beispiel, wie die junge Generation in Deutschland lernen will, wißbegierig ist, und wie immer hörte ich, „in der Schule oder von unseren Eltern haben wir kaum etwas erfahren".

Wenige Tage später nahm ich in New York und Florida an einigen Erinnerungs- und Trauerkundgebungen anläßlich des vor 50 Jahren in Deutschland stattgefundenen staatlich organisierten Pogroms teil. Erinnerungen wurden wachgerufen. Doch mit Genugtuung sah ich die große Anzahl von Jugendlichen, die Interesse an den Vorkommnissen zeigten.

Auch in Kiel wurden in der ersten Hälfte des Monats November von kirchlichen Gruppen und antifaschistischen Organisationen einige in verschiedenen Orte stattfindende Veranstaltungen zur Erinnerung an den 9. November veranstaltet. Am früheren Synagogenstandort wurde ein Kranz von der Stadtpräsidentin und dem Oberbürgermeister niedergelegt. Eine offizielle Veranstaltung im Rathaus fand nicht statt.

Ministerpräsident Björn Engholm sprach auf der Gedenkfeier in der Lübecker Synagoge am 8. November 1988. Der Text dieser Ansprache liegt vor mir, eine ergreifende, aufrüttelnde, zum Nachdenken verpflichtende Rede. Am 9. November sprach die Landtagspräsidentin, Frau Lianne Paulina-Mürl, während einer Gedenkstunde im Schleswig-Holsteinischen Landtag. Die Rede der Landtagspräsidentin war ausführlich, welche die Erinnerung und Verantwortung besonders hervorhob.

Im Februar 1989 reiste ich zu einer Hochzeit nach Zürich. Der Bräutigam war der Sohn einer uns sehr nahestehenden Cousine, in New York lebend, und die Braut war in London ansässig. Beide Familien hatten Verwandte in fast aller Welt. Aus diesem Grund wurde wohl in Zürich die Hochzeit gefeiert. An die 300 Verwandte und Bekannte trafen sich anläßlich dieser Hochzeit. Die Festivitäten und auch gleich Familientreffen dehnten sich für einige Tage in Zürich und für ein Wochenende in Grindelwald aus. Es waren eine Feier und ein Familientreffen, an die ich mich sehr gern erinnere.

Mein Neffe, Tuli Greenbaum, der bereits 20 Jahre in Freiburg im Breisgau lebt, kam auch für einige Tage nach Zürich. Seine Mutter, meine Schwester Reginchen und ich fuhren dann für einige Tage nach Freiburg, einer Stadt, die einem gefallen kann. Dort wohnen einige Juden, die nach dem Krieg wiederum in der Stadt Fuß fassen konnten. Obgleich es nicht jeden Samstag gelingt, zehn Erwachsene beim Gottesdienst vorzufinden, wurde mit Hilfe der Stadt und des Landes eine kleine, sehr moderne Synagoge gebaut. Wie mir erklärt wurde, ist dies wichtig für eine große Universitätsstadt und eine Stadt mit viel Fremdenverkehr.

Im Anschluß flog meine Schwester nach New York, doch ich nach Berlin, wo ich Freunde besuchte. Von Berlin flog ich mit den Pan American Airways nach Kiel, wo ich einige Tage verbrachte und an der 50. Geburtstagsfeier meines Freundes Günter Decker teilnahm.

Am Flughafen Tegel wurde ich von Herrn Luckhardt, dem Kieler Ober-bürgermeister, begrüßt, der dann auch dieselbe Maschine nach Kiel bestieg. Wir hatten Gelegenheit, etwas miteinander zu plaudern. Ich fragte ihn, wieweit Fortschritte gemacht wurden in der Fertigstellung des Mahnmals für die zerstörte Kieler Synagoge. Ich bat Herrn Luck-hardt, den früheren jüdischen Bürgern und mir rechtzeitig den Termin der Einweihung mitzuteilen. Nach Florida zurückgekehrt, erinnerte ich ihn noch einmal schriftlich daran.

Leider hörte ich nichts von Herrn Luckhardt oder irgendwelchen städti-schen Behörden, allerdings wurde ich von anderer Seite über die bevor-stehende Einweihung informiert. Ich wurde ferner informiert, daß die Stadt Kiel sich entschlossen hatte, keine Einladungen an frühere Bürger Kiels zur Einweihung des Mahnmals zu senden. Ein Vorschlag aus der Staatskanzlei des Landes Schleswig-Holstein wurde von der Stadt Kiel angenommen: Die Gedenkfeier zu einem Zeitpunkt zu veranstalten, an dem sich einige frühere jüdische Bürger aufgrund der jährlich stattfin-denden Einladung Schleswig-Holsteins in Kiel befinden werden.

Die Einweihung fand am 24. Mai 1989 statt. Nach einer 15stündigen Flugreise erreichte ich am 23. Mai spätnachmittags mein Hotel in Kiel. Am nächsten Morgen beim Frühstück traf ich dann einige Kieler aus Israel, die mir meistens bekannt waren, und fuhr dann mit ihnen, als ungeladener Gast, zur Einweihung des Mahnmals.

Ich war mir sicher, daß ich so manche Kieler Freunde dort treffen würde, doch leider war darüber nichts vorher in der Presse geschrieben worden. Viele Freunde und Bekannte waren deshalb nicht informiert und somit nicht anwesend. Die Kieler Nachrichten sprach von 500 Gästen, von denen die Hälfte Schüler waren. Außer den Schülern, die sicherlich sehr zahlreich waren, schätzte ich die Anzahl anwesender Honoratioren, Geistliche und Besucher aus Israel vielleicht auf etwas über 100.

Während der musikalischen Darbietung eines sehr begabten Geigers schweiften meine Gedanken zurück zu meiner Jugend. Die Gottesdien-ste, meine Bar-Mizwa-Zeremonie, an die Gemeinde, meine Eltern und auch die letzte Erinnerung, die ich an die Synagoge habe. Die Hochzeit meiner Schwester Reginchen in der vollen Synagoge im Juni 1938, wo noch so viele nichtjüdische Freunde anwesend waren, von denen einige noch heute in Kiel leben, die wohl gern bei dieser Gedenkfeier dabei gewesen wären. Der Geiger wurde in der letzten Minute engagiert, da die Stadt Kiel ein Blasorchester vorgesehen hatte und dies noch in letzter Minute abgeblasen wurde.

Die Stadtpräsidentin, Frau Reyer, begrüßte die Gäste. Mit des öfteren von Tränen erstickter Stimme sprach sie von der früheren jüdischen

Gemeinde und warnte vor rechtsradikalen Gruppierungen und deren Gedankengut. Direktor Eckhard Sauerbaum vom Verkehrsverband Kiel sprach sehr würdig über die Ereignisse im November 1938 und den geschichtlichen Werdegang des Grundstückes der Synagoge, auf dem jetzt ein Wohnhaus steht. Herr Sauerbaum erinnerte die Anwesenden an den Naziterror, die Demütigung, Erniedrigung und Schändung der jüdischen Mitbürger und der Synagoge.

Die Stadt Kiel bat ursprünglich den Geschäftsführer der jüdischen Gemeinde Hamburg, Günter Singer, eine Gedenkrede zu halten. Doch Herr Singer wies die Stadt darauf hin, daß der Rabbiner Professor Dr. Levinsohn, Rabbiner der Hamburger Gemeinde, der auch die wenigen Juden Schleswig-Holsteins betreut, wohl der Redner sein sollte. Dr. Levinsohn sprach in seiner Rede „von einer Stadt ohne Juden", wie es die Zeitungen berichteten, doch seine Worte waren „eine Landeshauptstadt ohne Juden". Rabbiner Dr. Levinsohn erwähnte und erinnerte daran, wieviel die Juden zur Entwicklung der Kultur und Religion in ganz Europa beigetragen hatten. Der Rabbiner sprach von den Werten und dem Glauben der Menschen und sah in diesem Mahnmal die Erinnerung an eine stolze jüdische Gemeinde.

Yehuda (Julius) Offen, einer der Gäse aus Israel, mir noch aus der Religionsschule bekannt, sprach mit tränenerstickter Stimme von dem Mord an seinen Eltern und seiner Schwester. Er sprach die Schüler an und meinte, daß das wichtigste Fach in der Schule Menschlichkeit sein sollte. Herr Professor M. Goldstein sprach etwas ausgedehnt für diesen außergewöhnlich heißen Tag. Sein Thema: Nie wieder Vernichtung und Krieg.

An diesem Tag wurden 28 Grad in Kiel gemessen. Viele ältere Menschen saßen in der glühenden Mittagssonne, doch so manche der erwachsenen Gäste mußten stehen, denn die Schüler hatten einen großen Teil der Sitzplätze für sich in Anspruch genommen. Nach ihrer Rede fand sogar Frau Reyer ihren Platz besetzt. Einer der Herren bot ihr seinen Platz an.

Das Mahnmal steht an einem besonderen Platz an der Ecke Goethe-/ Humboldtstraße, der wohl zu dem Vorgarten des Wohnhauses gehörte. Direkt neben dem Mahnmal ist eine Erinnerungstafel auf einem kleinen schrägen Sockel montiert, dieselbe Tafel, die vorher an der Hauswand angebracht war.

Das Mahnmal selbst ist ein ergreifendes, erklärendes Werk der Künstlerin Doris Waschk-Balz. Es vermittelt den Betrachtenden die willkürliche Zerstörung des Gotteshauses.

Ich erwähnte bereits den Wunsch der Stadt Kiel, ein Mahnmal zu schaffen, das leicht zu pflegen ist. Man sollte auch erwähnen, daß ferner erwogen wurde, dieses Mahnmal nicht auf den alten Synagogenplatz zu stellen, sondern an die Ecke Goethe-/Humboldtstraße, dort, wo die Stadtwerke sind. Eine weitere Idee war, dieses Mahnmal vis-à-vis am Schrevenpark aufzustellen, denn die Einwohner in dem Wohnhaus auf dem alten Synagogenplatz wollten kein Mahnmal vor ihrem Wohnhaus.

Dies ist vielleicht sogar ein verständlicher Wunsch, denn man will nicht immer und täglich an eine furchtbare Vergangenheit erinnert werden. Selbstverständlich kann man verstehen, wenn die Stadt Kiel Schmierfinken befürchtet, dann wohl auch die Einwohner. Weiterhin muß man bedenken, daß in der ersten Demokratie Deutschlands in der Zeit der Weimarer Republik versucht wurde, die Synagoge zu sprengen, was Gott sei Dank nur ein großes Loch in die Wand der Synagoge riß.

Ich verstehe etwaige Befürchtungen der Einwohner. Sie sind nicht ganz unberechtigt, denn auch die Stadtpräsidentin warnte in ihrer Rede zur Einweihung des Mahnmals vor den rechtsradikalen Gruppierungen, wie Republikanern, DVU, FAP und anderen.

Etwas, was ich allerdings nicht verstehe, ist, warum die Einwohner dieses Wohnhauses nicht an der Feier teilnahmen. Trotz der außergewöhnlichen Hitze und strahlender Sonne waren die Fenster und Balkontüren geschlossen, doch man konnte Bewegungen und Gesichter durch die Gardinen sehen. Nach der Einweihungsfeier, als das Publikum verschwunden war und die Stühle zusammengeklappt waren sowie auf einen Lastwagen geladen wurden, öffneten sich einige Balkontüren in diesem Wohnhaus und Einwohner erschienen am Fenster und auf zwei Balkonen.

Die Stadt Kiel lud manche der anwesenden Prominenz zum Essen ein. Der Geschäftsführer der jüdischen Gemeinde Hamburg, Günter Singer, und der Landesrabbiner Professor Dr. Levinsohn waren nicht geladen und wurden, nachdem sie noch an der Gedenkstätte weilten zum Essen gebeten. „Nein, vielen Dank", war die Antwort. „Wir versuchen nur, ein Taxi zum Bahnhof zu bekommen". Dr. Ole Hark fuhr die beiden Herren dann in seinem Wagen zum Bahnhof, denn das Protokoll hatte weder Transportmöglichkeiten erwähnt, noch beschafft.

Als nichtgeladener Gast blieb ich dann mit den städtischen Arbeitern, die Stühle auf einen Lastwagen luden, und mit vielen Schülern und Schülerinnen an der Gedenkstätte. Ich kam mit den Schülern ins Gespräch. Es waren wohl 14- bis 16jährige von einigen Schulen. Sie waren, wie sie mir erzählten, von der Stadtpräsidentin eingeladen worden.

Ich fragte die Schüler nach dem Hintergrund dieser Zeremonie, zu der sie eingeladen waren. Ein Mädchen sagte mir, Ausländer hätten hier einmal gebetet. Doch sie wurde von einem Jungen berichtigt: „Diese Ausländer waren Juden". Ein Junge sagte: „Diese Zeremonie hat an die Nazizeit erinnern sollen". Im übrigen waren die Schüler nicht von Lehrern begleitet, und wenn, dann standen oder saßen die Lehrer nicht bei ihren Schülern.

Eine Schülerin traf ich einige Tage später wieder. Sie und ihre Mitschüler wurden in keiner Weise über den geschichtlichen Hintergrund dieser Zeremonie unterrichtet oder angewiesen. Leider sehr erschreckende Tatsachen, die mir eigentlich nicht neu waren.

Die Jugend in Deutschland ist kaum oder wenig über ihre Geschichte informiert. Wenn diese Jugend mit der deutschen Vergangenheit konfrontiert wird, und irgendwann wird sie damit konfrontiert werden, wird sie diese Geschichte nicht verstehen oder bewältigen können.

Doch selbst die heutigen 50- und sogar 60jährigen kennen die Geschichte und Tatsachen nur so, wie sie es gehört haben oder es ihnen übermittelt wurde. Direktor Sauerbaum sprach in seiner Rede wie folgt: „Nachdem der Naziterror das Werk der Zerstörung vollendet hatte und die damals Verantwortlichen der Stadt die israelische Gemeinde gezwungen hatten, das Grundstück an sie zu veräußern". Und in seiner weiteren Rede: „Das Grundstück war zur Bebauung freigegeben, und dennoch waren die Stadtwerke nicht bereit, zur Tagesordnung überzugehen, als die Bebauung 1968 durchgeführt wurde".

1955 fand ich nur ein unbebautes Grundstück vor. Ich dachte, wie viele andere und Direktor Sauerbaum, daß der Naziterror das Werk der Zerstörung vollendet hatte. Aber nein, ich irrte mich, und viele andere auch. Die Synagoge war in der Tat von den Nazis geschändet worden, das Innere verwüstet, die Torarollen zerrissen, zertrampelt und die innere Synagoge ausgebrannt. Doch die Synagoge stand noch nach dem Krieg, überstand den Naziterror, wurde erst nach dem Krieg abgetragen und somit erst dann zerstört. Gutachten besagen, daß das Synagogengebäude außer der Kuppel vollständig und nicht baufällig war.

Im Sommer erforschte ich die Lage gewisser Grundstücke, wo sich heute die Ostseehalle befindet.

Aufgrund alter Pläne war es sehr leicht festzustellen, daß die Ostseehalle auch auf der früheren kleinen Straße namens „Feuergang" stand. In den drei Häusern des Feuergangs wurde von der Gestapo und den Kieler Behörden ein Getto eingerichtet, in dem die Kieler Juden vor ihrer Deportation und Ermordung gezwungen waren, zu wohnen.

In diesem Feuergang gab es auch noch ein Lagerhaus des jüdischen Altwarenhändlers Weber. Außerdem befand sich dort eine Betstube, in der noch ein Jahr nach der Verwüstung der Synagoge Gottesdienste veranstaltet worden sind.

Meine ungefähren Messungen ergaben, daß dieses Gotteshaus sich dort befand, wo sich heute die innere Ostseehalle befindet. Es wäre begrüßenswert, wenn die Stadt Kiel mit einer kleinen Gedenktafel der Betstube und des Gettos gedenken würde, insbesondere in Anbetracht dessen, daß so viele Künstler, wie die Herren Bernstein, Menuhin, Diamond und andere, in dieser Halle auftreten und so viel zur Völkerversöhnung beigetragen haben.

1989 war ich leider während der Kieler Woche nicht in Kiel. Ein Freund von mir gab eine Vernissage seiner Bilder in München.

Ich ging mit einem Freund in München in Höhe des Hotels Vier Jahreszeiten spazieren, als er plötzlich stehenblieb, auf ein Haus deutete und sagte: „Hier wohnt der Schönhuber". Obgleich mir der Name nach einigen Wochen im Sommer 1989 in Deutschland bereits ein Begriff war, fragte ich: „Ist es schon soweit, daß man bereits das Haus, in dem der Schönhuber haust, als Sehenswürdigkeit betrachtet?" Mein Freund, kein Jude, sagte zu mir: „Leo, Du weiß gar nicht, was für Erfolge dieser Schönhuber hat, ein Nazi durch und durch, der es auf demokratische Art versucht, ein Rattenfänger, der die Leute anzieht mit Bangemachen über Ausländer, Flüchtlinge, Asylanten usw. und Erfolg hat." Wenn man bei meinem nächsten Besuch in München das Schönhuber-Haus bereits als „schwarzes Haus" bezeichnete (schwarz wegen der SS-Zugehörigkeit des Schönhubers), würde ich mich nicht wundern.

Ich besuchte auch die Münchener Bache-Filiale. Den neuen Manager Dr. Lindenberg hatte ich vor vielen Jahren in Hamburg eingestellt. Wie immer, auch bei diesem Besuch spürte ich die aufrichtige Freude der alten, mir noch bekannten Mitarbeiter, mich wiederum zu begrüßen.

23. Danke – all meinen Kieler Gesprächspartnern

Nach Kiel zurückgekehrt, faßte ich einen Entschluß. Und zwar wurde ich seit langer Zeit von Freunden gebeten, meine Erinnerungen zu schreiben. Ich entschloß mich, dies zu tun aus einigen Gründen. Die Erinnerungen werden auch die meiner Jugend sein, das Leben in Kiel, die Schule, das jüdische Leben sowie die Feiertage, das Leben unter den Nazis, die Flucht usw. beschreiben. Natürlich auch mein weiteres Leben und meine häufigen Besuche in Kiel. Besonders Vorkommnisse und Erlebnisse in den letzten Jahren hatten meinen Entschluß gefördert, über mein Leben zu schreiben.

Doch meine Erlebnisse sowie Erfahrungen und Gespräche in Kiel in den letzten Jahren wollte ich nochmals überprüfen. Aus diesem Grunde bat ich viele amtliche Stellen um Gesprächstermine. Ein Gespräch fand mit Dr. Walter Schmidt-Benz von der schleswig-holsteinischen Staatskanzlei statt.

Ich bedankte mich für die nun alljährlich wiederholten Einladungen früherer schleswig-holsteinischer Bürger, die Mühe und den guten Willen, welche die Regierung des Landes Schleswig-Holstein zeigen. Ich berichtete von der Enttäuschung so vieler früherer jüdischer Bürger sowie auch jetzigen Einwohner Kiels, die nicht zum Festakt der Einweihung eines Mahnmals am früheren Synagogenplatz gebeten worden sind.

Ich sprach von meiner Genugtuung, daß so manche Städte Schleswig-Holsteins ihre Bürger nach dem Schleswig-Holstein-Besuch noch für weitere Tage als Gäste in ihre alten Heimatstädte einluden, und bedauerte, daß dies die Stadt Kiel nicht täte. Herr Dr. Schmidt-Benz erwiderte nur, daß die Staatskanzlei diesbezüglich kürzlich an die Stadt Kiel schrieb, und die Stadt antwortete, sie hörte das erste Mal von diesem Wunsch. Dies ist nicht der Fall. Ich persönlich habe das einige Male der Stadtpräsidentin und dem Oberbürgermeister vor längerer Zeit vorgeschlagen und war anwesend, wie es auch andere frühere Bürger Kiels taten.

Ich bat ferner um Bestätigung einer Tatsache, die mir zu Ohren kam, und zwar, daß die Stadt Kiel weitere Gruppen früherer Bürger Schleswig-Holsteins, die Kiel besuchen, in Zukunft nicht mehr zu einem Mittagessen einladen will und diesbezüglich die Staatskanzlei informiert hatte.

Dieses wurde mir in dem Gespräch und, als die nächste Gruppe Schleswig-Holstein besuchte, in der Praxis bestätigt. Das Rathaus wurde zwar an dem für Kiel vorgesehenen Tag besucht, doch die schleswig-holsteinische Landesregierung bat ihre Gäste zum Mittagessen ins Schloßrestaurant.

Ich gab in diesem Gespräch meiner Befürchtung auch darüber Ausdruck, daß vielleicht Kiel zu dem 750. Gründungsjahr 1992 auch ihre früheren jüdischen Bürger ignoriert, die und deren Vorfahren soviel zu dem Aufbau der Stadt beigetragem hatten.

Dr. Schmidt-Benz versprach, Ministerpräsident Engholm über mein Gespräch zu informieren und meine Gedanken auch dem Oberbürgermeister der Stadt Kiel mitzuteilen.

Ich wollte auch gern mit der Präsidentin des Schleswig-Holsteinischen Landtages, Lianne Paulina-Mürl, sprechen und bei der Gelegenheit meinen Dank für die so vorzügliche, ergreifende und ermahnende Rede im Parlament am 9. November 1988 aussprechen, konnte aber leider keinen Termin erhalten.

Der Kultusministerin, Frau Rühmkorf, wollte ich gern meine Erfahrungen und Gespräche mit Schülern und auch Lehrern in Schleswig-Holstein erzählen und meine Befürchtungen erläutern, daß meiner Erfahrung nach Lehrer wie Schüler über die Geschichte des Dritten Reiches und die Folgen kaum oder wenig informiert sind. Auch in diesem Fall war es schwierig, einen Termin zu erhalten, doch Frau Köhler im Kultusministerium arrangierte ein Gespräch für mich mit Frank Trende, den persönlichen Referenten der Ministerin.

Herr Trende ist ein noch sehr junger und gescheiter Mann mit Humor. Er arbeitete in einem sehr kleinen Büroraum, den er humorvoll mit einer Aufschrift an der Tür „Des Justizinspektors Kummerkammer" bezeichnete. Herr Trende wollte im Herbst nach Israel reisen, war bereits sehr aufgeregt und man konnte ihm die Vorfreude auf diese Reise anmerken. Doch leider war er nicht sehr informiert über mein Anliegen. Darüber, inwieweit die Schulen Schleswig-Holsteins ihre Schüler über die Geschichte des Dritten Reiches unterrichteten, konnte er mir wenig sagen, nur, daß die Kultusministerin, Frau Rühmkorf, sehr darauf bedacht ist, daß gerade dieser Geschichtsabschnitt den Schülern besonders nahe gebracht wird. Diesen Wunsch teilen alle Politiker der Bundesrepublik, mit denen ich innerhalb vieler Jahre gesprochen habe. Doch sehr wenig wird getan.

Meinen Dank an Herrn Dr. Ole Hark, Dozent an der Universität Kiel, mir bereits bekannt durch sein Interesse und seine Arbeiten an der Geschichte der Juden Schleswig-Holsteins und natürlich seinen unschätzbaren Verdienst bei der Arbeit und Errichtung des jüdischen Museums in Rendsburg. Viele seiner Arbeiten erhielten die finanzielle Unterstützung der dänischen Minderheit in Schleswig-Holstein.

Ich traf Dr. Hark an der Universität in Kiel, wo ich auch mit einer Studentin sprach, die eine Arbeit über die Innenausstattungen der schleswig-holsteinischen Synagogen schrieb, und ich ihr mit meinen Erinnerungen vielleicht etwas half.

In einem mehrstündigen Gespräch mit ihm lernte ich sehr viel über die Geschichte und Geschichtsforschung der Juden in Schleswig-Holstein und die damit verbundenen Schwierigkeiten und Hindernisse kennen.

In unserem Gespräch erwähnte ich, daß ich mich an eine weitere jüdische Betstube und Cheder am Knooper Weg erinnere. Cheder ist die ostjüdische Bezeichnung der Schule, in dem die jüngeren Kinder beten, schreiben und lesen lernen. Diese Kinder im Kieler Cheder nahmen nicht oder weniger am Religionsunterricht der Kieler jüdischen Gemeinde teil.

Dr. Hark und ich fuhren noch am selben Abend zum Knooper Weg. Doch die Einfahrt zu den Hinterhäusern war verschlossen. Ich erinnerte mich, daß die Betstube sich im Hinterhaus des Knooper Weg 30 befand, was mir auch später von zwei emigrierten Kieler Juden bestätigt wurde auch von einer noch am Knooper Weg wohnenden älteren Einwohnerin.

Einige Tage später fuhr ich mit einem in Kiel wohnenden Freund zum Knooper Weg und erkannte das Hintergebäude am Knooper Weg 30, die frühere Betstube und Cheder wieder. Wir gingen zu einem Nachbarhaus. In einer Werkstatt bestätigte mir ein, wie er sagte, im Jahre 1929 geborener Herr, daß er sich an eine jüdische Betstube nicht erinnere, doch daß so manche jüdische Kinder auf dem Hof spielten. Er glaubte, es existierte dort ein jüdischer Kindergarten. Doch meinte er, wir sollen doch gegen 11.00 Uhr wiederkommen, dann kommt sein bereits 102jähriger Vater immer noch in die Werkstatt.

Wir trafen dann auch später den noch körperlich und geistig rüstigen alten Herrn, und dieser sagte uns, daß sein Sohn sich irrte, am Knooper Weg bzw. im Nachbarhaus gab es weder eine jüdische Betstube, noch einen jüdischen Kindergarten, doch in einem weiteren Haus am Knooper Weg betrieb ein Jude namens Metzger mit seiner Frau ein kleines Ladengeschäft. Beide waren hart arbeitende Juden, nicht von der Art der sonstigen Schacherjuden.

Durch eine Kieler Journalistin erhielt ich die Telefonnummer eines Herrn namens Hans Bannik. Er hätte ihr von einem Klassenkameraden namens Leo Bodenstein erzählt. Die Journalistin sagte Bannick, daß Leo Bodenstein momentan in Kiel zu Besuch weilte. Hans und ich trafen uns, und nach einer Weile erinnerte ich mich an ihn. Wir waren für vier Jahre Schüler in derselben Klasse in der Grundschule in der Sternstraße. Ich traf Hans und seine Frau noch einige Male während meiner Kieler Aufenthalte.

Im Sommer 1989 besuchte Gorbatschow, der Generalsekretär der Kommunistischen Partei der Sowjetunion, Deutschland und wurde, was ich einfach nicht vergessen kann, mehr als herzlich von der Bevölkerung begrüßt. „Gorbi, Gorbi", rief das Volk mit einer Begeisterungswelle, die sicherlich echt war. Aber warum weiß ich nicht, denn einige Tage später wurde Gorbi von den Franzosen in Paris doch um einige Nuancen weniger freundlich begrüßt, obgleich doch die Franzosen in den letzten zwei großen Kriegen mit Rußland verbündet waren. Mir war das Getue und Geschrei um Gorbi in der Bundesrepublik ziemlich unverständlich. Um diese Zeit wurde auch im Fernsehen ein Interview mit dem ostdeutschen Schriftsteller Stefan Heym gezeigt. Ich erinnere mich, daß Herr Heym gefragt wurde, ob er jetzt aufgrund Gorbatschows Politik Chancen sehe, daß die Mauer zwischen den deutschen Staaten abgerissen wird. „Nein, die Mauer muß bleiben", meinte Herr Heym, „denn wohin sollen die Demokraten und Liberalen flüchten, wenn die Republikaner in Westdeutschland das Sagen haben."

Mein Dank gilt auch der Stadtpräsidentin Kiels, Frau Silke Reyer. Ich teilte Herrn Müller, dem persönlichen Referenten von Frau Reyer mit, daß ein Gespräch mit der Stadtpräsidentin für mich sehr nützlich sein werde, wenn ich meine Erinnerungen an Kiel, die nicht nur meine Jugend umfassen, sondern auch die letzten Jahre, niederschreibe.

Bei diesem Gespräch war auch Frau Hinz vom städtischen Presseamt und Auslandsverkehrsamt anwesend. Frau Reyer begrüßte insbesondere, daß ich mir die Mühe machte, meine Erinnerung an Kiel, das jüdische Leben meiner Jugend sowie die Anfänge und die ersten Jahre der Nazizeit aus jüdischer Sicht und Erfahrung festzuhalten.

Ich bedauerte wiederum, daß die Stadt Kiel ihren früheren jüdischen Bürgern keine Einladung hat zugehen lassen, und hoffe, daß sich die Stadt zum 750. Gründungsjahr auch daran erinnert, daß ihre früheren jüdischen Bürger einen großen Beitrag in der Kunst, Wissenschaft, Geschäftswelt und am allgemeinen Aufbau der Stadt geleistet haben.

Ich sprach meine Enttäuschung darüber aus, daß die Stadt Kiel im Gegensatz zu den anderen Städten Schleswig-Holsteins in den letzten Jahren ihre Bürger anschließend nicht für einige Tage nach Kiel eingeladen hatte.

Ferner teilte ich der Stadtpräsidentin mit, daß, nachdem die Staatskanzlei Schleswig-Holstein die Stadt auf das Problem hinwies, die Stadt Kiel antwortete, daß sie das erste Mal davon hörte. Es entsprach leider nicht der Tatsache. Ich schlug dies einige Male vor, was auch andere frühere Bürger dieser Stadt, nicht nur mündlich sondern auch schriftlich, taten.

Frau Reyer wies mich darauf hin, wie schwierig die Finanzlage Kiels sei und daß man wirklich des öfteren nicht wüßte, ob man einen Park oder einen Kinderhort einrichten solle. Als Finanzfachmann verstehe ich vollkommen diese Probleme. Dennoch möchte ich gern wissen, warum die Stadt die Besucher des im September dieses Jahres vorgesehenen Treffens früherer jüdischer Bürger Schleswig-Holsteins nicht mehr zum Mittagessen laden wird.

Doch Frau Reyer sagte mir, daß sei nicht so. Es wurde ihr aber von Frau Hinz bestätigt. Ich sah die Enttäuschung im Gesichtsausdruck der Stadtpräsidentin. „Die linke Hand weiß oft in Kiel nicht, was die rechte tut", meinte Frau Reyer. „Herr Bodenstein, wir tun wirklich unser Bestes, um den Kontakt und die Erinnerung mit unseren früheren Bürgern aufrechtzuerhalten, und vielleicht können wir eventuell eine Einladung zum 750. Jubiläum der Gründung Kiels für frühere Bürger aussprechen". Ich erwiderte der Stadtpräsidentin, daß, wenn tatsächlich eine Einladung für das Jahr 1992 ausgesprochen werden sollte, es sicherlich von den immer weniger werdenden früheren jüdischen Bürgern Kiels begrüßt werde. Ferner meinte ich, daß, wenn die Stadt Kiel eine solche Einladung aussprechen sollte, wohl kaum mehr als 50 Personen zusagen würden.

Unser Gespräch kam auf die Einweihung des Mahnmals zurück, denn ich wollte doch wissen, warum die Stadt Kiel ihren früheren, doch sehr betroffenen Bürgern keine Einladungskarten geschickt und sie somit nicht informiert hatte. Frau Reyer meinte, soviel sie wüßte, wurde darüber überhaupt nicht gesprochen. Vielleicht bedauerlicherweise, doch das Thema wurde überhaupt nicht diskutiert, noch hatte das Büro der Stadtpräsidentin damit zu tun.

Bei dem damaligen Gespräch sowie heute neige ich zu der Meinung, daß in der Tat im Kieler Rathaus die linke Hand nicht weiß, was die rechte tut, denn die Einladungen zu der Gedenkfeier am Synagogenplatz erbaten Antwort an das Büro der Stadtpräsidentin.

Frau Reyer erzählte mir auch kurz von der Reise nach Tallinn in Lettland, der Partnerstadt Kiels, an der sie, der Oberbürgermeister und viele städtische leitende Beamte teilnahmen, vom Kampf und dem Willen der Estländer, die russische Vorherrschaft abzuschütteln und wieder ihre Selbständigkeit zu erlangen.

Auch berichtete mir Frau Reyer von weiteren Partnerstädten und insbesondere von der letzten neuen Partnerschaft Stralsund in der ehemaligen DDR und der Verpflichtung einer gemeinsamen friedlichen Welt, zu der die Stadt Kiel beiträgt.

„Diese internationalen Bindungen der Stadt Kiel, insbesondere mit Städten in der östlichen Welt sind meines Erachtens nicht nur wichtig für die Stadt Kiel, sondern auch besonders für die Völkerverständigung. Ich bin stolz auf meine Stadt", sagte ich und bedankte mich für unser Gespräch. Frau Reyer betonte nochmals das Interesse, daß sie persönlich wie auch die Stadt hat, daß ich meine Erinnerungen, und somit auch Erinnerungen an das jüdische Gemeindeleben in Kiel, niederschreibe.

Im Februar 1989, Monate vor meinem Gespräch mit der Stadtpräsidentin im Sommer 1989, hörte ich bereits von den Plänen der Stadt Kiel, zur 750. Jubiläumsfeier Bürger der Stadt Stralsund einzuladen. Eine Geste, die natürlich sehr schön ist, doch kann man wohl kaum eine Geste mit einer Pflicht vergleichen. Ich hoffe deshalb, daß die Stadt ihre früheren Bürger sicherlich auch einladen wird.

Herr Müller, der persönliche Referent der Stadtpräsidentin, sagte mir einige Wochen vor meinem Gespräch mit Frau Reyer, daß es ihr Wunsch sei, daß Dr. Jürgen Jensen, Direktor des Kieler Stadtarchivs, an unserem Gespräch teilnimmt. Doch Herr Jensen befand sich an diesem Tage bereits im Urlaub. Herr Müller bat mich, Herrn Jensen doch anzurufen und mit ihm vor seinem Urlaub ein Gespräch zu führen.

Ich rief an, und erzählte ihm von meinem Gespräch mit Herrn Müller. Daraufhin meinte Dr. Jensen: „Was wollen Sie von mir?" Etwas verwundert und erstaunt antwortete ich, daß ich nichts von ihm wolle, daß aber die Stadtpräsidentin meinte, daß ein Gespräch zwischen uns nützlich wäre. „Ich weiß immer noch nicht, was Sie wollen." erwiderte er. „Nachdem Frau Reyer Sie bei unserem Gespräch dabei haben wollte, hatte ich die Absicht, Ihnen einige Fragen zu stellen", antwortete ich, „zum Beispiel über das im Stadtarchiv aufbewahrte Manuskript Dr. Posners, des letzten Rabbiners Kiels, über die Kieler Juden und die Arbeit des Herrn Hauschildt über das Pogrom in Kiel 1938."

Herr Jensen sagte mir, daß er jetzt und in der nächsten Zeit beschäftigt sein wird. Wie lange ich noch in Kiel bleiben würde, fragte er dann. „Noch weitere zehn Wochen", antwortete ich. „Wenn ich Zeit habe, werden Sie von mir hören", meinte er. Leider hörte ich nichts mehr von Herrn Jensen.

Einige Wochen später suchte ich das Kieler Stadtarchiv auf, um einige Forschungen für mein Buch durchzuführen. Ich wollte auch gern in das Manuskript von Dr. Posner einsehen. Doch Dr. Jensen weile auf Urlaub, wurde mir gesagt, und er habe das Manuskript verschlossen.

Ich besuchte die Redaktion der „Brücke", Brücke zur Heimat, die Zeitschrift für Kieler im Ausland, „Butenkieler" genannt. Herausgeber dieser zweimal jährlich erscheinenden Zeitschrift ist das Amt für Wirtschaft und Verkehrsförderung der Stadt Kiel. Eine Zeitung, die mit Berichten und Bildern viele in Europa und Übersee lebenden früheren Kieler mit ihrer früheren Heimat verbindet. Eine überaus gute Idee. Die Empfänger dieser Zeitschrift sind fast ausschließlich frühere Kieler Bürger, die aus familiären oder wirtschaftlichen Gründen ihre Heimatstadt verließen.

Doch auch die wenigen noch lebenden früheren Kieler, die aus politischen Gründen ihre Heimatstadt verlassen mußten, lesen sehr gern die „Brücke zur Heimat".

Ich und einige andere Leser der „Brücke" wunderten sich, daß die „Brücke", trotz der seit 1986 zweimal jährlich stattfindenden Besuche ehemaliger schleswig-holsteinischer Bürger, dies in keinem Satz erwähnt, obgleich das Thema doch interessant ist. Es sind doch Gäste der schleswig-holsteinischen Regierung, und ein guter Teil unter diesen Gästen sind Butenkieler.

Frau Wernicke in der Redaktion empfing mich äußerst freundlich. Als erstes übergab ich ihr eine kleine Spende für die Portokasse, während ich einen Flaschenöffner und eine Dose Kieler Sprotten erhielt.

Zunächst brachte ich meine Freude und Genugtuung darüber zum Ausdruck, daß die „Brücke" eine wirkliche, wertvolle Brücke zur Kieler Heimat ist. Ich möchte aber gern einen redaktionellen Vorschlag machen. „Aber gern", wurde mir erwidert. Daraufhin zeigte ich Frau Wernicke die Ausgabe der „Brücke" 2/88 und einen Artikel unter der Überschrift „Rentner aus USA ganz in Leder". „Auf schweren und superschweren Motorrädern sind im August elf Rentner und Rentnerinnen aus den USA in Kiel vorgefahren. Die Zweiradfans, 56 Jahre zählte der jüngste, 76 der älteste, bevorzugten klassische Harley-Davidsons mit 1,6 Liter Hubraum und 60 PS. Ein Auto der unteren Mittelklasse ist kaum stärker. Im Melsdorfer Weg wurde die flotte Reisegruppe zu Schinken und Sauerkraut eingeladen. Gastgeberin Hannelore Wassner gehört nämlich zur Verwandtschaft eines Reisebüros in San Diego, Kalifornien, das den Europatrip organisiert hat.

Ich drückte Frau Wernicke meine Verwunderung darüber aus, daß in der Brücke nichts davon zu lesen war, daß bereits mehrfach in den letzten Jahren frühere Bürger in Schleswig-Holstein bzw. Kiel als Gäste der Landesregierung weilten. Es handelt sich auch um Rentner, noch höheren Durchschnittsalters als die Motorradfahrer, die allerdings einfach und schlicht in einem Bus anreisten, und, falls jemand in Leder gekleidet war, dann nur dezent und modebewußt. Auch zum Mittagessen waren diese früheren Bürger von der Stadt Kiel eingeladen, zwar nicht alle Gruppen, denn wenn kein Geld in der Stadtkasse war, gab es eben nur ein freundliches Lächeln.

Frau Wernicke meinte, es wäre das erste Mal, daß sie von Einladungen an frühere Kieler Bürger hörte. Und ich hörte den bereits so oft geäußerten Spruch auf den Behörden: „Wir wurden nicht darüber unterrichtet, und die linke Hand informiert die rechte nicht." Ich zeigte Frau Wernicke Zeitungsartikel der schleswig-holsteinischen Presse, einschließlich der Kieler Zeitung, die ziemlich ausführlich mit Bildern über diese zahlreichen Besuche berichteten.

Um so mehr freute ich mich, als in der „Brücke"-Ausgabe 2/89 ein Bild einer Gruppe früherer jüdischer Bürger, die vom 3. bis 10. September in Kiel bzw. Schleswig-Holstein zu Besuch weilten, gezeigt wurde.

Gerade über Besuche zu berichten, ist doch eine der Hauptaufgaben der „Brücke"-Redaktion. Überlegungen gingen sicherlich in die Richtung: „Warum sollen wir darüber schreiben, daß einige wenige Buten-Kieler von Behörden eingeladen werden und andere nicht?" Nun, wer den Unterschied nicht erkennt, der wird denselben auch nicht verstehen.

Doch den Buten-Kielern im Ausland und in Übersee wurde damit kein guter Dienst erwiesen, denn das Stillschweigen dieser Einladungen gab den Kielern nicht die Gelegenheit, ihren neuen Nachbarn und Landsleuten mit Stolz und Genugtung ihre frühere Heimat zu zeigen. Dies ist nicht nur meine Meinung, sondern auch die der Buten-Kieler, mit denen ich sprach.

Etwa Mitte August 1989 hörte man die ersten Kommentare in den Medien und von Politikern anläßlich des 50. Jahrestages des Angriffs auf Polen am 1. September 1939. Es gab keine Auseinandersetzungen darüber, wer diesen Krieg angefangen hat. Doch einige Politiker waren nicht bereit, die Oder-Neiße-Grenze nach Polen anzuerkennen. Sie zauderten, erwähnten den Bundesgerichtshof und den noch nicht existierenden Friedensvertrag. Man besuchte die Polen, machte Verträge mit ihnen, versprach Geld, aber die bestehenden Grenzen wurden, wenn auch nicht abgelehnt, genausowenig völkerrechtlich anerkannt.

Ich erinnere mich besonders an eine Fernsehsendung, eine Talk Show, in der einige Herren ihre Erinnerungen aus dem Krieg diskutierten. Einer berichtete über ein ihn noch heute bedrückendes Ereignis. Ihm wurde einmal während seiner Soldatenzeit erklärt, daß er sich gerade mit Judenfett gewaschen habe, das heißt mit von Leichen ermordeter Juden hergestellter Seife. Ein anderer Herr in dieser Runde versicherte ihm, daß er aufgrund seiner Arbeit darüber informiert war, daß zwar versucht worden war Seife aus Judenleichen herzustellen, jedoch das Resultat nicht zufriedenstellend war. In der Tat war wohl Seife auf diese Art hergestellt worden, allerdings nur versuchsweise und in solch kleinen Mengen, daß die Chance, daß jener Herr sich mit derartiger Seife gewaschen zu haben, sehr gering war. Der bis dahin bedrückte Herr wirkte daraufhin sofort bedeutend erleichtert.

Sturmschäden über Kiel am 27. August 1989. Die Marina Wendtorf erlitt großen Schaden, und sowohl in Strande als auch in Schilksee, wo ich im 10. Stock des Olympia-Hotels wohnte, wurde ein großer Teil der Strandkörbe zerstört, manche wurden halbiert und in Stücke gerissen.

Über diese Stürme wurde auch in den USA-Zeitungen berichtet, so daß meine Schwestern mich prompt anriefen. Vielleicht war es die 10. Etage oder mein gesunder Schlaf: Ich hatte überhaupt nichts bemerkt.

Aus Anlaß des 50. Jahrestages des Kriegsbeginns wurden in Kiel zwei Ausstellungen eröffnet. Die erste fand im Kieler Rathaus unter dem Titel „Schreck laß nach" statt, eine Ausstellung zur Sicherheitspolitik für über 13jährige gedacht. Bei meinem Besuch überzeugte ich mich von dem guten Willen der Aussteller. Es war eine Ausstellung, die – obgleich sehr primitiv – doch auch wirkungsvoll war.

Um vielleicht einigen der so zahlreichen Veranstalter Rechnung zu tragen, die politisch sehr links orientiert sind, erinnere ich mich besonders an ein Bild, auf dem vor einem umzäunten Blockhaus Väterchen und Mütterchen Rußland mit einem Gewehr an die Haustür gelehnt standen. Außerhalb des Zaunes sah man die feindlichen Waffen, Raketen, Flugzeuge usw.. Väterchen Rußland fragte Mütterchen: „Meinst du, sind das alles wirklich Verteidigungswaffen?"

Eine weitere Ausstellung, die ich in der Gaardener Stadtbibliothek besuchte, trug den Namen „Kriegsschauplatz Kiel". Es war eine Bilderausstellung, die mich sehr beeindruckte, da sie die Kieler Stadtzerstörung ziemlich genau aufzeichnete.

Jede Ausstellung, wo auch immer, die den Krieg im wahren, furchtbaren Gesicht darstellt, ist mir willkommen, insbesondere war ich wohl so erschüttert, da ich die Häuser und Straßen Kiels so gut kannte.

Kriegsschauplatz Kiel ist eine treffende Bezeichnung. Unterseeboote wurden in Kiel gebaut und waren erfolgreich gegen die Alliierten eingesetzt worden, daß es sehr schlimm um England aussah. Leider wurden diese U-Boote nur wenige Meter entfernt von menschlichen Behausungen erbaut. Ich kaufte das Buch „Kriegsschauplatz Kiel", herausgegeben von Dr. Jürgen Jensen.

Nachdem ich die Bibliothek verließ, ging ich die Elisabethstraße entlang und sah ein Uhren- und Schmuckgeschäft auf dem ungefähr selben Platz, wo sich bis 1938 das Geschäft von Herrn Baumgarten befand, einem mit seiner Familie vertriebenen Kieler Bürger. Vor diesem Geschäft standen zwei türkische Damen und Herren, aufgrund der Sprache und Kopftücher der Damen leicht zu erkennen. In diesem Moment dachte ich: Wenn die Nazis Juden und Sklavenarbeitern nicht den Eintritt in Luftschutzkellern verwehrt hätten, würde es weniger Opfer des Luftkrieges in Kiel gegeben haben?

Anfang September starb plötzlich und unerwartet Lene Landgraf, geb. Salau, die bereits beschriebene Freundin meiner Familie. An der Trauerfeier und Beerdigung nahm ich teil. In der Predigt sowie später im Familienkreis der Trauernden wurde mir nochmals bestätigt, wie das letzte Lebensjahr Lenes damit bereichert wurde, die Familie Bodenstein wiedergetroffen zu haben.

Um diese Zeit herum erhielt ich auch einen Anruf von einer älteren Kielerin, die, wie sie mir sagte, zuerst bei einem jüdischen Anwalt in Kiel arbeitete, dann als Verkäuferin in dem jüdischen Geschäft „Locker". Da die Lockers mein Onkel und meine Tante sind, fragte ich nach deren Vornamen. Die Frau erinnerte sich an die Namen sowie den Namen meiner Cousine Lotti.

Als ich dann fragte, was ich für sie tun könnte, meinte die Dame, ich sollte doch endlich veranlassen, daß das Haus in Düsternbrook des bereits vor langer Zeit verstorbenen Gauleiters der Nazis in Kiel, Lohse, endlich den rechtmäßigen Erben wieder zurückgegeben wird, auch sie wäre eine Verwandte von Lohse.

Ohne Arzt und Psychiater zu sein, lag es für mich auf der Hand, daß die Dame kränklich und leidend war. Ich sagte nur, Kopf hoch, es werde schon alles gut werden, und ähnliche Worte. Nach dem Gespräch konnte ich nicht umhin, mich zu wundern, woher und weshalb dieser von der Frau angesprochene Wunsch in ihren Gedanken Fuß gefaßt hatte.

Am 5. September 1989 fand die Übergabe einer von der schleswig-holsteinischen Landesregierung gestifteten Gedenktafel in der Synagoge zu Lübeck statt. Ich wurde zu dieser Gedenkfeier geladen. Der Landesrabbiner, Herr Professor Dr. Levinsohn, sprach in Anwesenheit der schleswig-holsteinischen Stellvertretenden Ministerpräsidentin, Marianne Tidick, und dem Lübecker Bürgermeister Boutellier.

Die zwei Bronzetafeln waren im Vorraum zum Betsaal angebracht. Sie waren in deutscher und hebräischer Schrift mit folgendem Text:

> „Zur Erinnerung an die entweihten und zerstörten Synagogen in Schleswig-Holstein und an die Männer, Frauen und Kinder, die verschleppt und ermordet wurden."

Am Abend nahm ich an einem Empfang teil, den die schleswig-holsteinische Landesregierung gab. Ich erinnere mich, einige wenige Worte mit Frau Tidick, einer sehr charmanten Dame, gewechselt zu haben. Mit Herrn Bürgermeister Boutellier, mir seit Jahren bekannt, beendete ich ein Gespräch, in dem ich einer Einladung ins Lübecker Rathaus zusagte.

Rabbiner Professor Dr. Levinsohn, den ich in Kiel bei der Einweihung des Mahnmals der zerstörten Synagoge getroffen hatte, und ich unterhielten uns in Lübeck über mein Buch, das heißt meine Erinnerungen, die ich niederschreiben wollte. Dr. Levinsohn betonte, wie wichtig es sei, gerade heute diese Erinnerungen und Erfahrungen auf Papier zu bringen. An diesem Abend unterhielt ich mich auch das letzte Mal mit dem Geschäftsführer der jüdischen Gemeinde in Hamburg und meinem Logenbruder, Günter Singer, der plötzlich und unerwartet einige Monate später starb.

Zu diesem Zeitpunkt besuchte die siebente Gruppe ehemaliger Bürger Schleswig-Holsteins auf Einladung der Landesregierung Kiel und Schleswig-Holstein. Dies war die zweite Gruppe aus den USA. Herr Spiegel, der Ehegatte einer Dame, die aus Friedrichstadt stammte, wurde gebeten, in einem Kieler Gymnasium für ca. 17jährige Schüler einen Vortrag über seine Erlebnisse in der Nazizeit als Zeitzeuge zu halten. Nach dem Vortrag wurde er von einem Schüler gefragt, ob er jetzt erwarte, daß man Mitleid mit ihm haben werde? Ein anderer Schüler meinte: „Was geht mich das an? Was habe ich damit zu tun?" Es gelang Herrn Spiegel, die richtigen Antworten zu geben, doch diese waren mehr für die übrigen Schüler gemeint. Die zwei fragenden Schüler sind leider schon mit dem Gift geimpft worden. Irgendwie muß ich an den persönlichen Referenten der Kultusministerin, Herrn Trende, denken. Der Begriff „Die Kummerkammer des Herrn Trende" könnte vielleicht auf weitere Gebiete des Kultusministeriums erweitert werden.

24. Wieder ein 9. November

Im Spätsommer meines Europabesuches 1989 bauten die Ungarn die Stacheldrähte an ungarisch-österreichischen Grenzen ab, mit viel Fanfare, um den Blick der Welt auf dieser Ereignis zu lenken. Dies ist wohl sehr stark in der DDR bemerkt worden, denn Ströme von Flüchtlingen flohen über diese Grenze und später, als dies etwas schwieriger wurde, flohen DDR-Bürger in die bundesdeutschen Botschaften in Budapest und Prag.

Tausenden wurde nach kurzen Verhandlungen mit den entsprechenden Behörden die Einreise in die Bundesrepublik Deutschland ermöglicht.

Einen Teil dieser kleinen Völkerwanderung beobachtete ich bereits in der Presse und im Fernsehen von Florida aus, wohin ich mittlerweile zurückgekehrt war.

Natürlich wurde ich von Bekannten und Freunden in Florida intensiv befragt. Jeder hatte großes Interesse an dem Ereignissen in Osteuropa und der Revolution der Bevölkerung, die in Massenflucht und Massendemonstrationen sich, Gott sei Dank unblutig, demonstrierte.

Auch in den USA schlug die Begeisterung hohe Wellen. Deutschland hatte die Sympathie und das Verständnis der Mehrheit der Amerikaner, als endlich am 9. November 1989 die Mauer, die Deutschland teilte, überschritten wurde. Was ich besonders hervorheben möchte, ist, daß gerade die jüdischen Bürger der Vereinigten Staaten die Tatsache freudig begrüßten, daß Ostdeutschland nun seine Freiheit, Demokratie und Selbstbestimmung erhalten hat.

In späteren Gesprächen mit Deutschen bemerkte ich eine gewisse Skepsis, als ich diese Meinung wiederholte. Doch Tatsache bleibt, daß Juden, die sehr oft liberal eingestellt sind, auch aus eigener Erfahrung immer die Freiheit und die Demokratie begrüßen.

Ob in Miami, Florida, Memphis, Tennesse, San Franzisco, New York oder wo immer, begrüßte das ganze Volk den Fall der Mauer, die Deutschland trennte. Bemerkenswert war für mich, daß alle in Amerika, ob alt oder jung, von dieser Mauer wußten, um so bedauernswerter die Tatsache, daß die Deutschen sich nur sehr wenig mit ihrer eigenen Geschichte der Nazizeit auseinandersetzen.

Vielleicht gibt dieser Vergleich meinen Argumenten weitere Stärke, daß in Deutschland zum Teil die eigene Geschichte nicht richtig bearbeitet und ferner in den letzten Jahren verdrängt wurde.

Nun gab es endlich freie Wahlen in der DDR. Westdeutsche Politiker bereisten sie. Das Wahlergebnis war ein fast 100prozentiges „Ja" für die Demokratie und spätere Wiedervereinigung. In Westdeutschland konnte man nicht umhin, die Grenzen Polens zu Deutschland anzuerkennen. Die Vertriebenenverbände sagten aber weiter munter ihre Meinung und sprachen von einer neuen Mauer an der Oder-Neiße-Grenze.

Wenn jemand Vertriebene versteht, bin ich es, denn ich bin auch ein Vertriebener. Jedoch haben weder meine Familie und ich jemals verlangt, daß die jetzigen Bewohner unsere alte Wohnung in Kiel verlassen, noch habe ich je darauf ein Recht angemeldet, oder ist mir und meiner Familie der Gedanke gekommen. Diese Art Forderungen oder selbst Gedanken stiften Unruhe, Krieg und weitere Vertreibungen.

So glücklich ich über den Fall und Sturz der Schandmauer bin, so unglücklich bin ich über den Tag, an dem dies passierte, dem 9. November. Dieses Datum ist schon einmal in die deutsche Geschichte eingegangen als Anfang vom Ende, der Vertreibung und Ermordung der Juden. Vielleicht sind meine Befürchtungen unbegründet, denn man kann im Deutschland der Zukunft den 9. November mit dem Fall der Mauer verbinden, ohne daß auch die Schande, an welche dieses Datum erinnert, erwähnt wird.

Sobald das erste frei gewählte ostdeutsche Parlament zusammentrat, gedachten die Parlamentarier der Millionen getöteten Juden, eine Schuld, die Ostdeutschland über Jahre abwies und nicht anerkannte. Selbstverständlich wird es wohl einige „Wiedergutmachungsleistungen" geben, aber nur im kleinen Rahmen.

Die Bundesrepublik Deutschland hat natürlich auch vertriebenen, überlebenden, rassisch verfolgten Menschen aus Ostdeutschland Renten gezahlt und weitere Hilfen gegeben, genau wie denjenigen, die aus der DDR in die Bundesrepublik flüchteten. Die meisten rassisch Verfolgten haben jedoch keinen Lastenausgleich erhalten. Es ist zu erwarten, daß das vereinigte Deutschland, Juden aus Ostdeutschland genauso entschädigt, wie es wohl Flüchtlinge aus der DDR und noch heute in der DDR Lebende entschädigen wird.

Der Staat Israel wird wohl aufgrund der Wiedervereinigung weitere Zahlungen erhalten aufgrund des Vertrages von 1952 zwischen Deutschland und Israel. Seinerzeit billigte der Vertrag dem jungen Staat Israel 2.000 $ pro Kopf für 500.000 Vertriebene aus Deutschland, Österreich, dem Sudetenland und der Tschechoslowakei sowie anderen, die von dem jungen Staat unter großen Kosten aufgenommen wurden. Im übrigen ein überaus kleiner Betrag pro Person. Leider zahlte die Bundesrepublik nicht den vollen Betrag an Israel, denn sie meinte, daß die DDR auch dazu beitragen sollte, was diese aber nicht getan hatte. Ich hoffe sehr, daß das vereinigte Deutschland dieser Verpflichtung nachkommen wird, genauso wie die Verpflichtungen der DDR dem Russen gegenüber eingehalten wurden.

Kurz nach der freien Wahl in der DDR erschienen einige Leserzuschriften in der von mir gelesenen lokalen Zeitung „The Palm Beach Post". Unter anderem schrieb auch der Generalkonsul der Bundesrepublik in Miami zum Thema Wiedergutmachung. Daraufhin rief ich den Konsul an und erklärte ihm, daß ich seit langer Zeit vergeblich versuche, aus Bonn Informationen über dieses Thema zu erhalten. Postwendend erhielt ich eine Broschüre der Bundesregierung.

Dieser entnahm ich, daß unter dem BEG (Bundesentschädigungsgesetz) über 4.400.000 Anträge gestellt und über 99,9 Prozent erledigt wurden. In Deutschland wohnten aber nur 600.000 Juden, von denen viele nicht überlebt haben. Viele, denen es gelang zu flüchten, überlebten nicht die 20 Jahre, bis man überhaupt einen Antrag stellen konnte. Kleine Kinder, die noch nicht die Schule besuchten, als sie emigrierten, konnten auch keine Anträge stellen. Juden aus Österreich fielen unter das österreichische Entschädigungsgesetz.

Ich glaube, daß es wohl um die 200.000 deutsche Juden waren, die in den fünfziger Jahren Anträge auf Entschädigung stellten. Die verbleibenden 4.200.000 Antragsteller waren wohl politisch Verfolgte, Vertriebene, Verbrecher, die auch ungesetzlich festgehalten wurden, Sklavenarbeiter und Geschädigte im Ausland.

Doch immer, wenn man die Wörter „Entschädigung” oder „Wiedergutmachung” hört, denkt der Durchschnittsmensch, daß dieses Gesetz und die entsprechenden Leistungen doch zumeist für überlebende deutsche Juden geschaffen worden sind. Die Tatsachen sind, daß deutsche Juden Zahlungen erhielten aus dem beschlagnahmten, erblosen Vermögen der Juden und von der Milliarden-Strafe, die Göring den Juden nach dem Novemberpogrom auferlegte. In Washington fand vom 22. bis 29. April 1990 eine Erinnerungswoche für die Toten des Holocaust und eine Ehrung der Überlebenden sowie deren Retter statt. Amerikanische Senatoren, Kongreßabgeordnete, Generäle und Regierungsvertreter, Überlebende des Holocaust und andere erhoben sich von ihren Plätzen, als 15 Soldaten in das Capitol-Rotunda mit der Fahne des amerikanischen Regiments einmarschierten, welches einige Konzentrationslager in Deutschland vor 45 Jahren befreit hatte.

Auch ich befand mich unter den Zuschauern und beobachtete und hörte die Reden sowie das Entzünden der sechs großen Kerzen in Erinnerung der sechs Millionen Toten. Minister Jack Kemp, ein populärer christlich-konservater Politiker, sprach sich gegen die Leute aus, die Politik auf Kosten Israels machen, und geiselte die Leute im Mittleren Osten, die Israel zerstören wollen.

Senator Benjamin Meed, Vorsitzender des Remembrance Comitees (Erinnerungskomitee) sprach von der letztens endlich erfolgten Entschuldigung Ostdeutschlands und über die versuchte Revision und Verkleinerung dieses Verbrechens. Wenige sagen, „vergebe uns”, viele sagen, daß wir vergessen sollten. „Das werden wir nicht tun”, betonte Senator Meed.

Vor vielen Jahren wurde vom amerikanischen Kongreß ein offizieller Tag der Erinnerung ernannt. Dieses Jahr hatte eine besondere Bedeutung aufgrund der beginnenden Konstruktion des Holocaust-Museums, das 1993 in Washington D. C. eröffnet werden soll, denn viele Befreier und Befreite kommen in das letzte Stadium ihres Lebens.

Eine überlebende Frau aus einem KZ in Deutschland berichtete, daß sie vor einigen Tagen mit einer Gruppe von Schülern über ihre Erlebnisse und ihre momentane Angst sprach. Sie erklärte, daß sie als KZ-Häftling einen Mann in Uniform erblickte und perplex war, als dieser Soldat mit seinem Hemd ihren nackten und ausgezehrten Körper bedeckte. „Er lächelte mir zu", erzählte die Frau Schülern. „Ich werde niemals das Gesicht dieses amerikanischen Soldaten vergessen."

Ich sprach mit dieser Dame. Sie berichtete mir, daß die Schüler großes Interesse und Verständnis zeigten und begierig waren, mehr zu erfahren. Ich konnte nicht umhin, an Herrn Spiegels Erlebnis vor nur kurzer Zeit in einer höheren Kieler Schule denken, als er seine Erlebnisse erzählte und gefragt wurde: „Was geht das mich an?" Und ferner: „Soll ich jetzt mit Ihnen Mitleid haben?"

Vielleicht sollten wir Mitleid mit den Kindern, Schülern und Erwachsenen haben, denen ihre Geschichte verschwiegen und kaum unterrichtet oder erklärt wurde.

Natürlich ist es etwas Verständliches, daß alle unterdrückten und einverleibten Nationen, wie klein sie immer sein mögen, ihre Unbhängigkeit wünschen und mit Recht begehren. Litauen, Lettland und Estland wollen sich von Moskau lösen, doch Moskau macht Schwierigkeiten.

Beim Betrachten der Landkarte von Osteuropa muß ich feststellen, daß im Falle einer Unabhängigkeit der baltischen Länder, und dies ist wohl nur eine Frage der Zeit, die Sowjetunion den östlichen Teil Ostpreußens mit Königsberg als Hauptstadt, den sich die Russen nach dem Kriege einverleibt haben, nur durch einen neuen polnischen Korridor bereisen können werden. Doch mich schaudert es, wenn ich nur dieses Wort „Korridor" höre, eine politische Lösung, die aber keine Lösung ist.

Ferner kann ich nicht umhin zu denken, daß vielleicht die Russen etwas zögernd den baltischen Ländern ihre Unabhängigkeit geben, weil die Russen und Polen Minderheiten in diesen Ländern haben. Vielleicht denken die Russen auch an die Minderheiten, die sich in diesen Ländern zur Zeit der deutschen Besetzung befanden.

Leider ist es nun einmal eine geschichtliche Tatsache, daß diese Länder ihre jüdischen Minderheiten schnellstens und grausam dem Tod zuführten, mit Erlaubnis der Nazis versteht sich, aber trotzdem eigenständig, eifrig und brutal. In Riga wurde ein Ghetto errichtet, in dem besonders aus Norddeutschland deportierte Juden ermordet wurden. Ein Stamm von Regierungsbeamten aus Schleswig-Holstein unter Leitung des Gauleiters Lohse trieb sein Unwesen insbesondere in Lettland. Als die russischen Truppen 1944 nicht weit vor Wilna standen, und die die deutschen Behörden das Ghetto mitsamt den Bewohnern zerstören wollten, doch es wahrscheinlich aus Angst vor späterer Strafe nicht taten, kam aus Estland deren Polizei den Schreibtischmördern zu Hilfe, um das Ghetto zu liquidieren.

Ende Mai 1990 flog ich wiederum nach Kiel, wo ich seit Jahren immer einen guten Teil des Sommers verbringe. Anfang Juni besuchte ich das Rathaus in der Hoffnung, daß, wie versprochen, endlich eine neue und verbesserte Erinnerungsliste der jüdischen Opfer des Nationalsozialismus in der Gedenkhalle ausliegt. Seit Jahren gibt es eine genaue Liste der Opfer, und ich hoffte, anstatt einer unvollständigen, beschädigten und beschmierten Liste, endlich nach vielen Jahren ein würdiges Gedenkbuch vorzufinden.

Das Gedenkbuch, in schönem Leder gebunden, war noch da, die Namen klar und sauber, doch es waren neue Namen, Namen der unglücklichen Opfer der Nazigewaltherrschaft aus dem KZ Kiel-Russee. Polen, Rußland und Jugoslawien, kaum ein westliches Land wurde als Herkunftsland dieser unglücklichen Opfer angegeben.

Mein erster Gedanke war, es wird wohl irgendwo im Rathaus eine weitere Gedenkstätte geben oder entstehen. Ich sprach noch am selben Tag mit zwei höheren Beamten im Rathaus. Beide meinten, daß ich mich wohl irre. Wenige Tage später hörte ich dann vom Büro der Stadtpräsidentin, daß die Liste der jüdischen Opfer der Nazizeit noch nicht fertiggestellt ist, und ich könnte genauere Auskunft im Kulturamt der Stadt Kiel erhalten.

Vom Kulturamt der Stadt wurde mir wiederum mitgeteilt, daß die Liste der jüdischen Opfer zwar fertiggestellt ist, aber daß man aus Zeitmangel noch nicht die endgültige Liste hatte herstellen können. Auf meine Frage hin wurde mir erklärt, daß nur der Herr, der sich mit diesem Projekt befaßt, mir antworten könnte. Ferner, daß veranlaßt wird, daß sich dieser Herr mit mir in Verbindung setzte. Ich hörte trotz zweier Erinnerungen weder vom Kulturamt noch von den Herren mehr zu diesem Thema.

Nicht nur ich, viele weitere Kieler sind ebenfalls entsetzt über diese, gelinde ausgedrückt, Schlampwirtschaft der Kieler Behörden, über das nicht vorhandene Taktgefühl und die sich immer wiederholende Entschuldigung „die linke Hand weiß nicht, was die Rechte tut".

Bei einem weiteren Rathausbesuch ergab sich die Gelegenheit zu einem kurzen Gespräch mit Dr. Jensen. Ich bat ihn um eine Kopie eines Bildes, welches sich im Besitz des Archivs befindet und mich mit weiteren Schülern der jüdischen Religionsschule in Kiel zeigt. Dieser Wunsch wurde mir erfüllt. Ferner wurde ich von Dr. Jensens Sekretärin gefragt, ob ich mit ihm sprechen möchte, was ich selbstverständlich begrüßte.

In unserem Gespräch meinte er, daß er mich letztes Jahr bei der Einweihung des Mahnmals der Synagoge begrüßt hätte. Ich erwähnte allerdings, es wäre sehr gut möglich, daß er mich dort gesehen hat, aber wie ich mich erinnere, wurde ich von keinem der städtischen Honoratioren begrüßt.

Dr. Jensen meinte, obwohl er mit der nicht ausgesprochenen Einladung der Stadt nichts zu tun hatte, ich doch vielleicht berücksichtigen sollte, daß des öfteren vergessen wird, zum Beispiel bei Begräbnissen, Leute einzuladen, die unbedingt hätten eingeladen werden müssen. „Dies mag wohl sein", erwiderte ich, „aber ich perönlich war noch nie auf einem Begräbnis, wo man den Verstorbenen nicht dabei hatte." Im übrigen sagte ich ferner, sei es keine Frage des Vergessens. Die Verantwortlichen hätten dies diskutiert und entschieden, keine Einladungen zu versenden oder vorherige öffentliche Bekanntmachungen zu machen. Es war, wie man in Amerika sagen würde, ein mit Absicht geplantes „Low Key"-Ereignis. Doch wollte ich diese Gelegenheit eines Gespräches benutzen, um ihn zu fragen, wann und in welchem Jahr das Manuskript über die Kieler jüdische Gemeinde des letzten Rabbiners in Kiel, Dr. Arthur Posner, in den Besitz der Stadt gelangte. Leider konnte mir Dr. Jensen nur sagen, daß dieses Manuskript, eine Schreibmaschinenkopie mit einigen fehlenden Seiten, sich jetzt im Besitz des Stadtarchivs befindet.

Gerd Müller, der persönliche Referent der Kieler Stadtpräsidentin, erklärte mir die Pläne und Anträge der Administration. Frühere jüdische Bürger sollten endlich bei Besuchen, die von der schleswig-holsteinischen Landesregierung getragen werden, in Zukunft zum Mittagessen und dieselben noch ein bis zwei Tage als Gäste der Stadt Kiel eingeladen werden. Ferner werde eine Einladungsaktion für diese Bürger zum 750jährigen Stadtjubiläum im Jahre 1992 geplant. Dieser Vorschlag wurde auch positiv vom Stadtparlament aufgegriffen.

Leider sieht heute die Praxis betreffend Einladungen und Anerkennung dieser früheren Bürger nicht so aus und wird wahrscheinlich auch in Zukunft nicht so aussehen, wie sich sicherlich Herr Müller und das Büro der Stadtpräsidentin es wünschten. Meine Recherchen ergaben, daß viel zu viele Leute im Kieler Stadtrat sich gegen Einladungen und

270

weitere Gesten gegenüber ihren früheren jüdischen Mitbürgern aussprechen. Geld, Zeit und Personalmangel wird als Grund angegeben. Dies
wurde mir auch im Spätsommer 1990, als ich wieder von Kiel nach
Florida aufbrach, vom Büro der Stadtpräsidentin bestätigt.

Arnold Maury, ein bekannter Komponist, in Kiel geboren und wohnend,
wurde mir vom Büro der Stadtpräsidentin vorgestellt. Wie mir erklärt
wurde, ist Herr Maury von der Stadt Kiel beauftragt worden, eine Oper
über das jüdische Leben in Kiel vor und während der Nazizeit zu
schreiben und zu komponieren. Ich besuchte Herrn und Frau Maury in
ihrer Wohnung in Kiel, Damperhofstraße 21, ein Haus, an das ich mich
sehr wohl erinnere. Dieses Haus hat, glaube ich, mein Großvater, Wolf
Ehrmann, um die Jahrhundertwende gebaut. Jedenfalls war meine Tante,
Regina Grünbaum geborene Ehrmann verwitwete Nagelberg, die letzte
Besitzerin dieses Hauses.

Meine Großeltern sowie meine Tante und ihre Familie wohnten in den
beiden Parterrewohnungen dieses Hauses. Meine Cousins hatten das
Haus später in den fünfziger Jahren gekauft.

Arnold Maury wurde in diesem Haus, wie er mir sagte, 1927 geboren
und wohnt heute noch immer in derselben Wohnung. Er erinnert sich
an meine Großeltern und meine Tante, meinen Onkel sowie deren Kinder, und insbesondere, daß mein Großvater im Herbst während des
jüdischen Laubhüttenfestes eine Laubhütte auf dem Hof des Grundstük-
kes aufstellte. Herr Maury zeigte mir den Baum, den mein Großvater
noch gepflanzt hatte, und die Stelle, wo die Laubhütte stand und auch
wo sich der Hühnerstall meiner Großmutter befand. Ich hatte noch
lebhafte Erinnerungen daran.

Er wollte etwas mehr über das Laubhüttenfest wissen, insbesondere
über den Ritus und die Feier. Auch interessierte ihn ein jüdisches Lied
und dessen Melodie, welches eventuell in einer Laubhütte gesungen
wurde. Ich habe diesbezüglich Herrn Maury gern geholfen. Mir hatte
besonders die Arbeit Spaß gemacht, als ich eine Melodie sang, die dann
Herr Maury zu Noten brachte.

Ich erzählte Herrn und Frau Maury, daß mir zu allererst der Wunsch
der Stadt Kiel, eine Oper in Auftrag zu geben, etwas komisch vorkam,
gelinde ausgedrückt. Denn gerade zu diesem Zeitpunkt waren die Zeitungen in Kiel voll mit Berichten über eine städtisch finanzierte Opernfahrt
nach Estland, die der Stadtkasse ein riesiges Defizit bescherte. Ich
persönlich dachte, die Stadt hätte die Nase voll vom Thema Oper.

Herr Maury sagte mir, daß er zwar gebeten wurde, diese Oper zu
schreiben, aber der offizielle Auftrag und die Bestätigung liegen noch

aus. Einige Wochen später sprach er während eines Empfangs anläßlich der Kieler Woche die Stadtpräsidentin in meiner Gegenwart darauf an. Frau Reyer konnte ihm zu diesem Zeitpukt keine positive Antwort geben.

Ich muß zugeben, daß ich persönlich doch etwas schockiert war. Da wurde ich vom Büro der Stadtpräsidentin gebeten, Kontakt mit Maury aufzunehmen. Es wurde mir gesagt, die Stadt plane eine Oper zum 750jährigen Stadtjubiläum in Erinnerung an die früheren jüdischen Einwohner herauszubringen, und Herr Maury wäre damit beauftragt.

Im Sommer 1990 starb in Kiel die mir noch als Kind bekannte Frau Pietsch im Alter von 92 Jahren. Soweit mir bewußt ist, war sie die letzte praktizierende Glaubensjüdin in Kiel. Frau Pietsch wurde, wie ihr vor einigen Jahren verstorbener Mann, auf dem jüdischen Friedhof in Hamburg beigesetzt. Wie mir berichtet wurde, wohnt eine weitere Jüdin in Kiel, die mit einem Nichtjuden verheiratet war und erst kürzlich ihren 83. Geburtstag feierte.

1955 lernte ich bei einem Kiel-Besuch ein jüdisches Ehepaar namens Ollstein kennen, die eine Imbißstube in der Flämischen Straße, einige Schritte von der Nikolaikirche entfernt, betrieben. Beide waren einfache Leute, aus dem Osten stammend, die nach Deutschland als Sklavenarbeiter verschleppt und in Schleswig-Holstein befreit wurden. Beide hatten bereits eigene Familien, die aber im Krieg ermordet wurden. Durch harte Arbeit waren die Ollsteins in der Lage, neben ihrer Imbißstube ein kleines Hotel zu errichten. Dieses Hotel erhielt den Namen „Tel Aviv". Wie Ollstein mir bei einem späteren Besuch sagte, wollten sie damit wohl auch ihre Zugehörigkeit zum jüdischen Volk bekennen. Er hatte eine Schwester, die in Israel lebte, folgte aber auch der deutschen Sitte, wo Hotels nach Städten im In- und Ausland benannt wurden, und somit auch zur Verständigung unter den Völkern beitrugen.

Frau Ollstein starb bereits vor ungefähr 30 Jahren, Herr Ollstein vor fünf oder sechs Jahren. Diesen Sommer bemerkte ich bei einem Spaziergang, daß dieses Hotel „Tel Aviv" jetzt den Namen „Flämischer Hof" trägt. Ich erkundigte mich an der Rezeption bei einer Dame, die, wie sie mir berichtete, schon für Herrn Ollstein gearbeitet hatte, warum das Hotel von den neuen Besitzern umgetauft wurde. „Ich glaube", meinte sie, „weil ‚Tel Aviv' ein ausländischer Name ist". Ich beließ die Frau in ihrem Glauben, daß „Flämisch" inländisch sei.

Ich bin mir fast sicher, daß der neue Besitzer eben nur den Namen änderte, was des öfteren neue Besitzer mit gutem Recht tun. Auch denke ich, daß ein Name wie „Hotel Tel Aviv" gar nicht zu Kiel, der Landeshauptstadt ohne Juden, passen würde.

Eine Bekannte, Kielerin meines Alters, erzählte mir während eines Gesprächs folgendes: Am 30. Juni 1990 erschien ein Artikel in den Kieler Nachrichten, in dem berichtet wurde, daß zwei Herren mit Förderung der Landesarbeitsgemeinschaft Film und der kukturellen Filmförderung des Landes über Kiels Paradekino ein bißchen Stadtgeschichte schreiben und einen Streifen darüber drehen.

Sie erzählte mir weiter, daß der inzwischen verstorbene Kinogroßkaufmann Klaus Szcepanik, Vorgänger der heutigen Ufa-Filmtheater AG, insofern zu diesem Filmbericht und zur Stadtgeschichte beitragen wird, daß er immerhin als Besitzer von acht Kinos alle festlichen Augenblicke der Kieler Ereignisse für die Wochenschau „Die Kieler Lupe" festhalten ließ.

Diese Dame wandte sich daraufhin mit einem Leserbrief vom 8. Juli 1990 an die Redaktion der Kieler Nachrichten, in dem sie berichtete, daß aufgrund der in den dreißiger Jahren verlangten Arisierung der in jüdischem Besitz befindlichen Betriebe, Klaus Scepanik der Besitzer eines bekannten Kinos in Kiel, die „Kaiserkrone", wurde.

Der frühere jüdische Besitzer dieses Kinos, Josef Ehrlich, berichtet die Dame weiter, wurde von dem neuen Besitzer, dem früheren Angestellten, Herrn Scepanik, fair behandelt, vor den Nazis geschützt und versorgt. Doch leider wurde Herrn Ehrlich das Schicksal seiner Leidensgenossen nicht erspart, denn er wurde noch kurz vor Kriegsende deportiert und ermordet.

In dem Leserbrief berichtete die Dame weiter, eben weil Herr Scepanik dieses Unternehmen von Herrn Ehrlich übernahm, war er dann später in der Lage, sich als Großunternehmer und Kinomogul heraufzuarbeiten.

Dieser Leserbrief wurde von den Kieler Nachrichten nicht gedruckt, wie es die Dame und weitere Kieler mitteilten. Ich teile deren Hoffnung, daß der kommende Filmbericht die Stadtgeschichte vollkommen darstellt und die Tätigkeit des Kielers, Herrn Ehrlich, als Filmpionier in Kiel würdigt.

Im Sommer 1990 hatte auch ich eine persönliche Erfahrung mit der Redaktion der Kieler Nachrichten, einer Zeitung, die ich des öfteren in Kiel lese. Nicht nur deshalb, weil sie die einzige Kieler Tageszeitung ist, sondern weil ich oft ihre politische Meinung teile, insbesondere so manche Kommemtare ihres Chefredakteurs, Wolfgang Kryszohn, schätzen lernte.

Im lokalen Teil wurde von einem Besuch und einer Einladung von Arabern aus Israel in Kiel berichtet. In dem Bericht wurde der Staat

Israel als Lügner und als gemeiner Mörder beschimpft, Gewalttätigkeiten verharmlost. Man konnte antiisraelische Töne und Tendenzen des Kieler Gastgebers dieser Gruppe hören.

In einem Leserbrief an die Kieler Nachrichten beschrieb ich die Tatsachen, wie sie waren, so daß die Leser informiert waren. Auch dieser Leserbrief wurde nicht gedruckt.

Bei einem telefonischen Gespräch mit Herrn Eckhard Groddek, einem Redakteur der Kieler Nachrichten, erinnerte er sich sehr wohl, meinte aber, dieses Thema passe nicht für einen Leserbrief, da politische Probleme nicht in einem Leserbrief erörtert würden. Von mir darauf hingewiesen, daß Wiedervereinigung, ehemalige DDR und andere politische Subjekte in Leserbriefen erwähnt werden, meinte Herr Groddek: „Da haben Sie Recht, aber dann wohl eher im Zusammenhang mit den lokalen Interessen".

Von mir darauf hingewiesen, daß mein Brief aufgrund des Artikels erfolgte, der im lokalen Teil der Kieler Nachrichten gedruckt war, erwiderte Herr Groddek wiederum, daß ich wohl Recht habe.

„Herr Groddek", erwiderte ich, „in aller Fairneß möchte ich Ihnen sagen, daß ich momentan an meiner Biografie arbeite. Als Kieler mußte ich in der Nazizeit emigrieren. Ich schreibe detailliert über mein Leben und auch über meinen augenblicklichen Besuch in meiner Heimatstadt. Unter anderem werde ich auch von meinem Leserbrief schreiben und hätte wirklich gern den Grund dieser Nichtveröffentlichung erfahren".

Herr Groddek erwiderte, daß er, nachdem er meinen Brief erhalten hatte, nach Prüfung entschied, diesen nicht zu drucken. Aber was ich ihm jetzt erzähle, ein Buch, die Lebensgeschichte eines Kielers, dieses Thema würde ihn als Lokalredakteur sogar sehr interessieren. Er schlage vor, daß wir dieses Buch gemeinsam besprechen sollten. Die Zeitung würde doch sehr interessiert sein, darüber zu berichten, eventuell mit Berichten und Bildern. Wir vereinbarten, wenn das Manuskript oder Buch fertig sein sollte, uns zu treffen.

Ich bat Herrn Groddek nochmals, meinen Leserbrief zu drucken. Er müßte es sich noch einmal überlegen, erwiderte er, insbesondere, da dieses Thema und Problem doch eigentlich sehr weit entfernt von Kiel und die Leser der Kieler Nachrichten doch wirklich nichts mit diesem Problem zu tun haben.

„Im Gegenteil", erwiderte ich, „die Schweizer, Holländer und andere haben nichts mit diesem Problem zu tun, um Ihre Worte zu benutzen, Herr Groddek, aber die Kieler sowie alle Deutschen haben sehr viel damit zu tun. Im März 1933 wählten die Kieler und das restliche Deutschland Hitler und Genossen an die Macht und Regierung, deren Programm, wen auch noch etwas verschleiert, bekannt war. Deutsche Bürger flüchteten in das damalige Palästina. Überlebende nach dem Krieg auch. Israel ist zwar ein Staat, der aufgrund von zionistischen Ideen und Weltanschauungen gegründet wurde, aber bisher wurde noch kein Staat nur mit Ideen gegründet. Dazu braucht man Einwanderer. Die hat Deutschland aufgrund seiner mörderischen Politik geliefert".

Herr Groddek gab mir wiederum Recht und ließ sich damit auf keine Diskussion ein. Ich wollte die Redaktion der Zeitung nur bitten, meinen Leserbrief zu drucken. Allerdings sagte Herr Groddek, daß er es nochmals überdenken möchte. Tatsache ist, der Brief wurde nicht gedruckt.

25. Warum soll ein Jude kein Deutscher sein?

Aufgrund meiner vielen Diskussionen mit Deutschen besonders in der letzten Zeit, weiß ich auch von der Müdigkeit, dem Unwillen sowie der nicht vorhandenen Bereitschaft, ein altes Thema wie die deutsche Judenverfolgung und bestialische Ermordung zu diskutieren oder zu beschreiben, bzw. sich zu erinnern.

Das Gift der Unverbesserlichen und Ewiggestrigen wirkt stärker, als man annimmt. Der Deutsche und fast 100 Prozent der heutigen Lebenden haben mit dieser furchtbaren Vergangenheit nur soweit etwas zu tun, daß es ihre Geschichte ist, die man nicht ändern kann.

Ein junger deutscher Student sagte mir vor nicht allzu langer Zeit: „Manche Deutsche können den Juden nicht vergeben, daß Millionen von Juden umgebracht wurden". Diese unermeßliche Schuld der damaligen Verantwortlichen und Schuldigen können viele nicht verstehen und verarbeiten, insbesondere, da sie nur wenig oder kaum über ihre Geschichte informiert sind. So wird leider das Opfer der Schuldige. Und leider hörte ich des öfteren von freiheitlich und demokratisch orientierten Deutschen: „Der Galinksi sollte mal endlich Ruhe geben". Herr Galinski vertritt die Juden Deutschlands bei den Ländern und der Bundesregierung. Und wenn er auf die nicht aufhörenden Schändungen jüdischer Friedhöfe, auf PLO-Terroristen in der alten DDR, die kolossale antisemitische Propaganda dort und auf Neo-Nazis hinweist, muß und soll er es tun.

Leider hörte ich auch wiederum von Leuten, die Herrn Galinski mundtot sehen möchten, auch den Spruch: „Warum sich die Juden seinerzeit nicht gewehrt haben, verstehe ich nicht". Daß Herr Galinski sich mit Worten wehrt, versteht man nicht, aber nach reifer Überlegung wohl doch. Nein, man wird sich weiter und hoffentlich nur mit Worten wehren müssen, denn es wäre schrecklich, wenn man sich tatsächlich wehren müßte. Schrecklich für Opfer und Täter. Einen tödlichen Judenhaß und Ausschreitungen wird es wohl deshalb nicht mehr geben. Nein, Herr Galinski muß gegen diese antisemitischen Parolen in West- und Ostdeutschland protestieren. Er erhält hierin nur wenig Unterstützung.

Herr Mitterand, der französische Staatspräsident, handelt im Gegensatz zu deutschen Spitzenpolitikern schon fairer und besonders staatsmännisch und demokratisch bewußt. Als im Mai 1990 im französischen Carpentras ein jüdischer Friedhof auf besonders bestialische Art geschändet wurde, selbstverständlich auch mit importierten Hakenkreuzen, zog Herr Mitterand mit tausenden von Protestlern in einem Marsch durch Paris und sprach zu einer Menge von Hunderttausenden.

Vielleicht sollte Herr Bundeskanzler Kohl diesen Schritt seines Kollegen Mitterand erwägen, mit dem er erst vor wenigen Jahren auf den Schlachtfeldern und Soldatenfriedhöfen Frankreichs händehaltend der Vergangenheit gedachte und eine bessere Zukunft erhoffte.

Dieser Rat ist sicherlich nicht fehl am Platz, wenn man bedenkt, wie viele jüdische Friedhöfe gerade seit dem Fall der Mauer in Deutschland geschändet wurden. Und wenn Herr Kohl dies tatsächlich tun würde, aber keine hunderttausend Protestierende in Berlin oder Bonn zusammen bekäme, sollten er, sein Kabinett und die Länderregierungen die Ärmel hochkrempeln und endlich zwingend und ehrlich die deutsche Geschichte aufarbeiten. Es wird viel Arbeit sein, dies zu tun, aber es muß endlich damit radikal angefangen werden.

Meine Erinnerungen wären unvollständig, wenn ich nicht die Bitten und Phrasen wiederholen würde, die mich manchmal erschüttern und manchmal zum bitteren Lachen bringen. Nach so vielen Jahren wird mir des öfteren gesagt, die Juden sollten doch endlich verzeihen und vergessen. Wir alle wissen, daß Vergleiche hinken, und deshalb ist mein nächster Abschnitt kein Vergleich, sondern eine Tatsache.

Die Teilung Deutschlands wird weder vergeben noch jemals vergessen werden. Sie wird heute und in Zukunft als deutsche Geschichte unterrichtet und darf niemals unterschlagen werden.

Die ungerechte und moralisch falsche Vertreibung von deutschen Mitbürgern aus ihrer Heimat, von Deutschen herausgefordert, wird weder vergeben noch vergessen, trotz beschwichtigender Worte der Regierung. Diese Geschichte wird weiterhin in Schulen dargestellt und unterrichtet werden. Verbände der Vertriebenen spenden Millionen, damit nichts vergessen wird. Dies stört die Völkerverständigung in großem Maße.

Natürlich darf ich den Schandvertrag von Versailles nicht vergessen, und ein Schandvertrag war es. Wenn es nicht diesen Vertrag gegeben hätte, höre ich des öfteren heutzutage, hätten wir keinen Hitler gehabt.

Ich erinnere mich genau an meine Schulzeit in der Weimarar Republik, wie bei uns Schülern der Haß auf die Franzosen und das furchtbare Diktat von Versailles hervorgerufen wurde. Doch betreits in der Weimarer Republik wurde Geschichte unterschlagen oder nicht gelehrt.

Der Vertrag von Brest-Litowsk, 1917 von den Deutschen den Russen diktiert, war ein sehr harter und schändlicher Vertrag, wohl einige Nuancen schändlicher als Versailles. Doch am Ende verloren die Deutschen den Krieg, und somit war der Vertrag von Brest-Litowsk nur ein Stück Papier. Ich schrieb, wir Deutschen verloren den Krieg, denn in diesem Krieg waren mein Vater und viele meiner Onkel auch dabei.

Im Deutschland von heute wird so viel und zu recht über die Umweltverschmutzung gesprochen und gelehrt, das Waldsterben, Atomkraft, Verseuchung von Flüssen, Seen und Meere und die Gefahr für Menschen, Pflanzen und Tiere. Und das ist gut so. Doch über die bewiesene Gefahr der Vergangenheit wird kaum geredet und unterrichtet. Sie wird kaum verarbeitet, und dies, obgleich diese Gefahr noch immer gegenwärtig ist.

Freunde aus Deutschland schickten mir des öfteren Zeitungsausschnitte, insbesondere Leitartikel, die ich wohl als interessant und lesenswert aufgrund der deutsch-deutschen Entwicklungen betrachten würde. Dank dieser Artikel wurde ich darüber informiert, daß Herr Gysi ein nicht praktizierender Jude ist. Über weitere neue Namen in der ehemaligen DDR, Politiker wie die Herren Modrow, d'Maiziere und Diestel, wurde in den Zeitungen über eine etwaige Religionszugehörigkeit, praktizierend oder nicht praktizierend, nicht berichtet. Es schien mir, daß die deutsche Presse und die Leser eben nur die nicht praktizierende Religionszugehörigkeit des Herrn Gysi im Jahre 1990 der deutschen Wiedervereinigung interessierte.

Im Sommer 1990 habe ich nicht nur Westdeutschland bereist, sondern ziemlich intensiv auch Ostdeutschland. Ich sprach mit Bürgern beider Staaten und bewunderte die Schnelle, mit der alles vor sich ging.

Ich konnte nicht umhin, zu erkennen, daß es vielen gar nicht um eine Einheit ging, sondern um das persönliche Wohlergehen und auch um Macht. Ich bemerkte parlamentarische Verfahren in beiden Teilen Deutschlands, die mich etwas sehr stark an die Weimarer Republik erinnerten. Leider war es ein Bild der Uneinigkeit, und man hörte wieder vaterländische Töne. Sicherlich wird sich wohl alles nach dem offiziellen Beitritt und den Wahlen langsam regeln.

Während meiner Reisen in der DDR fand ich etwas Angst, Freude und Unsicherheit vor, weiterhin einen unverbesserlichen Antisemitismus, weit stärker als in der Bundesrepublik, insbesondere unter der Jugend. Selbstverständlich sind es immer nur einzelne, wenige, die vergiftet sind mit diesem Virus. Doch die Geschichte lehrte uns, wie ansteckend dieser ist, tödlich für Juden und Nichtjuden.

Ich besuchte Potsdam, Oranienburg und mit Freunden, die aus Rügen stammten, auch diese schöne Insel. Selbstverständlich war ich auch in der Partnerstadt Kiels, Stralsund, die vor Rügen liegt. Der Kieler Kämmerer und Bürgermeister, Herr Hochheim, erzählte mir bereits von Stralsund, da er diese Stadt schon des öfteren besucht hatte. Sein Chauffeur schafft es von Kiel aus in vier Stunden, aber wie Herr Hochheim sagte: „Er fährt unter dem Teer".

Wochen später erfuhr ich dann aus der Presse, daß PLO-Terroristen bis zum 20. August 1990 in Stralsund ausgebildet worden sind, 31 Terroristen, die offiziell von der damaligen DDR als PLO-Offiziersanwärter benannt wurden. Mir geht es überhaupt nicht in den Kopf, daß dieser Staat, viele, viele Monate nach erlangter Freiheit, dieses Pack noch weiter ausbildete. Selbstverständlich, wurde offiziell gesagt, erhielten die Herren nur eine soldatische Ausbildung. Ja, hieß es weiterhin, Umgang und Anlegen von Sprengstoff gehörten zur soldatischen Ausbildung.

Haben sich die Neudemokraten, die Freiheitskämpfer dieser Neudemokratie in der DDR, nicht gefagt, warum Arafat, Chef der PLO, dem Terrorismus inner- und außerhalb Israels abgeschworen hat bzw. leugnet, und wozu er Soldaten und Sprengstofflager überhaupt braucht?

Viel Arbeit wird es in der DDR geben, um alles zu restaurieren, und sicherlich auch viel Streit, wem was und wo gehört. In einer Sache sind sich allerdings viele Einwohner in Ost- und Westdeutschland einig: „Man will einfach nicht das Herzklopfen, Unbehagen und vielleicht die Angst ihrer Nachbarländer verstehen". „Die haben nur Angst vor unserer Wirtschaftsmacht, nichts anderes", „wir sind gute Demokraten" und andere Aussagen hörte ich des öfteren. Man wollte einfach Herrn Luns nicht verstehen, wenn er sagte: „Das Ausland hat keinen Grund, auf den Straßen zu tanzen".

Der neue wiedervereinigte Durchschnittsdeutsche muß begreifen, daß ganz Europa diese Wiedervereinigung billigte. Wenn Europa das nicht gebilligt hätte, wäre und gäbe es keine Wiedervereinigung. Er sollte weiterhin lernen, daß ein Opfer nicht so schnell vergißt wie ein Täter, und sollte vielleicht etwas Verständnis für das Herzklopfen einiger Nachbarländer zeigen. Natürlich muß es Herzklopfen im Ausland geben, wenn man Berichte deutscher Zeitungen liest, wie zum Beispiel von Dutzenden von Stasi-Mitarbeitern, die heute im Parlament sitzen.

Ein Däne sagte mir, der Erfolg der Neo-Nazis liege einfach daran, daß jetzt nach der Wiedervereinigung die Zugehörigkeit in der Partei der DDR genauso wenig beruflich schaden wird, wie seinerzeit nach 1945 das Parteibuch der Nazis schadete.

Trotz alledem, ich glaube nicht, daß irgend jemand im Ausland Ängste oder Herzklopfen aufgrund der deutschen Vereinigung haben sollte, dies bestätigte die Golfkrise. Die Einigkeit der UNO, deren Beschlüsse, die Entschlossenheit der westlichen Welt konnten dem Saddam Hussein aus dem Irak sein teuflisches Handwerk legen. Die Welt war sich einig, und ein jeder half nach seinen Kräften. Uneinigkeit war allerdings in Deutschland zu spüren. Die Regierung war gespalten: Sollen wir Soldaten schicken oder nicht? Man verschanzte sich hinter dem Grundgesetz, die Straßen waren voll mit Protestierenden, die gegen eine deutsche Einmischung im Golf protesierten. Die Bundesregierung entschloß sich, drei Minensuchboote ins Mittelmeer zu senden. Als die wenigen Hundert Marinesoldaten Abschied im Heimathafen von ihren Angehörigen nahmen, war dieser Abschied so tränenreich, im Gegensatz zu früheren Zeiten, daß es sicherlich eines Feudelkommandos bedurfte, um die Tränen aufzumoppen. Dabei ging es nur in das sonnige Mittelmeer, gute 1.000 Kilometer von der Front entfernt.

Der Irak war mit Hilfe der westlichen Mächte, dem arabischen Geld und insbesondere durch die Hilfe russischer Experten zur Militärmacht geworden. Leider, besonders bedauerlich, auch mit Hilfe so mancher deutscher Unternehmen konnte der Irak mit Giftgasen drohen: Wie wir wissen, benutzte er bereits diese schreckliche, tödliche Waffe.

Wir wissen auch, daß die Bundesregierung vor Jahren nicht so besorgt und zimperlich war, als sie für lange Zeit amerikanischen Hinweisen nicht nachging und auch bestritt, daß die Lahrer Imhausen Chemie eine Giftgasfabrik für den lybischen Führer Gaddafi baute. Als die deutsche Justiz endlich Jürgen Hippenstiel-Imhausen ins Gefängnis schickte, hatte Gaddafi schon seine Giftfabrik.

Gleich zu Anfang der Golfkrise hatten die deutschen Behörden sofort zugeschlagen und weitere Hilfen von deutschen Firmen, die den Irak seit Jahren mit Lieferungen von Materialien und „Know how" bei der Herstellung schrecklicher Waffen behilflich waren, gestoppt. Selbstverständlich habe ich kein Mitleid mit den in Untersuchungshaft sitzenden deutschen Geschäftemachern, doch ist es nicht nur ihre Geschäftemacherei, die ich verurteile. Ich kann nicht umhin, der Bundesregierung vorzuwerfen, daß sie ihrer Aufsichtspflicht nicht genügt hat, insbesondere, wo die Regierung auf die Mißstände hingewiesen worden war. Auch hätte die nicht allzu weit entfernte Geschichte Großdeutschlands, wenn dieselbe gelehrt und bearbeitet würde, wohl dazu beigetragen, daß nicht gerade Deutsche sich auf diese Art Geschäfte einließen.

Ich persönlich sehe in der Zukunft eine Einigkeit Europas, inbegriffen der Vereinigten Staaten. Doch bis dahin wird der Weg dahin noch etwas Zeit in Anspruch nehmen. Eine einzige und wohl begründete Besorgnis habe ich nur über den Neo-Nazismus, der winzig und klein ist, aber deshalb Einfluß gewinnen kann, da die Deutschen nur wenig in der Schule und im Elternhaus über das Problem der Gewaltherrschaft, die es eben nun einmal gab, gelernt haben oder darauf hingewiesen wurden.

In den letzten Jahren habe ich mit hunderten Deutschen gesprochen, auf Reisen, in Restaurants, Cafés und wo auch immer. Ich glaube, ich hatte Kontakt mit wohl allen Bevölkerungsgruppen, doch hat sich auch das Gift des Völkerhasses des öfteren bei Menschen mit sehr liberaler und demokratischer Weltanschauung eingeschlichen.

Immer hörte ich insbesondere zwei Argumente: Jüdische Friedhofsschändungen passieren nicht nur in Deutschland, sondern auch im Ausland. „Stimmt", meinte ich, „wenn auch sehr viel weniger im Ausland, doch habe ich noch von keiner ausländischen Friedhofsschändung gehört, in der nicht Mauern und Grabsteine auch mit Hakenkreuzen beschmiert sind".

Das zweite Argument: Warum hat das Ausland nicht die Juden aufgenommen, die Hitler nicht haben wollte? Als Zuhörer und Befragter spürte ich direkt, wie diese Giftspritze auf den Fragenden gewirkt hatte, wie genau die alte und neue Garde der Nazis arbeitet, und dies alles nur von Mund zu Mund.

Ich antwortete zuerst mit einer Gegenfrage: „Was für Verpflichtungen hatte das Ausland, Deutsche, die Hitler nicht paßten und vertreiben wollte, aufzunehmem? Wenn es sich um Jugendliche handelt, erkläre ich denen zuerst, daß die Bürger Deutschlands, die Hitler nicht haben wollte, keine Ausländer, Asylanten sind oder sich illegal in Deutschland aufhielten". Nein, diese Leute wohnten bereits mehr als 1.000 Jahre in Deutschland, als es den Begriff „Deutsche" und „Deutschland" überhaupt noch nicht gab. Sie sprachen immer die deutsche Sprache, und sprechen sie noch heute. Diese Deutschen haben viele Nobelpreise bekommen, waren im wissenschaftlichen und im geschäftlichen Bereich sehr rege und tüchtig, kämpften und starben in vielen Kriegen für das deutsche Vaterland.

Natürlich, antwortete ich, hatte das Ausland viele Flüchtlinge aufgenommen, doch mit wenig Begeisterung, und sicherlich hätten mehr aufgenommen werden können. Immerhin rettete sich ein großer Teil der deutschen und österreichischen Juden ins Ausland, von denen wiederum viele später, als fast ganz Europa von Deutschland besetzt wurde, von den deutschen in die Todeslager deportiert wurden.

Ferner versuchte ich zu erklären, warum das Ausland ungern verarmte, beraubte Flüchtlinge ohne Mittel und Geld aufnahm, insbesondere, wo es im Ausland genügend eigene Arbeitslose gab. Keiner im zivilisierten Ausland wußte bzw. konnte sich vorstellen, was Hitler eigentlich als Endlösung plante.

Eine weitere Vorsicht war dem Ausland damit geboten, daß deren Geheimdienste und Nachrichtenwesen wußten, daß die deutsche Abwehr und Spionage in den Jahren vor dem Krieg viele Agenten als Nazigegner oder Juden getarnt in das Ausland einschleusten. Mit Ausbruch des Krieges konnten nur noch wenige einzelne Juden Deutschland verlassen. Später durften sie nicht mehr auswandern. Trotzdem flüchteten noch viele in die Schweiz, nach Schweden, und keinem wurde die Einreise verweigert.

Schon als Kind interessierten mich immer Flottenbesuche ausländischer Schiffe im Kieler Hafen, und noch heute besichtige ich gern diese Schiffe, wenn sie zur Besichtigung freigegeben werden. Dem US-Schlachtschiff Iowa wurden im Jahre 1988 von Green Peace Schwierigkeiten beim Einlaufen in den Hafen gemacht. Von kleinen Schiffen wurden Parolen verlesen und Sprüche gegen die Atomsprengköpfe gemacht, die sich angeblich auf der Iowa befänden. Selbst der Oberbürgermeister der Stadt Kiel betonte, daß mit Atomwaffen bestückte Schiffe nicht gerade sehr willkomen im Kieler Hafen sind.

Nicht nur die Iowa, auch weitere Schiffe hatten Schwierigkeiten. Umso erstaunlicher war es für mich und viele Bürger Kiels, als ein russisches Kriegsschiff Kiel im Sommer 1990 besuchte und den Russen keine Schwierigkeiten gemacht wurden, denn diese hatten versichert, daß sie keine Atomwaffen an Bord hätten, und es schien glaubwürdig genug. Keine Demonstrationen fanden gegen diesen Flottenbesuch statt.

Durch die Zeitung erfuhr ich im Juni 1990, daß Ministerpräsident Engholm in seinem Kabinett zwei Ministerinnenposten austauschen ließ. Frau Rühmkorf wurde Stellvertretende Ministerpräsidentin und Frau Tidick übernahm das Kultusministerium.

Da ich im Sommer 1989 einmal Gelegenheit hatte, mit Frau Tidick einige Worte zu wechseln, schrieb ich ihr einen Brief, in welchem ich ihr erklärte, daß es mir leider nicht gelungen war, ihre Vorgängerin im Amt, Frau Rühmkorf, zu sprechen, um ihr seinerzeit meine Besorgnisse über das Unwissen von Schülern in Schleswig-Holstein betreffend der Nazivergangenheit und Geschichte zum Ausdruck zu bringen. Ich bat nun Frau Tidick um einen Gesprächstermin.

Kurz darauf traf ich sie bei einem Empfang im Kulturzentrum der Stadt Kiel, bei dem der Kulturpreis der Stadt verliehen wurde. Doch leider konnten Frau Tidick und ich nur einige Worte wechseln, doch bestätigte sie mir unaufgefordert den Eingang meines Schreibens.

Vor zwei Jahren hatte ich an der Verleihung des Kulturpreises an Raphael Rheinsberg teilgenommen. Heute wie damals war ich erstaunt zu sehen und zu hören, wie noch während dieser Verleihungszeremonie so manche Redner in ihren Ansprachen die Gründe, warum und weshalb der Preisträger, in einigen Fällen trotz knapper Mehrheit, diesen Preis erhielt, darlegten.

Ich persönlich finde das „Sophienhof-Einkaufszentrum" schön, praktisch und attraktiv, obgleich ich, wie viele Kieler, eine Restauration des alten Sophienhofs und der anliegenden schönen alten Häuser in der Lerchenstraße und in der Herzog-Friedrich-Straße vorgezogen hätte. Irgendwie habe ich das Gefühl, und sicherlich haben manche Reisende, die gerade aus dem Kieler Bahnhof treten, den Eindruck, einen neuen größeren Bahnhof vis-à-vis zu erblicken. Doch dies ist der Sophienhof.

Wie ich mich erinnere, wurde insbesondere der Preisgewinner gelobt, für das ursprünglich vorgesehene Hotel im Sophienhof ein Kulturzentrum erschaffen zu haben. Ich weiß nicht so recht, ob dies gelungen ist, denn der Besucher kommt erst in einigermaßen große Räumlichkeiten, nachdem er Treppen und Fahrstühle sowie Eingänge, die auch in andere Richtungen führen, überwunden hat. Ich meine, für die hohen Kosten und den Aufwand dieses Kulturzentrums hätten die Bürger etwas mehr erwarten dürfen. Die Räumlichkeiten und deren Zugangswege sind ein „Gewurschtel", wenn ich das Wort, welches ich in meiner elfjährigen bayerischen Zeit gelernt habe, gebrauchen darf.

Frau Tidick erzählte dem Publikum auf dieser Kulturpreisverleihung von einer Ferienreise in norditalienische Städte wie Florenz, Siena usw. und deren architektonische Schönheit und über die wohl etwas tristere Stadt Kiel und ihre Bauten.

Vielleicht muß man Kieler sein, um diese Stadt und ihre Schönheit zu lieben, aber trotzdem kenne ich viele Neukieler, welche diese Groß- und Landeshauptstadt lieben. Vielleicht, weil Kiel trotzdem eine Provinzstadt geblieben ist.

Es muß schwer für eine Nichtkielerin wie Frau Tidick sein, wenn man Bonn kennt, nach Italien reist, in Hamburg wohnt, Kiel mit den Augen eines Kielers zu betrachten. Besonders, wenn man nur einige Tage in der Woche in Kiel-Holtenau im alten renovierten Packhaus wohnt, welches nicht unbedingt eine Augenweide ist.

Oberbürgermeister Luckhardt, feierlich mit seiner Amtskette bekleidet, sprach aus Anlaß der Kulturpreisverleihung. „Ich sollte eigentlich den Text der Urkunde des Preises vorlesen". Doch meinte er, ein Streitgespräch fördere die Demokratie, Kiel wäre eine schöne Stadt, und bat Kritiker, doch das Rathaus und den Turm zu betrachten. Ferner sollte man nicht vergessen, daß Kiel in der Kaiserzeit zu schnell gewachsen ist und wachsen mußte. Der Aufbau nach dem Zweiten Weltkrieg mußte ebenfalls, ob man wollte oder nicht, schnell und zügig vorangehen. Man sollte Kiel nicht mit italienischen Städten vergleichen, die sich über Jahrhunderte entwickelt hatten.

Beim anschließenden Empfang begrüßten mich Luckhardt und seine Gattin und befragten mich über die Fortschritte, die ich an meinem Buch mache. Ich antwortete: „Es kommt langsam und sicher voran. Das Manuskript ist fast fertig. Ich brauchte aber mehr Zeit, als ich ursprünglich annahm". Denn auch wie er, schätze ich das Streitgespräch und dies erfordert mehr detaillierte Arbeit.

Ende Juni 1990 flog ich von Hamburg nach New York. Mein Großneffe Moshe Bienenfeld heiratete und ich bereute nicht, daß ich die lange Reise unternommen hatte. Die Hochzeit war eine schöne, nach alter orthodoxer jüdischer Tradition begangene Feier. Eine der schönsten Szenen ist, wenn der Bräutigam, begleitet von Freunden und Fanfarenmusik sowie dem Klatschen der Gäste, auf die Braut zuschreitet und sie „bedeckt", ein jiddisches Wort, welches eine alte Tradition beschreibt.

Tatsächlich hebt der Bräutigam den Brautschleier der Braut hoch und „bedeckt" sie wiederum mit dem Schleier, um sich davon zu überzeugen, ob die Braut auch tatsächlich seine Auserkorene ist. Eine Anspielung auf ein vor tausenden Jahren liegendes Ereignis, wo einer der Stammväter der Israelis, Jakob, meinte, er hätte Rachel geheiratet, aber in der Tat heiratete er ihre Schwester Leah.

An die 300 Gäste, Verwandte, Freunde, Nachbarn, Juden und Nichtjuden und, wie man es mehr und mehr sieht, auch schwarze Freunde, waren anwesend. Der Vater der Braut ist Staatsanwalt in New York, und somit waren auch manche Politiker unter den Gästen.

Ich flog nach Hamburg zurück, um den restlichen Sommer in Europa zu verbringen. In Kiel erwarteten mich ein freundliches Schreiben von

Frau Tidick und ein Buch über den „Rechtsextremismus in Schleswig-Holstein 1945–1990". Sie bat um Verständnis, daß sie mich nicht zu einem Gespräch empfangen kann, Zeitmangel, und sie müßte sich noch in ihrem neuen Aufgabengebiet einarbeiten.

Dieses Buch behandelt die große Anfrage der regierenden Partei SPD an die Regierung und das Protokoll der Sitzung des Schleswig-Holsteinischen Landtages vom 24. Januar 1990.

In der Antwort der Landesregierung wird festgestellt, daß über Jahrzehnte in Schleswig-Holstein im Gegensatz zu anderen Ländern kaum etwas zur Erforschung des Nationalsozialismus getan wurde. Eine bedauerliche Tatsache, weil insbesondere in Schleswig-Holstein noch viele Jahre nach dem Krieg Nazis in öffentlichen, verantwortlichen Stellen tätig waren.

Beim Lesen dieses Berichts konnte ich ersehen, daß die heutige Regierung feststellen will, daß bis 1988 kaum etwas zur Erforschung und Bekämpfung der Rechtsextremisten getan wurde, und daß die seit 1988 bestehende Regierung dieses Problem angehen wird.

Beim Lesen der Landtagsdebatte konnte ich dann feststellen, daß die CDU, die bis 1988 für viele Jahrzehnte Schleswig-Holstein regierte, diesen Vorwurf erkannte und sich zur Diskussion stellte.

Ich möchte aber gern mehr über konkrete Maßnahmen, welche die Regierung nach 1988 unternommen hatte, hören. Ich habe seit Jahren bei vielen Gesprächen mit Menschen hier feststellen können, daß die überwiegende Mehrheit zu diesem heutigen demokratischen Deutschland steht. Die alte und die neue Generation der Unverbesserlichen sind nur einige wenige Menschen.

Aber weil immer noch zu wenig über die NS-Vergangenheit gelehrt wird, ist die Gefahr einer Ansteckung mit der Ideologie der „Unverbesserlichen" sehr groß.

Es ist leider so, daß diese Unverbesserlichen ihre „Lehre" in Schulen, auf Arbeitsplätzen, in Vereinen usw. verbreiten, und der gutmütige, demokratische Bürger, der nur Recht, Ordnung, Arbeit und Frieden wünscht, kann ihnen in einer Diskussion nicht standhalten.

Freunde in der Bundesrepublik sowie in den Vereinigten Staaten und auch in meiner Familie sagen mir, wenn es mir Spaß brächte, über mein Leben zu schreiben, gut und schön. Ich glaube und hoffe, daß ich in nicht allzu weiter Zukunft, in der Stadt Kiel und in Schleswig-Holstein verantwortliche regierende Personen finden werde, die anerkennen, daß ein Vertreter der sehr kleinen, ehemaligen jüdischen Gemeinde eben doch diese vertritt und in Zukunft Verständnis für die Wünsche dieser immer kleiner werdenden Gruppen entgegenbringen wird.

Es kann so vieles eingerichtet werden, Museen und lebende Gedenkstätten. Lehrstühle können geschaffen und gefördert werden, Stipendien an jüdische Studenten vergeben und Austauschbesuche mit den Nachkommen dieser jüdischen Gemeinschaft Schleswig-Holsteins mit der neuen Jugend dieses Landes vorgenommen werden.

Das Städtchen Friedrichstadt mit seinen wohl wenigen Tausend Einwohnern geht in Schleswig-Holstein mit gutem Beispiel voran. Das kleine Stadtarchiv hat Namen und Adressen der im Ausland wohnenden früheren jüdischen Mitbewohner Friedrichstadts sowie eine Chronik und genaue Daten dieser früheren jüdischen Gemeinde.

Die Stadt freut sich mit jedem früheren jüdischen Bürger, der seine Heimatstadt besucht, und lädt ihn ein. Gerade jetzt schrieb ein 96jähriger Friedrichstädter ein Buch über seine jüdischen Mitbürger. Eine Stadt, in die die Nazis am 9. November 1938 die verbrecherischen Elemente aus Husum importieren mußten, da keiner in Friedrichstadt bereit war, Hand an seine Mitbürger oder an deren Besitz zu legen.

Friedrichstadt plante bereits vor einigen Jahren, die frühere alte Synagoge zu kaufen, doch Schwierigkeiten mußten überwunden werden, da dieses Gebäude bewohnt war. Doch 1990 kaufte die Stadt die Synagoge und plant, eine Gedenkstätte aus dieser alten Synagoge zu machen.

Wie bereits erwähnt, wohnen weniger als 3.000 Menschen in Friedrichstadt. Die alte Holländer-Siedlung bewahrt noch immer die Tradition ihrer ersten Siedler. Friedrichstadt ist so viel kleiner als ihre Landeshauptstadt Kiel, aber trotzdem bedeutend größer.

Im Spätsommer 1990 begleitete ich, wie bereits des öfteren, eine Gruppe früherer Bürger Schleswig-Holsteins auf einigen ihrer Reisen innerhalb Schleswig-Holsteins.

Wie bereits berichtet, laden alle Städte ihre früheren Bürger noch für einige Tage in ihre Heimatstadt ein. Auch Kiel lud die zwei früheren Kieler Bürger, die dieser letzten Gruppen angehörten, diesmal anschließend ein. Doch leider, obgleich den Gästen und der Stadt Kiel das Datum der Besuchswoche in Schleswig-Holstein ein gutes halbes Jahr vorher bekannt war, erhielten die zwei früheren Kieler Bürger erst wenige Tage vor ihrer Abreise die Einladung der Stadt Kiel übermittelt.

Ein früherer Kieler, jetzt in den USA lebend, konnte leider nicht umdisponieren, doch eine in Südamerika lebende Dame nahm die Einladung gern an, da sie zeitmäßig sowieso geplant hatte, noch einige Tage in ihrer Heimatstadt zu verbringen. Ich weiß nicht, was da schiefgelaufen ist, ob dieser Etat zu spät bewilligt wurde oder ob wiederum die linke Hand nicht wußte, was die rechte tat.

Wie immer wurden die Gäste im Kieler Rathaus empfangen, wiederum vom Oberbürgermeister und auch sehr herzlich. Herr Luckhardt erklärte den Werdegang und die Geschichte der Stadt Kiel, aber wie jedesmal erwähnte er nicht, daß ein Teil dieser Gäste aus Kiel stammte und alle aus Schleswig-Holstein. Auch äußerte er nicht, wie willkommen sie in ihrer alten Heimat sind oder sagte ein Wort zur Vertreibung damas bzw. zur Versöhnung.

Meine neugierigen Leser möchte ich auch hierin befriedigen und sagen: Nein, die Landeshauptstadt Kiel hat auch diesmal nicht die Besucher zu einem Essen gebeten.

Doch der Empfang in den weiteren Städten Schleswig-Holsteins, insbesondere der Hansestadt Lübeck, ist immer so warm und herzlich, der Bevölkerungskontakt stark, die alte Heimat und Städte so schön, daß der schleswig-holsteinischen Regierung großer Dank gebührt, diese Einladungen auszusprechen.

Viele in diesen Gruppen fanden alte Bekannte, Mitschüler und Freunde wieder. Einige, die besorgt und mit unsicheren Gefühlen in ihre alte Heimat reisten, kehrten in ihre neue Heimat gestärkt in dem Gedanken zurück, ein neues Deutschland vorgefunden zu haben, ein schönes, besseres Deutschland.

Viele wußten nicht, als sie so herzlich über ihre Gastgeber, Wirte in diversen Restaurants sprachen und die Herzlichkeit bewunderten, daß es einige in Schleswig-Holstein gab, die keine früheren jüdischen Bürger bewirten wollten. Unter anderem wurde auch gesagt: „Ich will mir doch nicht meine regelmäßigen Gäste verscheuchen".

All diese Besucher wußten nicht, daß auch Drohanrufe die Landesregierung erreichten und an manchen Tagen diese Gruppen unter diskretem Polizeischutz standen.

Doch für die Völkerverständigung wurde so vieles mit diesen Einladungen und Besuchen getan. Die, die es taten, verdienen Dank und Ehre, denn sie mußten sich bei einer nicht kleinen Opposition durchsetzen.

Es war und ist meine Absicht, meine Erinnerungen, Erfahrungen und Erlebnisse mit meinem viermonatigen Europabesuch im Jahre 1990 abzuschließen. Die letzten zehn Tage dieses Besuches verbrachte ich in Freiburg im Breisgau. Ich besuchte am Freitagabend die neue kleine

Synagoge. Es waren wohl mehr Besucher als im letzten Jahr bei meinem Besuch anwesend. Dies erklärte sich daraus, daß mein diesjähriger Besuch in den Spätsommer fiel nach der Ferienzeit.

Unter den Anwesenden weilten im Gegensatz zu anderen Städten in der Bundesrepublik viel mehr jüngere Leute. Es waren einige Studenten und zwei Soldaten der in Baden stationierten französischen Armee anwesend.

In Freiburg wurde mir berichtet, daß erst kürzlich am 26. August 1990 der jüdische Friedhof in Ihringen geschändet wurde. Der Friedhof wurde fast vollständig zerstört. Grabsteine wurden zertrümmert, aus ihren Verankerungen gerissen, wie immer mit Hakenkreuzen und antisemitischen Parolen beschmiert.

Ob aufgrund einer Bürgerinitiative von den Parteien, oder von wo aus auch immer, ohne große Ankündigungen oder Einladungen erschienen am 8. September an die 6.000 schweigende Protestmarschierende in Ihringen. Ich möchte sagen, alle Bevölkerungsschichten waren erschienen, jung und alt, auch aus dem nahen Ausland, aus Frankreich und der Schweiz.

Ein evangelischer Pfarrer las aus den Psalmen Davids. Kondolenzlisten wurden ausgelegt, die meisten Protestierenden gaben ihre Entrüstung mit der Eintragung ihrer Namen in diesen Listen wieder.

Diese Schändung war ein wohlorganisiertes logistisches Attentat. Es bedurfte vieler kräftiger Männer, Wachen, Transportmöglichkeiten und Werkzeuge. Die Täter sollten mit etwas Mühe und Willen ausfindig gemacht werden. Doch dies ist ein anderes, trauriges Kapitel.

Leisetreten ist die Parole in der Bundesrepublik, beteuern, bedauern, nichts oder wenig tun. Doch in Ihringen regte sich des Volk etwas. Es gab einen Protest, ein schwaches, doch erfreuliches demokratisches Zeichen, ein Zeichen von vielleicht etwas Hoffnung.

Das Neo-Nazi-Gesindel tat etwas in ihrem, von ihren Vätern überlieferten Haß, denn unbewußt machten sie tote Deutsche, die vergessen sind, weil sie Juden waren, wieder lebendig.

Dem neuen gesamtdeutschen Parlament würde ich vorschlagen, das Wort „Wiedervereinigung" auseinanderzunehmen, zu prüfen und somit festzustellen, daß es nicht nur um eine Wiedervereinigng zweier deutscher Staaten geht. Eine deutsche Wiedervereinigung ist nur komplett und hundertprozentig mit der Einbeziehung der ausgestoßenen, verjagten und ermordeten Deutschen jüdischen Glaubens, inbegriffen der noch in ihrer Heimaterde begrabenen Toten. Wir alle blicken jetzt auf das neue vereinigte Deutschland. Wir kennen seine Versprechen, sogar Bereitschaft und hoffen endlich auch auf Taten.

Krieg im Golf trotz aller und vieler Friedensversuche und Vermittlungen. Diese Vermittlungen waren sehr ernst gemeint. Doch haben sicherlich manche dieser Vermittlungen Saddam Hussein in seinen Wahnsinnsvorstellungen gestärkt und die Uneinigkeit der Verbündeten zum Ausdruck gebracht.

Viele der ausländischen Staatsmänner, die nach Bagdad pilgerten, meinten es sehr ernst, wenn es auch manchmal nur um ihre politischen Ziele und die Zukunft im eigenen Staat ging.

Der österreichische Staatspräsident Kurt Waldheim wollte sicherlich auch einmal wieder verreisen, denn in die USA kann er aufgrund eines Einreiseverbots nicht fahren. Leider hat er kaum Einladungen von anderen respektierten Staaten. Und dauernd zum Papst nach Rom fahren, wird wohl auch zu langweilig, obgleich Herr Waldheim sicherlich so manches zu beichten hat.

Willi Brandts Pilgerfahrt zum Diktator von Irak hat mich sehr überrascht. Ich glaube schon, daß Herr Brandt ehrlich davon überzeugt war, daß seine Reise wohl dem Frieden helfen könnte.

Ich frage mich immer, was bei solchen Treffen von Staatsmännern und Lumpen vor sich geht. Auch frage ich mich, wußten nicht die Staatsmänner von der Geschichte, und insbesondere Willi Brandt, daß Chamberlains erstes Treffen mit Hitler und später in München ihn nur in seinem Ziel, Krieg anzufangen, bestätigt hat?

Die amerikanischen Zeitungen und Zeitschriften berichten von den zwei großen „Checkbook Powers" Deutschland und Japan. Reiche Länder, die sich ihrer Pflichten in der westlichen und zivilisierten Welt nicht ganz klar sind. Die Zeitungen berichten weiter, daß sich Deutschland endlich bewußt würde, daß die Anschuldigung von einem „Auschwitz in der Wüste" doch ziemlich zutreffend sind, und endlich etwas den auch für Deutschland kämpfenden alliierten Truppen zukommen ließen.

Anrufe und Briefe, die ich aus Deutschland erhalte, versichern mir, daß die große Mehrheit in Deutschland den Entschluß der Alliierten und der UNO unterstützte. Immerhin ist Deutschland als Zufluchtsland für amerikanische Deserteure sehr gefragt, die dort Hilfe und Schutz erhalten. Aber es gibt auch ein anderes Deutschland, das die Angehörigen von US-Soldaten, die in Deutschland stationiert waren, unterstützen, mit Geldmitteln und persönlichen Hilfeleistungen.

Leider waren deutsche Firmen sehr stark in der Entwicklung von Giftgasen für das Arsenal Saddam Husseins behilflich, genau wie vor einigen Jahren in Lybien. Die Entsendung von Gasmasken der Deutschen Regierung an Israel, eines von diesem Gas bedrohten Land, war zwar lobenswert, aber trotzdem eine große „Chuzpe".

Ich wiederhole nochmals, daß die letzten zwei Generationen in Deutschland nur wenig, wenn überhaupt, über die jüngere Geschichte unterrichtet worden sind. Ferner hat Deutschland wohl noch nicht das demokratische Denken und Leben, wie man es in anderen westliche Ländern sieht, erreicht.

Wenige Tage nachdem Saddam Hussein Israel, ein neutrales Land, mit Missiles beschossen hatte, erhielt ich einen Anruf von einem deutschen Freund. Jener ist 45 Jahre alt, geschichtsbewußt, wohlbelesen und unterrichtet. Unsere Familien sind seit Generationen befreundet. Seine nicht-jüdische Familie hat uns in den Verfolgungsjahren sehr zur Seite gestanden.

Dieser Freund sagte mir am Telefon, daß er und viele andere Deutsche mein Volk so sehr bewundern, für die Zurückhaltung, die dieses jetzt zeigt. Erst verstand ich meinen Freund nicht und sagte: „Gott noch einmal, wenn Präsident Bush einige Tausend Einsätze über Irak täglich fliegen läßt, ist es doch kaum eine Zurückhaltung".

Erst nachdem ich dies gesagt hatte, wurde mit bewußt, daß mein Freund mit meinem Volk Israel meinte. Auch mein Freund bemerkte zu diesem Zeitpunkt seinen technischen Fehler und sagte mir: „Du weißt schon, was ich meine". Nur einige Stunden vor diesem Telefongespräch sprach ich mit der Kellnerin in dem Restaurant, wo ich täglich Mittag esse, und auch mit unserem Hausmeister. Beide sind Christen und beide wissen, daß ich jüdisch bin. Wir sprachen auch über den Krieg, über Israel und natürlich auch darüber, daß unsere Soldaten es schon schaffen werden. Weder mir noch den anderen ist je der Gedanke gekommen, daß einer von uns eventuell einem anderen Volk angehören würde. Wir sind und betrachten uns als Amerikaner seit Geburt oder Wahl.

Mein 45jähriger Freund aus Kiel aber hatte auch nicht so unrecht. Natürlich bin ich mit dem Staat Israel verbunden. Aber ihm wurde nicht in der Schule gelehrt, warum Juden, wo immer sie wohnen, sich öfters mit Israel verbunden fühlen. Noch wurde ihm gelehrt, daß es wohl genau so viele Juden gibt, die sich mit dem Staat Israel nicht verbunden fühlen.

Ganz sicher wurde meinem Freund in der Schule auch nicht gelehrt, daß die Juden, die von Deutschland vertrieben oder ermordet wurden, Deutsche waren, nicht mehr und nicht weniger als ihre protestantischen oder katholischen Mitbürger.

Glossar

Account Executive: Anlageberater.

Affidavit: Bürgschaft, eidesstattliche Erklärung.

Alija: Bezeichnung für die Einwanderung nach Palästina bzw. Israel in der Neuzeit seit 1882.

Antisemitismus: Der Begriff bezeichnet global alle Formen der Judenfeindschaft, im spezifischen ist er politisch oder rassistisch begründet und richtet sich gegen die Emanzipation der Juden in der Neuzeit in Unterscheidung zum traditionell religiös begründeten Judenhaß.

Assimilation: Im Zuge der Säkularisierung einsetzender Prozeß der Anpassung der jüdischen Minderheit an die Lebensgewohnheiten der jeweiligen Umwelt.

Associate Manager: Stellvertretender Leiter.

Bar Mizwa: Zeremonie am 13. Geburtstag eines Knaben, der von nun an im religionsgesetzlichen Sinn volljährig ist.

Beschneidung: Ritualisierte operative Entfernung der Vorhaut 8 Tage nach der Geburt. Das jüdische männliche Kind wird damit in den Bund Abrahams (1. Mose 17.1.9) aufgenommen.

Bnai Brith: Jüdische Loge, 1843 in New York gegründet mit dem Ziel der Selbsterziehung und der Förderung humanitärer Ideen unter Juden.

Chanukka-Fest: Achttägiges Lichterfest zur Erinnerung an die Neueinweihung des Tempels durch Judas Makkabäus.

Checkbook-Powers: Hier gemeint sind Länder wie Japan und Deutschland, deren Stärke nicht militärischer sondern wirtschaftlicher Art ist.

Cheder: Jüdische Elementarschule, in der die Grundkenntnisse des Hebräischen, der Tora und des Talmud vermittelt werden.

Chochmes: jüdisches Wort für Weisheitssprüche.

Chuzpe: Jiddische saloppe Bezeichnung für Dreistigkeit, Unverfrorenheit, Unverschämtheit.

Deportation: Zwangsweise Verschickung von Menschen in vorbestimmte Aufenthaltsorte. Die Deportierten verbleiben dabei im Machtbereich des deportierenden Staates. Das nationalsozialistische Regime hatte ca. 4,5 Mill. Juden deportiert.

Ghetto: Zwangsweise Zusammenfassung der Wohnquartiere der jüdischen Bevölkerung in einer Gasse oder einem Wohnbezirk.

Hachscharah: Vorbereitung zur Auswanderung nach Palästina.

Haggada: Teil der sog. mündlichen Lehre und somit des rabbinischen und mittelalterlichen jüdischen Schrifttums, das alle nicht gesetzlichen Bereiche erfaßt. Vorwiegend Gebete aber auch Erzählungen, Legenden und Fabeln, vielfach künstlerisch gestaltet und polulär.

Hanscom-Bake-Shops: Name der Bäckerei, in der Leo Bodenstein einen Job fand.

Hebräisch: Semitische Konsonantensprache, Vokale wurden erst im Mittelalter aufgenommen. In der jüdischen Diaspora wurde es vor allem in der Synagoge, der rabbinischen Literatur und der jüdischen Philosophie verwendet. Seit 1948 Nationalsprache des Staates Israel.

Holocaust: Bezeichnung für die kollektive fabrikmäßige Ermordung der europäischen Juden durch den Nationalsozialismus vor allem durch die Methode der Vergasung.

IOS: International Overseas Services, spekulative Investmentgesellschaft.

Jiddisch: Sprache der nicht assimilierten aschkenasischen Juden, entwickelte sich im Mittelalter aus dem Jüdisch-Deutschen und fand vor allem in Osteuropa Verbreitung.

Jom Kippur: Versöhnungstag, höchster jüdischer Feiertag, er beschließt die zehn mit dem Neujahrstag am 1. Tischri einsetzenden Bußtage.

Judentum: Ethnische und religiöse Gemeinschaft, älteste monotheistische Religion und Mutterreligion des Christentums und des Islam.

Judenpogrome: Judenverfolgungen. Bis in die Gegenwart praktizierte mit Mord und Plünderung verbundene Verfolgung, die speziell in der Zeit der Kreuzzüge zu tumultartigen Exzessen gegen Juden führte. Die Judenverfolgung erreichte im nationalsozialistisch beherrschten Europa ihren Höhepunkt.

Kaddisch: Totengebet.

Kalender: Die jüdische Zeitrechnung geht vom Zeitpunkt der rabbinischen Errechnung der Entstehung der Welt aus. Durch die Addition von 3760 zum gregorianischen Kalender erhält man die aktuelle Jahreszahl, z.B. 1991 + 3760 = 5751 nach jüdischer Zeitrechnung.

Koscher: Sauber und tauglich sowie rein im Sinne der religiösen Speisevorschriften der Juden. Die von der Tora zum Essen freigegebenen Tiere dürfen nur nach ritueller Schlachtung verwendet werden. Verbot des gleichzeitigen Verzehrs von Fleisch und Milch.

Kol-Nidre-Gebet: Gebet zu Beginn des Jom Kippur, zur Ungültigmachung mancher Gelübde, die die Person des Beters betreffen.

Laubhüttenfest: Einwöchiges Ernte- und Freudenfest der Israeliten, an dem eine Laubhütte als Symbol für die Unabhängigkeit Israels nach dem Auszug aus Ägypten nach der 40-jährigen Wüstenwanderung errichtet wurde und keine feste Bewohnung darstellte.

Liquidation: Abwicklung; Auflösung und Beendigung eines laufenden Geschäfts.

Low-Key-Ereignis: Mit Absicht geplant etwas nicht an die große Glocke zu hängen.

Mazze: Ungesäuertes Brot.

Menora: Siebenarmiger Leuchter, in der Stiftshütte und im Tempel aufgestellt, ältestes jüdisches Symbol.

Mikwe: Reinigungsbad zur Beseitigung ritueller Unreinheit im Sinne vom 3. Buch Moses 14 und 15.

Mohel: Vollzieher der Beschneidung.

Pentateuch: Fünfrollenbuch, die griechische Bezeichnung für die fünf Bücher Mose. Sie umfassen die Urgeschichte, die Vätergeschichten, den Auszug Israels aus Ägypten, die Landnahme und umfangreiche Gesetzestexte.

Pessachfest: Einwöchiges Fest etwa zur Osterzeit zum Gedenken an den Auszug der Israeliten aus Ägypten, auch Passahfest.

Phalangisten (Falangisten): Angehörige einer rechtsgerichteten libanesischen Partei der christlichen Maroniten.

Prüne: Kieler Straßenname, abgeleitet aus einer alten Flurbezeichnung des Stadtwaldes.

Rabbiner: Titel der jüdischen Schriftgelehrten und religiösen Funktionsträger. Sie übernehmen Funktionen wie die geistige und soziale Leitung einer Gemeinde, die Leitung des synagogalen Dienstes, das religiöse Lehramt, des in religionsgesetzlichen Streitfällen entscheidende oder beratenden Schriftgelehrten und das zivilrechtliche Richteramt.

Remembrance Comitee: Erinnerungskomitee.

Rosch Ha-Schana: Jüdisches Neujahrsfest, das am 1. und 2. Tischri (September/Oktober) gefeiert wird. Mit ihm beginnen die zehn Bußtage, die am 10. Tischri mit dem Jom Kippur, dem Versöhnungsfest enden.

„Schiwe" sitzen: Nahe Angehörige sitzen 7 Tage nach einem Todesfall auf niedrigen Stühlen im Trauerhaus und empfangen Kondolenzbesucher.

Seder: Häusliche Liturgie am 1. und 2. Abend des Pessachfestes.

Sephardim: Bezeichnung für die Nachkommen der Juden, die 1492 Spanien verlassen mußten. Heute werden mit diesem Ausdruck oft Juden aus den orientalischen Ländern bezeichnet, die im Gegensatz zu den Aschkenasim nicht von der nationalsozialistischen Judenverfolgung betroffen wurden und 1948 nach Israel einwanderten.

Subway: Untergrundbahn.

Synagoge: Haus der Zusammenkunft der jüdischen Gemeinde zu Gebet und zur Lehre; örtliches Zentrum des religiösen und auch sozialen Gemeindelebens.

Talmud: Name der beiden großen zu den heiligen Schriften zählenden Literaturwerke des Judentums, Mischna und deren rabbinischen Kommentar, der Gemara. Beide sind in einem langen Prozeß mündlicher und schriftlicher Überlieferung entstanden. Charakteristisch für den Stil des Talmuds sind die prägnante Kürze und die zum Teil scharfe Dialektik, die in den Diskussionen der Lehrhäuser wurzeln. Seit dem Mittelalter war der Talmud bevorzugtes Objekt antijüdischer christlicher Polemik, entstellte Zitate wurden oft im modernen Antisemitismus verwendet.

Tora: Gesetz Gottes und Kernstück des jüdischen Glaubens mit dem geoffenbarten Buch des Bundes des Volkes Israel mit Gott (die 5 Bücher Mose). Die Tora ist auf einer kultisch geschmückten und ummantelten Pergamentrolle von Hand geschrieben und im Toraschrein aufgewahrt. Die ganzjährige, abschnittweise Toralesung bildet den Mittelpunkt des religiösen Lebens im Judentum.

Top-Echelons: Top Management.

Vernissage: Eröffnung einer Kunstausstellung in einer Galerie.

War Bond: Kriegsanleihen in den USA.

Zandek: Träger des Kindes bei der Beschneidung.

Zionismus: Politische und soziale Bewegung zur Errichtung eines jüdischen Staates in Palästina. Ursächlich für den Zionismus war das Aufkommen des Nationalismus und des Antisemitismus im 19. Jahrhundert in Europa. Er umfaßt auch nach der Gründung von Israel unterschiedliche und auch konträre ideologische Richtungen, z.B. radikale national-jüdische, kulturzionistische und religiöse Gruppen. Die Bemühungen des Zionismus nach der Ausrufung des Staates Israel am 14. Mai 1948, mit dem das von Herzl proklamierte Ziel der „Gründung eines Judenstaates" erreicht war, konzentrieren sich seitdem auf die Stärkung der Beziehungen zwischen Israel und der jüdischen Diaspora.

Literaturhinweise

Eine erschöpfende Zusammenfassung der nationalsozialistischen Rassenpolitik und der Judenvernichtung mit umfassenden bibliographischen Nachweisen bietet in den Kapiteln 60 und 78 der Gebhardt, Handbuch der deutschen Geschichte, Band 4, Karl Dietrich Erdmann: Die Zeit der Weltkriege, 1. Aufl. Stuttgart 1978, inzwischen auch als Taschenbuch erschienen.

Weitere Literaturhinweise finden sich ebenfalls in den angegebenen Bänden und Broschüren, die vor allem einen schnellen Einstieg und eine erste Information zu den Themen Naher Osten, Israel, Juden und Judenverfolgung bieten.

Einige der folgenden Publikationen sind kostenlos bei den Landeszentralen für politische Bildung oder bei der Bundeszentrale für politische Bildung, Berliner Freiheit 7, 5300 Bonn 1, erhältlich.

Aleff, Eberhard: Das Dritte Reich. Edition Zeitgeschehen, Hannover 1986, 23. Aufl.

Arendt, Hannah: Eichmann in Jerusalem. Ein Bericht von der Banalität des Bösen, Leipzig 1990

Battenberg, Friedrich: Das Europäische Zeitalter der Juden. Bd. I: Von den Anfängen bis 1650. Bd. II: Von 1650 bis 1945, Darmstadt 1990

Benz, Wolfgang (Hrsg.): Legenden, Lügen, Vorurteile. Ein Lexikon zur Zeitgeschichte, München 1990

Bergmann, Werner / Rainer Erb (Hrsg.): Antisemitismus in der politischen Kultur nach 1945, Wiesbaden 1990

Bundeszentrale für politische Bildung: Der Nationalsozialismus. Heft 123/126/127 der „Informationen zur politischen Bildung", München 1986, 7. Aufl.

Bundeszentrale für politische Bildung: Der Staat Israel. Heft 141 der „Informationen zur politischen Bildung", Bonn 1986

Bundeszentrale für politische Bildung: Geschichte des jüdischen Volkes. Heft 140 der „Informationen zur politischen Bildung", München 1985

Bundeszentrale für politische Bildung: Der Islam und die Krise des Nahen Ostens. Heft 194 der „Informationen zur politischen Bildung", München 1982

Bundeszentrale für politische Bildung: Der israelisch-arabische Konflikt. Reihe „Kontrovers", 4. Aufl. Bonn 1990

Bundeszentrale für politische Bildung: Helmut Kistler: Das Pogrom vom November 1938. „Reichskristallnacht", München 1988

Deutschkron, Inge: Israel und die Deutschen. Das besondere Verhältnis. 2. Aufl. Köln 1983

Freimark, Peter und Kopitzsch, Wolfgang: Der 9./10. November 1938 in Deutschland, Dokumentation zur „Kristallnacht". Sonderauflage der Landeszentralen für Politische Bildung Hamburg und Schleswig-Holstein. 5. durchgesehene und erweiterte Aufl. Hamburg 1988

Kampen, Wilhelm van (Bearb.): Holocaust. Materialien zu dem amerikanischen Fernsehfilm über die Judenverfolgung im Dritten Reich. 3. Aufl., Düsseldorf 1982

Landeszentrale für Politische Bildung Schleswig-Holstein: Reihe „Gegenwartsfragen", Band 58. „Die Juden in Schleswig-Holstein". Mit Beiträgen von Lianne Paulina-Mürl, Lars Clausen, Peter Wulf und Ole Harck. 2. Aufl. Kiel 1988

Landeszentrale für Politische Bildung Schleswig-Holstein: Reihe „Gegenwartsfragen", Band 64. „Rechtsextremismus in Schleswig-Holstein 1945-1990." 2. Aufl. Kiel 1990

Scheffler, Wolfgang: Judenverfolgung im Dritten Reich. Reihe Zur Politik und Zeitgeschichte, Band 4. Berlin 1964

Schreiber, Friedrich und Wolffsohn, Michael: Nahost. Geschichte und Struktur des Konflikts. Opladen 1987

Schoenberner, Gerhard: Der gelbe Stern. Die Judenverfolgung in Europa 1933 – 1945, TB Frankfurt a.M. 1991

Steinbach, Lothar: Ein Volk, ein Reich, ein Glaube? Ehemalige Nationalsozialisten und Zeitzeugen berichten über ihr Leben im Dritten Reich. Bonn 1983

Strauss, Herbert A. / Werner Bergmann / Christhard Hoffmann (Hrsg.): Der Antisemitismus der Gegenwart, Frankfurt a.M. 1990

Wolffsohn, Michael: Ewige Schuld? 40 Jahre Deutsch-Jüdisch-Israelische Beziehungen, 3. Aufl. München 1989

Wolffsohn, Michael: Israel. Geschichte – Wirtschaft – Gesellschaft – Politik, 3. Aufl. Opladen 1991

Glossar und Literaturhinweise
zusammengestellt von Verena Lötsch und Rüdiger Wenzel